DESUMANO E DEGRADANTE

A marca FSC é a garantia de que a madeira utilizada na fabricação do papel deste livro provém de florestas de origem controlada e que foram gerenciadas de maneira ambientalmente correta, socialmente justa e economicamente viável.

PATRICIA CORNWELL

DESUMANO E DEGRADANTE

Tradução:
LUIZ DILERMANDO DE CASTELLO CRUZ

2ª edição
1ª reimpressão

COMPANHIA DAS LETRAS

Copyright © 1993 by Patricia Daniels Cornwell
Proibida a venda em Portugal

Título original:
Cruel & unusual

Projeto gráfico de capa:
João Baptista da Costa Aguiar

Foto de capa:
Henk Nieman

Preparação:
Flávio Ribeiro de Oliveira

Revisão:
Rosemary Cataldi Machado
Eliana Antonioli
Carlos Alberto Inada
Cecília Madarás

Dados Internacionais de Catalogação na Publicação (CIP)
(Câmara Brasileira do Livro, SP, Brasil)

Cornwell, Patricia Daniels
  Desumano e degradante / Patricia Daniels Cornwell;
tradução Luiz Dilermano de Castello Cruz. – São Paulo:
Companhia das Letras, 1996.

  Título original: Cruel & unusual.
  ISBN 978-85-7164-579-0

  1. Romance norte-americano I. Título.

96-2986   CDD-813.5

Índices para catálogo sistemático:
1. Romances : Século 20 : Literatura norte-americana 813.5
2. Século 20 : Romances : Literatura norte-americana 813.5

2009

Todos os direitos desta edição reservados à
EDITORA SCHWARCZ LTDA.
Rua Bandeira Paulista, 702, cj. 32
04532-002 – São Paulo — SP
Telefone: (11) 3707-3500
Fax: (11) 3707-3501
www.companhiadasletras.com.br

Este livro é para a inimitável dra. Marcella Fierro
(Scarpetta aprendeu com você)

Prólogo
(*MEDITAÇÃO DO CONDENADO DA RUA SPRING*)

Faltam duas semanas para o Natal. Para o nada faltam quatro dias. Deitado na cama de ferro, olho meus pés sujos e a privada branca sem tábua, e quando vejo as baratas se arrastando pelo chão já não pulo. Olho-as do mesmo jeito como me olham.

Fecho os olhos e respiro lentamente.

Lembro-me de colher feno debaixo do sol e de não receber pagamento nenhum, em comparação com o modo como os brancos vivem. Sonho com torrar amendoins numa lata e comer tomates como maçãs na época certa. Imagino-me dirigindo o caminhão, suor escorrendo pelo rosto, naquele lugar sem futuro que eu tinha jurado abandonar.

Não posso usar a latrina, assoar o nariz ou fumar sem que os guardas tomem nota. Não há relógio. Não sei nunca que tempo faz. Abro os olhos e vejo uma parede branca e infinita. O que deve pensar um homem a ponto de ser despachado?

Como uma canção triste, triste. Não sei a letra. Não consigo lembrar. Dizem que foi em setembro, quando o céu parecia um ovo de pintarroxo e as folhas em fogo caíam pelo chão. Dizem que havia uma fera solta na cidade. Agora há um som a menos.

Matando-me não matarão a fera. A escuridão é sua amiga, a carne e o sangue seu festim. Quando você acha que pode parar de procurar, é justamente quando você deve começar a procurar, meu irmão.

Um pecado leva a outro.

Ronnie Joe Waddell

1

Na segunda-feira em que andei com a meditação de Ronnie Joe Waddell em minha caderneta nem vi o sol. Estava escuro quando fui para o trabalho naquela manhã. Estava escuro de novo quando voltei para casa. Gotinhas de chuva apareciam na luz dos faróis, a noite estava fechada de neblina e o frio, cortante.

Acendi a lareira em minha sala de visitas e pensei numa fazenda da Virgínia com tomates amadurecendo ao sol. Imaginei um jovem negro na cabine quente de um caminhão e me perguntei se já então o homicídio andaria em sua cabeça. A meditação de Waddell fora publicada no *Richmond Times-Dispatch* e eu guardara o recorte para juntá-lo a seu nutrido prontuário. Mas o trabalho do dia tinha me distraído e a meditação ficara na caderneta. Eu a lera várias vezes. Pensei que sempre me intrigaria com o fato de poesia e crueldade poderem morar no mesmo coração.

Nas horas seguintes paguei algumas contas e escrevi cartões de Natal com a televisão ligada sem som. Quando havia uma execução marcada eu, como o resto dos cidadãos da Virgínia, procurava saber, por intermédio dos meios de comunicação, se todos os recursos haviam sido esgotados e se o governador concedera ou não o indulto. Dependendo das notícias, ia dormir ou ia para o necrotério.

Eram quase dez da noite quando o telefone tocou. Atendi, esperando que fosse o subchefe ou algum outro membro de minha equipe que, como eu, estivesse de plantão.

Uma voz de homem, que não reconheci, falou: "Alô. Estou tentando falar com Kay Scarpetta. É... a legista chefe. Dra. Scarpetta?".

"Isso mesmo", disse eu.

"Ótimo. Aqui é o detetive Joe Trent, do condado de Henrico. Encontrei seu número no catálogo. Desculpe incomodá-la em casa."

Parecia ansioso.

"Temos um caso aqui e realmente precisamos de sua ajuda."

Olhando tensa para a TV, perguntei: "Qual é o problema?". Era um intervalo comercial. Esperei não ter de ir ao local de alguma ocorrência.

"No começo da noite de hoje um menino de treze anos, branco, foi seqüestrado ao sair de um mercado em Northside. Deram um tiro na cabeça dele e talvez haja aspectos sexuais envolvidos."

Meu ânimo desabou enquanto eu procurava papel e caneta.

"Onde está o corpo?"

"Foi encontrado atrás de uma mercearia na avenida Patterson, aqui no condado. Quer dizer, ele não está morto. Está desacordado, mas por enquanto não dá para saber se vai sobreviver. Como não está morto, sei que não é de sua competência. Mas ele está com ferimentos bem estranhos. Nunca vi coisa igual. Sei que a senhora vê muitos tipos diferentes de ferimentos. Tenho a esperança de que tenha alguma idéia de como os dele foram feitos, e por quê."

"Descreva para mim."

"São em duas regiões. Uma é do lado de dentro da coxa, sabe, lá em cima, perto da virilha. A outra é na região do ombro direito. Estão faltando pedaços de carne — que foram cortados fora. E há uns cortes e arranhões estranhos na borda dos ferimentos. Ele está no posto médico de Henrico."

"Vocês acharam o tecido extirpado?" Meu pensamento percorria outros casos, procurando algo parecido.

"Até agora não. Temos homens procurando no local. Mas talvez a agressão tenha ocorrido dentro de um carro."

"Carro de quem?"

"Do agressor. O estacionamento da mercearia onde o garoto foi encontrado fica a uns cinco ou seis quilômetros do mercado onde ele foi visto pela última vez. Estou achando que ele entrou no carro de alguém; talvez tenha sido forçado."

"O senhor tirou fotografias dos ferimentos antes que os médicos começassem a cuidar dele?"

"Tirei. Mas não servem para grande coisa. Por causa da quantidade de pele que está faltando, vai ser preciso fazer enxertos — enxertos *totais*, dizem eles, não sei se a senhora entende."

Eu entendia que tinham limpado os ferimentos, que estavam dando antibiótico na veia e que iriam fazer um enxerto glúteo. Se, porém, não fosse esse o caso e tivessem destruído o tecido ao redor das feridas para suturá-las, então não sobraria muito que eu pudesse ver.

"Costuraram os ferimentos?"

"Não que eu saiba."

"O senhor quer que eu dê uma olhada?"

"Seria ótimo", disse ele, aliviado. "Quem sabe a senhora consegue entender aqueles ferimentos."

"Quando o senhor quer que eu faça isso?"

"Pode ser amanhã?"

"Está bem. A que horas? Quanto mais cedo melhor."

"Oito horas? Encontro a senhora na porta da enfermaria."

"Combinado."

O locutor me olhava severo. Levantei, peguei o controle remoto e aumentei o som.

"... Eugenia? Você pode nos dizer se há alguma novidade do governador?"

A câmera focalizou a Penitenciária Estadual da Virgínia, onde havia duzentos anos os piores criminosos do estado eram estocados ao longo de um trecho pedregoso do rio James, nos limites do centro da cidade. Manifestantes com cartazes e entusiastas da pena de morte juntavam-se no escuro, rostos grosseiros sob as luzes da televisão. Ver gente rindo me deu arrepios. Na tela apareceu uma repórter bonitinha, de casaco vermelho:

"Como você sabe, Bill, ontem foi instalada uma linha telefônica entre o gabinete do governador Norring e a penitenciária. Nenhuma palavra ainda, o que é grave. Historicamente, quando o governador não quer intervir, fica silencioso."

"Como estão as coisas aí? Tudo relativamente tranqüilo até agora?"

"Até agora sim, Bill. Eu diria que há centenas de pessoas em vigília aqui. Claro, a própria penitenciária está praticamente vazia. Quase todos os presidiários já foram transferidos para as novas instalações de Greensville."

Desliguei a televisão e minutos depois estava ao volante do meu carro, avançando para leste de portas trancadas e rádio ligado. O cansaço me tomava, como uma anestesia. Sentia-me zonza e pesada. Detestava execuções. Detestava esperar que alguém morresse para, em seguida, cortar com o bisturi carne quente como a minha. Era uma médica formada em direito. Tinha aprendido o que dava e o que tirava a vida, o que era direito e o que era errado. Depois a experiência tinha se tornado meu guia, limpando os pés naquela minha parte inocente que era idealista e analítica. É desanimador quando uma pessoa que pensa é forçada a admitir que muitos clichês são verdadeiros. Não há justiça nesta Terra. Nada jamais apagaria o que Ronnie Joe Waddell havia feito.

Ele tinha ficado nove anos no corredor da morte. Eu não examinara sua vítima, assassinada antes de eu ser nomeada legista chefe da Virgínia e ir morar em Richmond. Mas tinha recebido os laudos. Estava a par de todos os pormenores brutais. Na manhã de 4 de setembro, doze anos atrás, Robyn Naismith faltara, por doença, ao trabalho no canal 8, onde era comentarista. Saíra para comprar remédios para gripe e voltara para casa. No dia seguinte seu cadáver nu e com sinais de violência fora encontrado na sala de visitas de sua casa, sentado no chão, com as costas apoiadas na TV. Um polegar marcado a sangue no armarinho de remédios fora mais tarde identificado como sendo o de Ronnie Joe Waddell.

Havia vários automóveis estacionados perto do necrotério quando cheguei. O subchefe, Fielding, já estava lá. Lá estavam também o administrador, Ben Stevens, e a superintendente do necrotério, Susan Story. A porta de entrada estava aberta, as luzes internas iluminavam frouxamente o asfalto do lado de fora; um policial fumava, sentado em seu carro, e se levantou quando estacionei. Perguntei-lhe: "Não tem perigo deixar a porta aberta?".

Era um homem alto e magro, de cabelo branco e abundante. Embora tivesse falado com ele muitas vezes, eu não conseguia lembrar seu nome.

"Por enquanto parece OK, dra. Scarpetta", disse ele, fechando o zíper da pesada jaqueta de náilon. "Não vi desordeiro nenhum por aqui. Mas assim que o rabecão chegar, fecho a porta e tomo providências para que fique fechada."

"Muito bem. Contanto que o senhor fique aqui o tempo todo."

"Sim, senhora. Pode ficar tranqüila. E se houver algum problema, a gente pede um reforço. Parece que há muitos manifestantes. Imagino que a senhora leu no jornal sobre a petição que aquele pessoal todo assinou e entregou ao governador. E hoje ouvi dizer que tem até uns santinhos da Califórnia que começaram uma greve de fome."

Olhei o estacionamento vazio e o outro lado da rua. Um carro passou em alta velocidade, cantando os pneus no asfalto molhado. As luzes da rua eram manchas na neblina.

"Eu não. Pelo Waddell não perdia nem um intervalo para o café." O policial cobriu o isqueiro com a mão e começou a soltar baforadas. "Depois do que ele fez com aquela moça! Me lembro dela na TV. Olha, gosto de minhas mulheres do jeito que gosto do café — doce e claro. Mas tenho de admitir que ela era a negrinha mais linda que já vi."

Eu tinha parado de fumar havia pouco mais de dois meses, e ainda ficava alucinada quando via alguém fumando.

"Meu Deus, deve fazer quase dez anos", continuou ele. "Mas nunca vou esquecer a reação. Um dos piores casos que já tivemos por aqui. Parecia que um urso tinha agarrado..."

Interrompi-o: "Qualquer coisa o senhor me avisa?".

"Sim, senhora. Vão me avisar pelo rádio e eu lhe digo."

Voltou para o automóvel. Dentro do necrotério a luz fluorescente dissolvia as cores do corredor, embebido do cheiro de desinfetante. Passei pela saleta onde as casas funerárias registravam os corpos, depois pela sala do raio X e, finalmente, pela geladeira, que na verdade era uma grande sala refrigerada por aparelhos duplos e equipada com duas pesadas portas de aço. A sala de autópsia estava iluminada, com as mesas de aço inoxidável brilhantemente polidas. Susan estava afiando uma faca comprida e Fielding pondo rótulos em tubos com sangue. Ambos pareciam tão cansados e desanimados quanto eu.

"O Ben está lá em cima na biblioteca assistindo TV", falou Fielding. "Se houver alguma novidade ele conta para a gente."

"Será que esse cara tinha AIDS?" Susan se referia a Waddell como se ele já tivesse morrido.

"Não sei", disse eu. "Vamos trabalhar com luvas duplas, tomar as precauções de sempre."

"Se ele tinha alguma coisa, espero que nos digam", insistiu ela. "Você sabe que não confio neles quando nos mandam esses presos. Acho que eles não se preocupam com a questão de se eles são soropositivos porque não é problema deles. Não são eles que fazem a autópsia, que se preocupam com as picadas das agulhas."

Susan tinha ficado cada vez mais paranóica com os riscos profissionais, como exposição a radiações, produtos químicos e doenças. Eu não podia culpá-la. Estava grávida de vários meses, embora quase não parecesse.

Enfiei um avental de plástico, voltei para o vestiário e pus o uniforme, cobri os sapatos e apanhei dois pares de luvas. Inspecionei o carrinho cirúrgico encostado à mesa 3. Por toda a parte havia etiquetas com o nome *Waddell*, a data e um número de autópsia. Se no último minuto o governador Norring interviesse, os tubos e caixas rotulados iriam para o lixo. Ronnie Waddell seria excluído do registro do necrotério e seu número de autópsia atribuído a quem viesse em seguida.

Às onze da noite Ben Stevens desceu e balançou a cabeça. Todos olhamos para o relógio. Ninguém falou. Os minutos passavam.

O policial entrou com um rádio portátil na mão. Finalmente me lembrei do nome dele: Rankin.

"Declarado morto às onze e cinco. Em mais ou menos quinze minutos eles estão aqui", disse.

A ambulância soltou um sinal sonoro enquanto estacionava em marcha à ré na entrada e, quando suas portas traseiras se abriram, vários guardas do Departamento de Execuções Penais pularam para fora como para controlar um pequeno tumulto. Quatro deles retiraram a maca com o corpo de Ronnie Waddell e a carregaram rampa acima para dentro do necrotério — metais tinindo, pés se arrastando e todos nós saindo do caminho. Baixando a maca até o chão de ladrilhos sem pensar em desdobrar as pernas, eles a empurraram como um trenó com rodas, com seu passageiro amarrado e coberto por um lençol sujo de sangue.

"Sangue pelo nariz", explicou um dos guardas antes que eu perguntasse.

Verificando que as mãos enluvadas do guarda estavam sujas de sangue, perguntei: "Quem sangrou pelo nariz?".

"O sr. Waddell."

"Na ambulância?" Estranhei, pois quando fora embarcado na ambulância Waddell devia estar sem pressão sangüínea.

Mas o guarda estava preocupado com outros assuntos e não obtive resposta. Teria de esperar.

Transferimos o corpo para a bandeja colocada em cima da balança. Mãos apressadas soltaram as correias e abriram o lençol de qualquer jeito. A porta da sala de autópsia se fechou silenciosamente enquanto os guardas do Departamento de Execuções Penais partiam tão precipitadamente quanto tinham surgido.

Waddell estava morto havia exatamente vinte e dois minutos. Eu podia sentir o cheiro de seu suor e de seus pés sujos e descalços, bem como o odor de carne chamuscada. A perna direita da calça estava arregaçada até acima do joelho, e a barriga da perna envolta em gaze, aplicada às queimaduras já depois da morte. Um homem grande e forte. Os jornais o chamavam *bom gigante*, o *poético* Ronnie dos olhos generosos. E no entanto houvera um tempo em que ele usara aquelas mãos grandes e aqueles ombros e braços sólidos para arrancar a vida de outro ser humano.

Abri os fechos velcro de sua camisa de jeans azulclaro e vasculhei seus bolsos enquanto o despia. A busca de objetos pessoais é uma formalidade geralmente inútil. Os presos não podem levar nada para a cadeira elétrica e fiquei muito espantada quando descobri no bolso de trás de sua calça algo que parecia uma carta. O envelope não fora aberto. Em letras graúdas, de imprensa, estava escrito:

MUITO CONFIDENCIAL. FAVOR ENTERRAR COMIGO!!!

"Faça uma cópia do envelope e de tudo o que há dentro e entregue os originais com os objetos pessoais dele", disse eu, passando o envelope a Fielding. Ele o prendeu numa tabuleta, embaixo da ficha da autópsia, enquanto murmurava: "Meu Deus. É maior do que eu".

"É difícil alguém ser maior do que você", disse Susan ao subchefe, um halterofilista.

"Ainda bem que não faz muito tempo que ele morreu. Senão íamos precisar de talhadeiras", acrescentou.

Horas depois de mortas, as pessoas musculosas ficam pouco cooperativas como estátuas de mármore. A rigidez ainda não havia começado. Waddell estava tão flexível quanto em vida. Parecia dormir.

Foi preciso juntarmo-nos todos para deitá-lo de barriga para baixo na mesa de autópsia. Pesava cento e dezessete quilos. Seus pés ultrapassavam a mesa. Eu estava medindo as queimaduras quando a campainha da porta tocou. Susan foi ver quem era e em seguida entrou o tenente Pete Marino com o impermeável aberto e o cinto arrastando pelo chão de ladrilhos.

"A queimadura na barriga da perna mede dez e dezesseis por dois e cinqüenta e quatro e zero e sessenta e três por seis e um. Está seca, contraída e empolada", ditei para Fielding.

Marino acendeu um cigarro. "Estão fazendo um carnaval por causa da hemorragia", disse ele. Parecia agitado.

"A temperatura retal é de quarenta às onze e quatro", disse Susan enquanto retirava o termômetro químico.

"Você sabe por que o rosto dele estava sangrando?", perguntou Marino.

"Um dos guardas disse que foi sangue pelo nariz", respondi, acrescentando: "Temos de virá-lo".

"Você viu isto, na parte interna do braço esquerdo?" Susan chamou minha atenção para uma esfoladura.

Examinei com uma lente sob luz forte. "Não sei, talvez seja devido a uma das correias."

"No braço direito também tem."

Dei uma olhada enquanto Marino olhava para mim e fumava. Viramos o corpo, enfiando um calço por baixo dos ombros. A narina direita pingava sangue. O crânio e o queixo tinham sido raspados mal e mal. Fiz a incisão em Y.

17

"Pode haver escoriações aqui", disse Susan, olhando a língua.

"Puxe para fora." Enfiei o termômetro no fígado.

"Meu Deus", sussurrou Marino.

Susan tinha ajustado o escalpelo. "Agora?"

"Não. Primeiro fotografe as queimaduras em volta da cabeça. Vamos ter de medi-las. Depois retire a língua."

"Merda", queixou-se ela. "Quem usou a câmera pela última vez?"

"Desculpe", disse Fielding. "Não tinha filme na bobina. Esqueci. Aliás, manter a bobina carregada é sua obrigação."

"Você já ajudaria se avisasse quando o filme termina."

"Dizem que as mulheres têm intuição. Não pensei que tivesse de avisá-la."

"Tomei as medidas das queimaduras em volta da cabeça", informou Susan, ignorando a observação.

"Está bem."

Susan forneceu as medidas e começou a trabalhar na língua.

Marino recuou. "Meu Deus", disse de novo. "Isso sempre me deixa arrepiado."

"A temperatura do fígado é quarenta e meio", relatei a Fielding.

Dei uma olhada no relógio. Fazia uma hora que Waddell tinha morrido. Não tinha esfriado muito. Era grande. A eletrocussão esquenta. A temperatura dos cérebros de homens menores que autopsiei chegava a quarenta e três. A barriga da perna direita de Waddell estava com pelo menos aquela temperatura, quente ao toque e com o músculo totalmente rijo.

"Pequena escoriação na borda, mas nada importante", mostrou Susan.

Marino perguntou: "Ele mordeu a língua com força suficiente para sangrar tanto?".

"Não", disse eu.

"É, já estão fazendo um carnaval com isso." Elevou a voz: "Pensei que gostaria de saber".

18

Parei, pousando o escalpelo na beira da mesa, e uma idéia me ocorreu. "Você foi uma das testemunhas."

"É. Eu disse para você que ia ser."

Todos olharam para ele.

"A situação está ficando feia lá fora", disse. "Não quero que ninguém saia daqui sozinho."

Susan perguntou: "Feia como?".

"Um bando de malucos religiosos está na rua Spring desde hoje de manhã. Acabaram sabendo da hemorragia e, quando a ambulância chegou, começaram a vir para cá como um bando de assombrações."

Fielding quis saber: "Você viu quando ele começou a sangrar?".

"Vi. Fritaram ele duas vezes. Da primeira ouviu-se um apito alto, como vapor saindo de um radiador, e o sangue começou a vazar da máscara. Estão dizendo que talvez a cadeira tenha funcionado mal."

Susan ligou a serrinha elétrica e ninguém tentou dominar o zumbido alto enquanto ela cortava um osso do crânio. Continuei examinando os órgãos. O coração estava bom, as coronárias, magníficas. Quando a serrinha parou, recomecei a ditar para Fielding.

"Peso?", ele perguntou.

"O coração pesa dois e quarenta e tem uma aderência no lóbulo superior esquerdo do arco aórtico. Encontrei até quatro paratireóides, não sei se você já viu."

"Vi."

Pus o estômago na tábua de cortar. "Está quase tubular."

Fielding chegou perto para examinar: "Você tem certeza? É estranho. Um cara desse tamanho precisa no mínimo de quatro mil calorias por dia".

"Que ele não estava recebendo, pelo menos ultimamente", eu disse. "Nenhum resíduo gástrico. O estômago está absolutamente vazio e limpo."

Marino me perguntou: "Ele não comeu a última refeição?".

"Parece que não."

"É comum isso?"

"É", eu disse. "É comum."

À uma hora tínhamos terminado e seguimos os serventes da casa funerária até a entrada, onde o rabecão esperava. Quando saímos do edifício, vimos luzes vermelhas e azuis pulsando na escuridão. A estática dos rádios corria pelo ar frio e úmido, motores roncavam, e atrás da cerca de arame que circundava o estacionamento havia um anel de fogo. Homens, mulheres e crianças estavam silenciosamente de pé, rostos bruxuleantes à luz das velas.

Os serventes não perderam tempo. Enfiaram o corpo de Waddell pela parte de trás do rabecão e bateram a porta.

Alguém disse algo que não entendi e subitamente velas choveram por cima da cerca e aterrissaram suavemente no calçamento. Marino exclamou: "Gracinhas!".

Pavios laranja brilharam e chamas pequenas salpicaram o asfalto. O rabecão começou a passar pelo portão, depressa e de ré. Foguetes foram disparados. Reparei no furgão de reportagem do canal 8 parado na rua Principal. Alguém corria pela calçada. Homens uniformizados apagavam as velas, avançavam para a cerca e mandavam que todo mundo esvaziasse a área.

Um policial disse: "Não queremos problemas. Só se algum de vocês quiser passar a noite em cana...".

"Açougueiros!", berrou uma mulher.

Outras vozes se juntaram à dela e várias mãos agarraram e sacudiram a cerca.

Marino me empurrou para o automóvel.

Um estribilho se elevou com intensidade tribal: "*Açougueiros, açougueiros, açougueiros...*".

Me atrapalhei com as chaves, deixei-as cair no asfalto, peguei-as do chão e consegui encontrar a certa.

"Vou acompanhar você até em casa", disse Marino.

Liguei o aquecimento mas continuei com frio. Examinei duas vezes as portas para ver se estavam trancadas. A noite ficou com um ar fantástico, com uma assimetria estranha de janelas acesas e apagadas, e nos cantos de meus olhos moviam-se sombras.

Como eu não tinha bourbon, bebemos uísque em minha cozinha.

"Não sei como você agüenta esse troço", disse Marino num tom grosseiro.

"Escolha alguma outra coisa aí no bar", falei.

"Eu agüento."

Eu não sabia como entrar no assunto e era óbvio que Marino não ia facilitar a tarefa. Estava nervoso, de rosto congestionado. Na cabeça suada, onde a calvície ia avançando, os fios grisalhos estavam desgrenhados, e ele fumava sem parar.

Perguntei: "Alguma vez você assistiu a uma execução?".

"Nunca tive vontade."

"Mas dessa vez você se apresentou. Quer dizer que a vontade deve ter sido forte."

"Aposto que se você botar limão e soda isto aqui melhora."

"Se você quer que eu estrague um uísque bom, será um prazer ver o que posso fazer."

Ele me estendeu o copo e fui até a geladeira. Procurei nas prateleiras. "Tenho suco de lima em garrafa mas não tenho limão."

"Serve."

Pus o suco de lima no copo e acrescentei Schweppes. Sem pensar na estranha mistura que estava ingerindo, ele disse: "Talvez você tenha esquecido, mas o caso Robyn Naismith era meu. Meu e do Sonny Jones".

"Naquela época eu não morava aqui."

"Ah, é. Engraçado, parece que você sempre morou aqui. Mas você sabe o que aconteceu, não sabe?"

21

Quando Robyn Naismith foi assassinada eu era legista subchefe do condado de Dade. Eu me lembrava de ter seguido o caso na imprensa e depois de ter visto uma apresentação de slides a respeito num encontro nacional. A ex-miss Virgínia era uma beleza estonteante com uma maravilhosa voz de contralto. Falava bem e prendia a atenção diante das câmeras. Tinha só vinte e sete anos.

A defesa alegara que a intenção de Ronnie Waddell havia sido roubar e que o azar de Robyn fora ter voltado de repente da farmácia. Waddell não teria o hábito de assistir televisão e, enquanto revirava a casa e seviciava Robyn, não sabia de quem se tratava nem o que podia acontecer com ela. Segundo a defesa, estava tão drogado que nem sabia o que fazia. Os jurados rejeitaram a alegação de privação de sentidos e o condenaram à morte.

"Sei que foi feito um grande esforço para agarrar o assassino", disse eu.

"Inacreditável. Tínhamos aquela impressão digital. Tínhamos as marcas de dentes. Tínhamos três caras vasculhando os arquivos de manhã, de tarde e de noite. Não tenho idéia de quanto tempo perdi na porra desse caso. E aí agarramos o merda do cara porque ele estava na Carolina do Norte dirigindo um carro com licença vencida." Fez uma pausa e acrescentou com dureza no olhar: "Claro que aí o Jones não estava mais. Foi uma pena ele não ver o Waddell receber o merecido".

"Você acha que o Waddell foi culpado pelo que aconteceu ao Sonny Jones?"

"Que é que você acha?"

"Você era amigo íntimo dele."

"Trabalhávamos juntos na seção de homicídios, pescávamos juntos, estávamos na mesma equipe de boliche."

"Sei que a morte dele foi dura para você."

"É, o caso o desgastou. Trabalhando o tempo todo, sem dormir, sem ir para casa, e é claro que isso não ajudou com a mulher. Vivia me dizendo que não agüentava mais, e chegou um momento em que já não me dizia mais nada. Uma noite ele decidiu dar um tiro nos cornos."

"Pena. Mas tenho certeza de que você não pode culpar o Waddell por isso."

"Eu tinha de ajustar contas com ele."

"E ajustou quando assistiu à execução?"

No início Marino não respondeu. Ficou olhando carrancudo para as paredes da cozinha. Fiquei observando enquanto ele fumava e acabava com a bebida. "Pode me dar mais um pouco?"

"Claro."

Levantei, servi-o de novo e pensei nas injustiças e perdas que o tinham deixado assim. Ele sobrevivera a uma infância pobre e sem amor na pior parte de Nova Jersey e criara uma desconfiança básica em relação a qualquer pessoa cuja sorte tivesse sido melhor que a sua. Fazia pouco tempo sua mulher o deixara depois de trinta anos de casamento; tinha um filho a respeito do qual ninguém parecia saber coisa nenhuma. A despeito de sua lealdade à lei e à ordem e de seu excelente prontuário profissional, não estava em seu código genético dar-se bem com os chefes. Aparentemente sua trajetória de vida havia sido uma estrada árdua. Eu tinha a impressão de que o que ele queria era obter compensações na vida, e não sabedoria ou paz. Marino estava sempre irritado com alguma coisa.

Quando voltei à mesa, ele disse: "Deixe-lhe perguntar uma coisa, doutora. Como você se sentiria se eles encontrassem os bostas que mataram o Mark?".

A pergunta me pegou desprevenida. Não queria pensar naqueles homens.

Ele prosseguiu: "Não tem uma parte sua que gostaria de ver os merdas enforcados? Uma parte sua não gostaria de ir para o pelotão de fuzilamento só para puxar pessoalmente o gatilho?".

Mark morrera porque alguém pusera uma bomba numa lata de lixo na estação Vitória, em Londres, que explodira quando ele ia passando. O choque e a dor me haviam deixado além do desejo de vingança.

"Seria tolice imaginar que eu pudesse punir um grupo de terroristas."

Marino me olhou com intensidade: "Essa é uma de suas famosas desculpas frias. Se você pudesse, faria a autópsia grátis. De preferência com eles vivos, para cortar bem devagarinho. Já lhe contei o que aconteceu com a família de Robyn Naismith?".

Agarrei o copo.

"O pai dela era médico na Virgínia do Norte, um homem bom mesmo. Mais ou menos seis meses depois do julgamento, ficou com câncer e morreu em dois meses. Robyn era filha única. A mãe foi para o Texas, sofreu um acidente de carro e agora está numa cadeira de rodas, vivendo de lembranças. Waddell matou a família toda. O cara envenenou a vida de todo mundo."

Pensei em Waddell crescendo na fazenda, as imagens de sua meditação me passaram pelo espírito. Imaginei-o sentado nos degraus da varanda comendo um tomate com gosto de sol. Cismei no que lhe teria passado pela cabeça no último segundo de vida. Perguntei-me se havia rezado.

Marino puxou um cigarro. Estava pensando em ir embora. Perguntei: "Você conhece um detetive chamado Trent, de Henrico?".

"Joe Trent. Era da divisão K-9 e foi transferido para a Divisão de Investigação quando o promoveram a sargento, faz uns dois meses. É meio nervosinho, mas é boa gente."

"Ele me telefonou para falar de um garoto..."

Marino me interrompeu: "Eddie Heath?".

"O nome eu não sei."

"Um garoto de mais ou menos treze anos, branco. Estamos trabalhando no caso. O Lucky's é aqui na cidade."

"Que Lucky's?"

Marino franziu a testa. "O mercado onde ele foi visto pela última vez. Fica na zona norte, perto da avenida Chamberlayne. O que o Trent queria? Sabendo que o garo-

24

to não ia conseguir se salvar, resolveu marcar antecipadamente uma autópsia com você?"

"Ele quer que eu olhe uns ferimentos esquisitos, umas mutilações."

"Meu Deus. Detesto quando pegam crianças." Marino empurrou a cadeira e esfregou a testa. "Puta merda. Nem bem a gente termina com um cara desses e já aparece outro."

Depois que Marino foi embora, me instalei perto da lareira da sala de visitas e fiquei olhando a dança dos carvões. Estava cansada, sentia uma tristeza sombria e implacável de que não conseguia me livrar. A morte de Mark havia deixado minha alma partida. Eu tinha compreendido, incrivelmente, até que ponto minha identidade estava ligada a meu amor por ele.

Eu o vira pela última vez no dia em que ele viajara para Londres. Tínhamos conseguido almoçar rapidamente juntos antes de ele ir para o aeroporto Dulles. O que eu lembrava mais claramente de nossa última hora juntos era nós dois olhando para os relógios enquanto se formavam nuvens de tempestade e a chuva começava a bater na janela ao lado de nossa mesa. Ele estava com uma marquinha no queixo, no lugar onde tinha se cortado fazendo a barba; mais tarde, quando via seu rosto em pensamento, reparava na marca e aquilo acabava comigo.

Mark morreu em fevereiro, quando a guerra no golfo Pérsico chegava ao fim. Decidida a vencer a dor, vendi minha casa e fui morar em outro bairro. Só consegui arrancar minhas raízes, sem verdadeiramente ir a lugar nenhum, e perdi as plantas e os vizinhos que me amparavam. Com a decoração da casa nova e o projeto do jardim, minha angústia só aumentara. Tudo o que eu fazia me levava a digressões para as quais não tinha tempo. Eu imaginava Mark balançando a cabeça, sorrindo e dizendo: "Mas uma pessoa tão lógica...".

Algumas noites, quando eu não conseguia dormir, perguntava a ele em pensamento: "E você, o que faria? Porra, o que você faria se estivesse aqui em meu lugar?".

Voltei à cozinha, lavei o copo e fui até o escritório verificar os recados na secretária eletrônica. Vários repórteres tinham telefonado, mais minha mãe e minha sobrinha Lucy. Em outras três mensagens a pessoa desligava.

Eu teria adorado não constar do catálogo, mas não era possível. A polícia, os procuradores da Justiça e mais ou menos quatrocentos médicos-legistas credenciados em todo o estado tinham razões legítimas para ter de me encontrar a qualquer momento. Para compensar a perda da privacidade, eu usava a secretária eletrônica para selecionar os telefonemas. Pessoas que deixassem mensagens ameaçadoras ou obscenas corriam o risco de ser identificadas graças ao aparelho.

Apertei a tecla de identificação dos telefonemas e comecei a ler os números que apareciam no visor. Quando encontrei as três ligações que estava procurando, fiquei perplexa e abalada. O número já havia ficado familiar. Na última semana ele aparecera muitas vezes no visor, sempre com a pessoa que havia dado o telefonema pondo o fone de volta no gancho sem dizer nada. Uma vez eu tinha ligado para aquele número para ver quem atendia, mas só ouvira um som agudo de aparelho de fax ou modem. Não sei por que aquele ser ou coisa ligara para meu número três vezes entre as dez e meia e as onze da noite, enquanto eu estava no necrotério esperando pelo corpo de Waddell. Não fazia sentido. Vendas telefônicas por computador não ocorreriam com aquela freqüência e tão tarde da noite, e se algum modem tentando alcançar outro estivesse dando em meu telefone, alguém forçosamente teria entendido que seu computador estava discando um número errado.

Nas poucas horas de madrugada que restavam, acordei muitas vezes. Todo estalo ou ruído na casa acelerava meu pulso. As luzes rubras do quadro de controle do alarme contra ladrões brilhavam ameaçadoras diante de minha cama, e sempre que eu me virava ou arrumava as cobertas os detectores de movimento, que eu não costumava ligar quando estava em casa, piscavam silenciosamente seus olhos vermelhos. Tive sonhos estranhos. Às cinco e meia acendi a luz e me vesti.

Quando fui para o trabalho estava escuro e havia muito pouco tráfego. O estacionamento dos fundos estava deserto, juncado de dúzias de velinhas que me faziam pensar em diversos tipos de celebração religiosa. Aquelas velas, porém, tinham sido usadas para protestar. Horas antes elas tinham sido usadas como armas. Subi e preparei um café, depois comecei a dar uma olhada nos relatórios que Fielding deixara para mim, curiosa quanto ao conteúdo do envelope que havia encontrado no bolso traseiro de Waddell. Esperava um poema, talvez outra meditação ou uma carta de seu pastor.

Engano. O que Waddell considerava "muito confidencial" e queria que fosse enterrado com ele eram recibos de caixa registradora. Inexplicavelmente, quatro eram de pedágios e três eram de refeições, inclusive um jantar de frango frito feito no restaurante Shoney duas semanas antes.

2

Não fossem a barba e o cabelo louro que começava a escassear e a embranquecer, o detetive Joe Trent teria parecido bem jovem. Era magro e alto, vestia um casaco militar justo e cintado e calçava sapatos perfeitamente engraxados. Piscava nervosamente enquanto nos apertávamos as mãos e nos apresentávamos na frente do Centro Médico de Emergência de Henrico. Via-se que estava perturbado pelo caso de Eddie Heath.

Soltando uma baforada, disse: "A senhora não se incomoda de conversar aqui um minuto? Por razões de sigilo".

Trêmula, me encolhi quando um helicóptero Medflight fez um barulho terrível ao decolar de uma plataforma gramada ali perto. A luz era um naco de gelo derretendo no céu cinzento e os automóveis estacionados estavam sujos do sal espalhado nas ruas e das chuvas geladas do inverno. Era um amanhecer desolado e sem cor, o vento estava cortante como uma bofetada — o que observei com maior agudeza devido ao assunto que me trazia ao local. Ainda que a temperatura tivesse subido quatro graus de repente e o sol começado a brilhar, não creio que pudesse sentir algum calor.

"O caso aqui é brabo, dra. Scarpetta. Acho que a senhora concorda que os pormenores não devem ser divulgados."

"O que o senhor pode me contar sobre esse garoto?"

"Falei com a família e com várias outras pessoas que o conhecem. Até onde posso saber, Eddie é só um jovem comum — gosta de esportes, entrega jornais e nunca teve problemas com a polícia. O pai trabalha na companhia telefônica e a mãe costura na casa das freguesas. Parece que ontem a sra. Heath precisou de uma lata de sopa de cogumelos para um guisado que estava preparando para o jantar e pediu ao Eddie que corresse até o mercado para comprá-la."

"O mercado é longe da casa?"

"Umas duas quadras, e o Eddie sempre vai lá. Os balconistas o conhecem pelo nome."

"Quando ele foi visto pela última vez?"

"Ali pelas cinco e meia da tarde. Ficou no mercado uns minutos e foi embora."

"Já devia estar escuro."

Trent olhou para o helicóptero que a distância transfigurava numa libélula batendo as asas suavemente no meio das nuvens. "Já. Já estava. Mais ou menos às oito e meia um policial em ronda de rotina estava verificando os fundos dos imóveis da Patterson e viu o garoto com as costas apoiadas no contêiner."

"O senhor trouxe fotografias?"

"Não, senhora. Quando o policial viu que o menino estava vivo, sua primeira providência foi buscar socorro. Não temos fotografias. Mas temos uma descrição bem detalhada, baseada nas observações do policial. O menino estava nu, com o corpo escorado, pernas abertas, braços abertos para os lados e a cabeça caída para a frente. A roupa estava no chão, empilhada com um certo cuidado, perto de um saco com uma lata de sopa de cogumelos e uma caixinha de balas. Fazia dois graus abaixo de zero. Acreditamos que ele ficou ali entre alguns minutos e meia hora até ser encontrado."

Uma ambulância parou perto de nós. Um ruído de portas batendo e metais rangendo acompanhou a rápida manobra com que os serventes baixaram as pernas de uma maca, abriram as portas de vidro e empurraram um velho para dentro do edifício. Fomos atrás e avançamos em silêncio por um corredor brilhante e asséptico por onde circulavam o pessoal médico e os pacientes atordoados pelos infortúnios que os tinham conduzido até ali. Enquanto subíamos de elevador para o terceiro andar eu tentava imaginar que elementos de prova teriam sido apagados e jogados no lixo. Quando as portas do elevador se abriram, perguntei: "E as roupas? Algum projétil?".

"Estou com as roupas no carro e esta tarde vou deixálas no laboratório, junto com a informação toda. A bala ainda está na cabeça dele. Por enquanto não tiraram. Tomara que façam tudo direito."

A unidade pediátrica de tratamento intensivo ficava depois de um saguão polido e tinha as vidraças das portas duplas cobertas de figuras de dinossauros. Dentro, as paredes azul-celeste eram decoradas com arco-íris e silhuetas de animais recortadas pendiam sobre os leitos hidráulicos nos oito quartos dispostos em semicírculo em torno da sala das enfermeiras. Três moças trabalhavam atrás de monitores, uma delas ao teclado e outra falando ao telefone. Trent explicou quem éramos e por que estávamos ali, e uma moreninha de jardineira vermelha de veludo riscado e suéter se identificou como a enfermeira chefe, desculpandose: "O médico responsável ainda não chegou".

Trent disse: "Só precisamos dar uma olhada nos ferimentos do Eddie. Não vai levar muito tempo. A família ainda está aí?".

"Ficaram com ele a noite toda."

Seguimos a moça naquela luz artificial suave, passando ao lado de carrinhos de remédios e tanques verdes de oxigênio que, fosse o mundo o que devia ser, não estariam parados à porta dos quartos de meninos e meninas pequenos. Quando chegamos ao quarto de Eddie, a enfermeira entrou na nossa frente e fechou a porta quase inteiramente. Ouvi-a dizer aos parentes: "Uns minutinhos só. Enquanto a gente examina".

O pai perguntou, com voz alterada: "Agora que especialista é?".

A enfermeira se absteve diplomaticamente de dizer que eu era uma perita médica ou, pior ainda, uma médica-legista. "Uma médica entendida em lesões. Uma espécie de médica da polícia."

Depois de um silêncio, o pai disse baixinho: "Ah. É para a parte legal".

"Pois é. Alguém quer café? Alguma coisa para comer?"

Os pais saíram do quarto, ambos bem gordos e de roupas amarfanhadas por terem dormido com elas. Seu olhar desconcertado era o de pessoas inocentes e simples que tivessem recebido a informação de que o mundo estava para acabar. Quando eles nos fitaram com seus olhos exaustos, desejei que houvesse algo que eu pudesse dizer para desmentir ou pelo menos atenuar aquilo. As palavras de consolo morreram em minha garganta e o casal se afastou lentamente.

Com a cabeça envolta em ataduras, um ventilador instilando ar em seus pulmões, e recebendo soro nas veias, Eddie Heath não se mexia. Sua pele era leitosa e lisa, e à luz mortiça a membrana fina de suas pálpebras parecia uma mancha azul. Imaginei a cor do cabelo pelas sobrancelhas ruivas como morango. Ele não tinha ainda emergido daquele estágio pré-pubescente durante o qual os meninos têm lábios grossos, são mais bonitos e cantam mais suavemente que suas irmãs. Seus braços eram finos, o corpo pequeno sob o lençol. Só as mãos imóveis, desproporcionalmente grandes e vincadas de veias, correspondiam a seu gênero ainda incipiente. Não parecia ter treze anos.

"Ela precisa ver o ombro e a perna", disse Trent em voz baixa à enfermeira.

A enfermeira pegou dois pares de luvas, um para ela e outro para mim. Sob o lençol, o menino estava nu, as dobras da pele e as unhas sujas. Os pacientes em situação crítica não podem ser banhados.

Enquanto a enfermeira removia os curativos, Trent se retesou. "Nossa!", disse em voz baixa. "Está ainda pior que ontem à noite. Meu Deus!" Balançou a cabeça e recuou um passo.

Se alguém tivesse me dito que o menino fora atacado por um tubarão, eu teria acreditado, salvo pelas bordas regulares dos ferimentos, que evidentemente haviam sido causados por um instrumento cortante reto, como uma faca ou uma navalha. Pedaços de carne do tamanho de reforços de cotovelo haviam sido extraídos do ombro direito e do lado de dentro da coxa direita. Abrindo a maleta médica, tirei uma régua e medi as feridas sem tocá-las, e depois tirei fotografias.

"A senhora está vendo os cortes e os arranhões nas bordas?", Trent apontou. "Era disso que eu estava lhe falando. Parece que ele riscou uma forma na pele e aí arrancou tudo."

Perguntei à enfermeira: "Você encontrou algum ferimento anal?".

"Não notei nada quando tomei a temperatura retal, e ninguém notou nada fora do comum na boca e na garganta quando ele foi entubado. Também procurei fraturas ou escoriações antigas."

"E tatuagens?"

"Tatuagens?", perguntou ela, como se nunca tivesse visto uma tatuagem.

"Tatuagens, marcas de nascença, cicatrizes. Tudo o que alguém possa ter removido por alguma razão."

"Não tenho idéia", disse a enfermeira, hesitante.

"Vou perguntar aos pais." Trent enxugou a testa.

"Talvez tenham ido à cantina."

"Vou ver onde eles estão", disse ele da porta.

"O que os médicos dizem?"

Sem emoção, a enfermeira declarou o óbvio: "Está em estado crítico e não reage".

"Posso ver onde a bala entrou?"

Ela afrouxou a beira da atadura e puxou-a para cima até eu poder ver o buraquinho negro, queimado na borda. O ferimento era na têmpora direita, um pouco para a frente.

"Atravessou o lóbulo frontal?"

32

"Foi."

"Fizeram uma angiografia?"

"Não há circulação no cérebro, por causa do inchume. Não há atividade eletro-encefálica, e quando pusemos água fria nas orelhas não houve atividade calórica. A água não provocou reações cerebrais."

A enfermeira ficou do outro lado da cama, com as mãos enluvadas caídas ao lado do corpo e expressão indiferente enquanto continuava a relatar os vários exames feitos e as manobras tentadas para diminuir a pressão intracraniana. Eu tinha pago meu tributo às salas de emergência e às unidades de terapia intensiva e sabia muito bem que é mais fácil adotar uma atitude clínica quando se está falando de um paciente que não chegou a despertar. E Eddie Heath não despertaria nunca. Fora-se o córtex. Fora-se o que o fazia humano, o que o fazia pensar e sentir, e nunca mais voltaria. Ficaram as funções vitais, um ramo do cérebro. Era um corpo que respirava com um coração que no momento pulsava sustentado por máquinas.

Comecei a procurar sinais de luta. Atenta para não mexer nos tubos, só me dei conta de que segurava sua mão quando ele me assustou ao apertar a minha. Esses movimentos reflexos não são raros em pessoas com morte cortical. São o equivalente da atitude dos bebês que agarram seu dedo, um reflexo que não envolve nenhum processo de pensamento. Soltei sua mão delicadamente e respirei fundo, esperando que a dor em meu coração se acalmasse.

A enfermeira perguntou: "Achou alguma coisa?".

"É difícil olhar com esses tubos todos."

Ela repôs os curativos e puxou o lençol até o queixo dele. Tirei as luvas e joguei no lixo, ao mesmo tempo em que o detetive Trent voltava, de olhos meio espantados.

"Nenhuma tatuagem. Nem marcas de nascença, ou cicatrizes", disse sem fôlego, como se tivesse corrido até a cantina.

Momentos mais tarde estávamos andando no estacionamento. O sol aparecia e se escondia e pequenos flocos de neve esvoaçavam no ar. Fiquei tonta ao contemplar o tráfego pesado na avenida Forest. Alguns carros tinham guirlandas de Natal presas na frente. Eu disse: "Acho melhor o senhor se preparar para a possibilidade da morte dele".

"Se eu soubesse não teria incomodado a senhora. Pôxa, que frio."

"O senhor fez exatamente o que devia. Se esperássemos mais, os ferimentos mudariam de aspecto."

"Dizem que dezembro inteiro vai ser assim. Frio como o diabo e com muita neve." Ele olhou para o chão. "A senhora tem filhos?"

"Tenho uma sobrinha."

"Eu tenho dois meninos. Um tem treze anos."

Apanhei minhas chaves. "Meu carro é este."

Trent balançou a cabeça. Olhou em silêncio enquanto eu abria meu Mercedes cinza. Seus olhos observaram o interior de couro enquanto eu me sentava e apertava o cinto. Olhou o carro de cima a baixo como se avaliasse uma mulher fabulosa.

"E a pele arrancada? A senhora já viu alguma coisa assim?"

"Pode ser que a gente esteja tratando com alguém inclinado ao canibalismo", respondi.

Voltei à minha sala, olhei o escaninho da correspondência, rubriquei uma pilha de relatórios, enchi uma caneca com a borra líquida que ficara no fundo do bule de café e não falei com ninguém. Eu estava sentada à escrivaninha quando Rose apareceu tão silenciosamente que eu não a teria visto se ela não tivesse colocado um recorte de jornal sobre muitos outros deixados em cima do forro de mata-borrão de minha mesa.

"A senhora parece cansada. A que horas chegou hoje? Quando eu cheguei aqui o café já estava pronto e a senhora já tinha saído."

"Há um caso muito sério em Henrico. Um menino que com certeza vem para cá."

"Eddie Heath."

"É", falei, perplexa. "Como você sabe?"

"Está no jornal", respondeu Rose.

Reparei que ela estava com uns óculos novos que tornavam menos altivo seu rosto aristocrático.

"Gostei de seus óculos. São uma grande melhora comparados com aqueles de Benjamin Franklin que você usava na ponta do nariz. O que o jornal dizia sobre o garoto?"

"Não dizia muito, não. Só que ele fora encontrado perto da Patterson e que tinha levado um tiro. Se meu filho ainda fosse pequeno, eu não ia permitir de jeito nenhum que ele entregasse jornal."

"Eddie Heath não estava entregando jornal quando foi atacado."

"Não tem importância. Eu não deixaria, nos dias que correm. Olhe." Puxou a pálpebra inferior. "O Fielding está lá embaixo fazendo uma autópsia e Susan saiu para entregar diversos cérebros para exame. Fora isso, não aconteceu nada enquanto a senhora esteve fora, só que o computador saiu do ar."

"Ainda está fora do ar?"

"Acho que Margaret está trabalhando nele e está quase acabando."

"Está bem. Quando ficar pronto, preciso de uma investigação. Peça a ela que procure os códigos *corte, mutilação, canibalismo, marcas de dentada.* Talvez uma busca geral das palavras *extirpado, pele, carne* — diversas combinações delas. Talvez você pudesse tentar também *esquartejamento,* mas acho que não é isso que estamos procurando."

Rose tomava nota. "Para que parte do estado, e em que período?"

"Todo o estado, nos últimos cinco anos. Estou interessada particularmente nos casos que envolvam crianças, mas não vamos nos restringir a eles. E diga a ela para ver o que há no Registro de Traumatismos. Conversei com o diretor numa reunião, mês passado, e ele me pareceu mais que disposto a nos fornecer dados."

35

"Quer dizer que a senhora quer também verificar vítimas que sobreviveram?"

"Se pudermos, Rose. Vamos verificar tudo para ver se conseguimos encontrar algum caso parecido com o de Eddie Heath."

Já de saída, minha secretária disse: "Vou falar agora com a Margaret e ver se ela pode começar logo".

Comecei a ler os artigos que ela havia cortado de uma série de matutinos. Naturalmente falava-se muito da suposta hemorragia de Ronnie Waddell, "pelos olhos, pelo nariz e pela boca". O escritório local da Anistia Internacional alegava que aquela execução fora tão desumana quanto qualquer homicídio. Um porta-voz da União Americana pelas Liberdades Civis declarava que a cadeira elétrica "podia ter funcionado mal, fazendo Waddell sofrer terrivelmente", e prosseguia comparando o incidente à execução levada a efeito na Flórida e na qual esponjas sintéticas usadas pela primeira vez tinham feito arder o cabelo do condenado.

Enfiando as notícias na pasta relativa a Waddell, procurei adivinhar que coelhos seu advogado, Nicholas Grueman, tiraria da cartola desta vez. Nossos embates, embora raros, tinham se tornado previsíveis. Eu estava começando a crer que seu verdadeiro propósito era levantar dúvidas sobre minha competência profissional e, de modo geral, fazer-me sentir idiota. O que, contudo, mais me aborrecia era que Grueman não dava mostra de lembrar-se de que eu fora sua aluna na Universidade de Georgetown. Era verdade que eu tinha sido displicente em meu primeiro ano de direito, que só tirara sete e não conseguira entrar para a redação da *Revista Jurídica*. Enquanto vivesse não esqueceria Nicholas Grueman e não me parecia justo que ele tivesse me esquecido.

Ouvi falar dele na quinta-feira, pouco depois de ser informada de que Eddie Heath morrera.

A voz de Grueman veio pelo telefone. "Kay Scarpetta?"

"Sim." Fechei os olhos e senti, pela pressão em volta deles, que minha raiva estava aumentando.

"Aqui fala Nicholas Grueman. Estive examinando o laudo preliminar da autópsia do sr. Waddell e gostaria de fazer-lhe umas perguntas."

Fiquei em silêncio.

"Estou falando de Ronnie Joe Waddell."

"Em que posso ajudá-lo?"

"Vamos começar com o suposto estômago *quase tubular*. Aliás, uma descrição interessante. Não sei se isso é sua linguagem ou um termo médico reconhecido. Entendi bem que o sr. Waddell não estava comendo?"

"Não posso dizer que não estava comendo coisa nenhuma, mas o estômago dele tinha encolhido. Estava vazio e limpo."

"Será que informaram a senhora de que ele talvez estivesse numa greve de fome?"

"Não me disseram nada disso." Levantei o olhar para o relógio e a luz feriu-me os olhos. Estava sem aspirina e deixara em casa as gotas descongestionantes.

Ouvi o ruído de páginas sendo viradas.

"Diz aqui que a senhora encontrou escoriações nos braços, na face interna da parte superior de ambos os braços."

"É verdade."

"E o que é exatamente uma *face interna*?"

"É o lado de dentro do braço, acima da fossa antecubital."

Pausa. "*A fossa antecubital*", disse ele com assombro. "Bem, deixe ver. Estou com a palma da mão para cima e estou olhando para o lado de dentro do meu cotovelo. Quer dizer, onde o braço dobra. Até aí está certo, não é? quer dizer que a face interna é o lado onde o braço dobra e que a fossa antecubital, então, é o ponto onde o braço dobra?"

"É isso mesmo."

"Muito bem, muito bem. E a que a senhora atribui essas lesões nas faces internas dos braços do sr. Waddell?"

"Possivelmente às correias."

"Correias?"

"É, as correias de couro da cadeira elétrica."

"A senhora disse *possivelmente*. Possivelmente correias?"

"Foi o que eu disse."

"Quer dizer que a senhora não pode dizer com certeza, dra. Scarpetta?"

"Há muito pouco nesta vida que a gente pode dizer com certeza, dr. Grueman."

"Quer dizer que seria razoável imaginar a possibilidade de que as correias que causaram as escoriações pudessem ter sido de outro tipo? Tipo humano, por exemplo? Digamos, marcas deixadas por mãos humanas?"

"As escoriações que encontrei não poderiam ter sido feitas por mãos humanas."

"E poderiam ter sido feitas pela cadeira elétrica, pelas correias da cadeira elétrica?"

"Minha opinião é de que sim."

"Sua *opinião*, dra. Scarpetta?"

"Na verdade não examinei a cadeira elétrica", disse eu secamente.

Seguiu-se uma pausa longa, das que tinham tornado Nicholas Grueman famoso na sala de aula quando queria que a insuficiência evidente de um aluno ficasse flutuando no ar. Bem que eu o via andando à minha volta de mãos cruzadas nas costas e rosto impassível ao som marcado do relógio de parede. Uma vez eu sofrera sua observação silenciosa durante mais de dois minutos, enquanto meus olhos percorriam cegamente as páginas do prontuário aberto à minha frente. Cerca de vinte anos mais tarde, sentada à minha mesa de nogueira maciça, legista chefe de meia-idade com diplomas e certificados suficientes para empapelar uma parede, senti meu rosto começar a pegar fogo. Senti a velha humilhação e a velha raiva.

No exato momento em que Grueman encerrava subitamente a conversa com um "Bom dia" e desligava, Susan entrou na sala.

"O corpo do Eddie Heath chegou." Seu avental cirúrgico estava desamarrado atrás e limpo, a expressão de seu rosto era de distração. "Pode esperar até amanhã?"

"Não. Não pode."

Na fria mesa de aço o menino parecia menor do que nos lençóis claros de seu leito de hospital. Nessa sala não havia arco-íris nem paredes ou janelas decoradas com dinossauros para alegrar o coração das crianças. Eddie Heath tinha vindo nu, com agulhas intravenosas, cateteres e curativos ainda no lugar. Pareciam tristes testemunhos do que o tinha prendido a este mundo e logo o desligara dele, como a corda de um balão que flutua ao desamparo pelo ar aberto. Durante quase uma hora documentei as lesões e as marcas da terapia, enquanto Susan tirava fotografias e atendia ao telefone.

Tínhamos fechado as portas que davam para a sala de autópsia e eu podia ouvir, fora, as pessoas que saíam do elevador e iam para casa na escuridão que baixava rapidamente. A campainha soou por duas vezes na entrada; eram serventes de funerárias trazendo ou levando um corpo. Os ferimentos do ombro e da coxa de Eddie, de um rubro vivo e escuro, estavam secos.

"Meu Deus", disse Susan, ao vê-los. "Meu Deus, quem faria uma coisa dessas? Olhe todos esses cortezinhos nas bordas. É como se alguém tivesse feito cruzes e depois removido toda a pele."

"É isso exatamente o que eu acho que foi feito."

"Você acha que alguém fez uma espécie de desenho?"

"Acho que alguém tentou arrancar alguma coisa. E, quando não conseguiu, tirou a pele."

"Arrancar o quê?"

"Nada que já estivesse aí", falei. "Ele não tinha tatuagens, marcas de nascença nem cicatrizes nesses lugares. Se era uma coisa que ainda não estava no corpo dele, então talvez alguma coisa tivesse sido posta e depois devesse ser removida por causa de seu valor probatório."

"Algo como marcas de dentes..."

"Pois é."

Quando comecei a passar a mecha de algodão em todas as regiões que pudessem ter ficado sem limpeza, com o objetivo de colher material para análise, o corpo ainda não estava inteiramente rígido e continuava um pouco quente. Examinei as axilas, as dobras glúteas, atrás das orelhas, dentro delas e dentro do umbigo. Cortei as unhas, coloquei as aparas em envelopes brancos limpos e procurei fibras e outros ciscos no cabelo.

Susan continuava a olhar para mim e senti sua tensão. Finalmente, perguntou: "Você está procurando alguma coisa específica?".

"Para começo de conversa, esperma seco", disse eu.

"Na axila?"

"Em qualquer dobra da pele, em qualquer orifício, em qualquer lugar."

"Geralmente você não olha nesses lugares todos."

"Geralmente não estou procurando zebras."

"O quê?"

"Na faculdade de medicina, a gente dizia um negócio. Ouvindo um tropel, procuram-se cavalos. Mas num caso como esse, sabemos que estamos procurando uma zebra."

Comecei a examinar cada centímetro do corpo com uma lente. Quando cheguei nos pulsos virei lentamente as mãos dele num e noutro sentido, estudando-as por tanto tempo que Susan interrompeu o que estava fazendo. Olhei os diagramas em minha prancha, correlacionando cada sinal deixado pelo atendimento médico com os que eu tinha desenhado.

"Onde estão os gráficos médicos?" Olhei em torno.

"Aqui." Susan apanhou uns papéis em cima de um balcão.

Comecei a analisar os gráficos, concentrando-me principalmente nos registros da sala de emergência e no relatório do grupo de resgate. Em lugar algum constava que as mãos de Eddie Heath tivessem sido amarradas. Tentei lembrar o que o detetive Trent me dissera ao descrever o local onde o corpo do menino fora encontrado. Trent não havia dito que Eddie estava com as mãos ao longo do corpo?

"Achou alguma coisa?", perguntou Susan finalmente.

"Você tem de olhar com a lente para ver. Aí. O lado de dentro dos pulsos e aqui, no esquerdo, à esquerda do osso do pulso. Está vendo um resíduo pegajoso? Vestígios de uma substância adesiva? Algo como manchas de pó acinzentado."

"Quase não dá para ver. Parece que há umas fibras grudadas", espantou-se Susan, e seu ombro pressionava o meu enquanto ela olhava pela lente.

"A pele está macia", continuei mostrando. "Menos pêlos nessa região que aqui, e aqui."

"Porque quando a fita foi arrancada, deve ter puxado os pêlos."

"Claro. Vamos pegar alguns fios do pulso para comparar. O adesivo e as fibras podem ser comparados com a fita adesiva, se algum dia ela for encontrada. E, se encontrarmos a fita com que ele foi atado, ela pode ser comparada com o rolo."

"Não estou entendendo." Susan endireitou o corpo e olhou para mim. "No hospital, os tubos ficaram presos com fita adesiva. Você tem certeza de que a explicação não é essa?"

"Nessas regiões dos pulsos não há marcas de agulhas que configurem sinais de ação médica", disse-lhe eu. "E você viu o que estava preso no corpo dele quando ele chegou. Nada que pudesse justificar um adesivo neste local."

"É verdade."

"Vamos bater umas fotografias e depois vou colher esse resíduo adesivo e dar ao Trace para ver o que eles conseguem encontrar."

"O corpo estava ao ar livre junto de um contêiner de lixo. Isso para o Trace vai ser um pesadelo."

"Não sei se esse resíduo do pulso esteve em contato com o chão." Comecei a retirar suavemente o resíduo com um escalpelo.

"Será que passaram um aspirador lá?"

41

"Não, que nada. Mas acho que se a gente pedir com jeito é capaz de conseguir que passem. Podemos tentar."

Continuei a examinar os antebraços e os pulsos finos de Eddie Heath, procurando contusões ou escoriações que pudesse não ter visto. Mas não encontrei nenhuma.

"Os tornozelos estão em ordem", disse Susan, da extremidade da mesa. "Não vejo adesivo algum nem áreas sem pêlos. Nem lesões. Não parece que ele tenha sido atado pelos tornozelos. Só pelos pulsos."

Que eu me lembrasse, era raro uma vítima ser atada e não exibir marcas na pele. Era evidente que a fita tinha estado em contato direto com a pele de Eddie. Ele provavelmente movera as mãos, mexera-se à medida que o incômodo crescia e a circulação era prejudicada, mas não resistira. Não se estirara, não se contorcera, não tentara fugir.

Pensei nas gotas de sangue no ombro de seu casaco e no encardido da gola. Verifiquei novamente a região em volta da boca, examinei a língua e dei uma olhada nos gráficos. Talvez ele tivesse sido amordaçado, mas agora não havia prova disso, escoriações, contusões ou restos de adesivos. Imaginei-o apoiːdo no contêiner, nu no frio cortante, com as roupas empilhadas ao lado, nem cuidadosa nem desordenadamente, mas naturalmente, tal como me fora descrito. Quando tentei apreender a emoção do crime, não descobri nem cólera, nem pânico, nem medo.

"Primeiro ele atirou, não foi?" Os olhos de Susan estavam vigilantes como os de um estranho preocupado com que cruzamos numa rua deserta e escura. "Quem fez isso prendeu os pulsos depois de atirar."

"Acho que sim."

"Mas é tão estranho", disse ela. "Você não precisa atar quem já levou um tiro na cabeça."

"Não sabemos quais são as fantasias desse indivíduo." A sinusite principiara e eu me sentia como uma cidade sitiada. Meus olhos lacrimejavam; o crânio parecia apertado.

Susan puxou o fio grosso do carretel e ligou a serra. Pôs lâminas novas nos escalpelos e verificou os bisturis no carrinho cirúrgico. Foi até a sala de raio X e voltou com as radiografias de Eddie, que fixou nos painéis luminosos. Corria freneticamente e fez uma coisa que nunca fizera antes. Chocou-se violentamente com o carrinho que havia arrumado e derrubou no chão dois vidros de formol.

Corri para ela, que recuava esbaforida, abanando os vapores que subiam pelo ar perto de seu rosto e espalhando cacos de vidro pelo chão, ao tentar equilibrar-se.

"Pegou o rosto?" Agarrei seu braço e corri com ela para o vestiário.

"Acho que não. Não. Ai, meu Deus. Só os pés e as pernas. Acho que o braço também."

"Você tem certeza de que não pegou nos olhos nem na boca?" Ajudei-a a despir os aventais.

"Tenho."

Enfiei o braço no chuveiro e abri a água enquanto ela praticamente arrancava o resto das roupas.

Fiz com que ela ficasse um bom tempo debaixo de um jato de água morna enquanto eu punha máscara, óculos de segurança e luvas de borracha. Enxuguei o produto perigoso com esponjas fornecidas pelo Estado para emergências bioquímicas como aquela. Varri os cacos e fechei tudo em sacos plásticos reforçados. Depois joguei água no piso, lavei-me e vesti outro uniforme. Susan finalmente saiu do chuveiro, corada e assustada.

"Dra. Scarpetta, sinto muito."

"Só estou preocupada com você. Tudo bem?"

"Estou me sentindo fraca e um pouco tonta. Ainda estou sentindo o cheiro da exalação."

"Eu acabo isto aqui", disse eu. "Por que você não vai para casa?"

"Acho que primeiro vou descansar um pouco. Talvez seja melhor ir lá para cima."

Meu avental estava dobrado nas costas de uma cadeira. Apanhei minhas chaves num dos bolsos. "Tome", falei, entregando-lhe as chaves. "Pode deitar no divã em meu escritório. Se a tontura não passar ou se começar a se sentir pior, me chame logo pelo interfone."

Uma hora mais tarde ela voltou, de casacão e abotoada até o queixo.

"Como está se sentindo?", perguntei enquanto suturava a incisão em Y.

"Meio trêmula, mas bem."

Observou-me em silêncio por um momento, depois acrescentou: "Quando estava lá em cima pensei uma coisa. Acho que você não deve me citar como testemunha nesse caso".

Olhei-a com surpresa. Era de rotina que qualquer pessoa presente durante uma autópsia fosse mencionada como testemunha no relatório oficial. O pedido de Susan não era muito importante, mas era estranho.

"Não participei da autópsia. Quer dizer, ajudei com o exame externo, mas não estava presente quando você abriu, e sei que esse vai ser um caso importante — se chegarem a agarrar alguém. Se chegar até a Justiça. E acho melhor não me arrolar, porque, como disse, na verdade eu não estava presente."

"Está bem. Não tem problema."

Ela pôs minhas chaves sobre um balcão e saiu.

Uma hora mais tarde, quando telefonei para Marino de meu carro detido num posto de pedágio, encontrei-o em casa.

"Você conhece o diretor da rua Spring?"

"Frank Donahue. Onde você está?"

"No meu carro."

"Bem que achei. Com certeza metade dos caminhões de Virgínia está nos escutando na freqüência do cidadão."

"Não há muito o que escutar."

"Fiquei sabendo do garoto. Você acabou a autópsia?"

"Acabei. Eu lhe telefono de casa. Há uma coisa que você pode fazer por mim por enquanto. Tenho de verificar umas coisas na penitenciária agora mesmo."

"O problema com a verificação de coisas na penitenciária é que eles também verificam a gente."

"É por isso que você vai comigo", respondi.

Depois de dois semestres de sofrimento sob a tutela de meu antigo professor, pelo menos eu aprendera a ficar prevenida. Foi assim que, na tarde de sábado, eu e Marino nos dirigimos para a penitenciária do estado. O céu estava carregado, com o vento fustigando as árvores à margem das estradas e o universo num estado de agitação fria, como se refletisse meu ânimo.

"Quer minha opinião pessoal? Acho que você está deixando o Grueman se meter muito", declarou Marino enquanto eu dirigia.

"De jeito nenhum."

"Então por que toda vez que há uma execução em que ele está envolvido você fica assim toda nervosa?"

"E o que você faria?"

Ele puxou o isqueiro. "O mesmo que você. Olhava bem o corredor da morte e a cadeira, documentava tudo e dizia a ele que ele era um merda. Ou melhor, dizia à imprensa que ele era um merda."

O jornal daquela manhã tinha publicado que Grueman dissera que Waddell não fora alimentado convenientemente e que seu corpo exibia machucados que eu não soubera explicar bem.

"Qual é a dele afinal? Ele já defendia esses elementos quando você estava na faculdade de direito?", prosseguiu Marino.

"Não. Muitos anos atrás pediram a ele para dirigir a Assistência Jurídica Penal da Universidade. Foi aí que ele começou a atender de graça os casos de pena de morte."

"O cara deve ser meio pirado."

"Ele é muito contra a pena de morte e tem conseguido transformar em causa célebre todos aqueles que representa. Principalmente o Waddell."

"Sei. São Nicolau, patrono dos fodidos. É uma gracinha. Por que você não manda para ele umas fotos coloridas do Eddie Heath e pergunta se ele não quer conversar com a família do menino? Ver como se sente com relação ao porco que *cometeu* esse crime."

"Nada vai mudar as opiniões do Grueman."

"Ele tem filhos? Mulher? Alguém de quem goste?"

"Não faz diferença alguma, Marino. Acho que você não tem nada de novo sobre o Eddie."

"Não, nem eu nem o pessoal de Henrico. Temos as roupas e um projétil calibre 22. Pode ser que os laboratórios tenham sorte com o que você deu a eles."

"E o Procacriv?", perguntei, referindo-me ao Programa de Captura de Criminosos Violentos, do FBI, no qual Marino e Benton Wesley, analista do FBI, eram companheiros de equipe regional.

"O Trent está trabalhando nos formulários e dentro de mais uns dias vai distribuí-los. E ontem de noite alertei o Benton para o caso."

"Eddie era do tipo que entraria no carro de um desconhecido?"

"Segundo os pais, não. Ou foi um ataque violento ou então foi alguém que conquistou a confiança do garoto para poder agarrá-lo."

"Ele tem irmãos e irmãs?"

"Um irmão e uma irmã, os dois mais de dez anos mais velhos que ele. Acho que o Eddie foi um acidente", disse Marino quando íamos chegando à penitenciária.

Anos de abandono haviam desbotado o revestimento de estuque, que apresentava um tom sujo e diluído de rosa que parecia remédio para dispepsia. As janelas escuras estavam cobertas com um plástico grosso, enrolado e rasgado pelo vento. Saímos pela Belvedere e dobramos à esquerda na rua Spring, uma rua em péssimo estado, não asfaltada, que ligava dois bairros pertencentes a mapas diferentes, continuava por várias quadras depois da penitenciária e depois simplesmente sumia no morro Gambles, onde, numa elevação perfeitamente gramada, empoleirava-se, como uma grande garça-real à beira de um lago, a sede de tijolos brancos da Companhia Ethyl.

O granizo se transformara em neve líquida quando estacionamos e saímos do automóvel. Segui Marino, passei por um contêiner de lixo e por uma rampa que conduzia a uma plataforma de carga ocupada por gatos que relampejavam sua indiferença com selvagem serenidade. A entrada principal era uma porta de vidro simples e, entrando no que passava por vestíbulo, encontramo-nos atrás de grades. Não havia cadeiras; o ar estava gélido e rançoso.

À nossa direita, o acesso ao centro de comunicações se fazia por uma janelinha que uma mulher robusta com uniforme de guarda levou um bom tempo para abrir.

"Posso ajudá-los?"

Marino mostrou seu crachá e explicou laconicamente que tínhamos entrevista marcada com Frank Donahue, o diretor. Ela nos disse que esperássemos. A janela se fechou.

"Essa é Helen, a Huna. Já estive aqui mil vezes e ela sempre age como se não me conhecesse. De todo modo, não sou o tipo dela. Num minuto você vai conhecê-la melhor."

Depois de portões gradeados havia um corredor encardido de ladrilho vermelho e tijolo cinza e escritórios tão pequenos que pareciam gaiolas. Ao fundo dava para ver o primeiro bloco de celas, com seus andares pintados de um verde institucional e marcados pela ferrugem. As celas estavam vazias.

"Quando os presos restantes vão ser transferidos?", perguntei.

"No fim desta semana."

"Quem vai ficar?"

"Autênticos cavalheiros da Virgínia, os de alta periculosidade. Estão todos bem trancafiados e acorrentados a suas camas no bloco C, que fica para aquele lado." Apontou para o oeste. "Não vamos passar por lá, não precisa ficar agitada. Eu não faria isso com você. Tem uns caras aí que há anos não vêem mulher — e Helen, a Huna, não conta."

Um rapaz robusto, vestindo um macacão do Departamento de Execuções Penais, apareceu no fundo do corredor e veio em nossa direção, depois nos espreitou pelas grades com seu rosto atraente mas duro, de queixo forte e frios olhos cinzentos. Um bigode vermelho-escuro tapava um lábio superior que suspeitei pudesse tornar-se cruel.

Marino se apresentou, acrescentando: "Estamos aqui para ver a cadeira".

"OK, meu nome é Roberts e estou aqui como guia de turistas." As chaves tiniram no ferro quando ele abriu o pesado portão. "O Donahue hoje está doente." O barulho das portas que se fechavam atrás de nós ecoou pelas paredes. "Acho que vou ter de revistar vocês. Aqui, madame, por favor."

Ele estava começando a passar um detector pelo corpo de Marino quando outra porta gradeada se abriu e Helen emergiu do centro de comunicações. Era uma mulher carrancuda, com a compleição de uma igreja batista. Seu cinto de verniz era a única indicação da existência de uma cintura. Seu cabelo curto de estilo masculino estava pintado de negro-graúna; os olhos que brevemente encontraram os meus eram ardentes. O crachá preso a um busto formidável dizia "Grimes".

"A maleta", ordenou.

Entreguei-lhe a maleta médica. Remexeu-a e depois revirou-me para um e outro lado enquanto me submetia a uma saraivada de pancadinhas com o detector e as mãos. No total a revista não terá durado mais de vinte segundos, mas ela travou conhecimento com cada centímetro de meu corpo, esmagando-me contra seu colo rigidamente blindado como uma aranha avantajada, enquanto os dedos grossos se detinham aqui e ali e ela respirava pesadamente pela boca. Depois fez bruscamente com a cabeça um sinal de que estava tudo bem e voltou a seu ninho de cimento cinza e ferro.

Seguindo Roberts, passamos por grades e mais grades e por uma série de portas que ele destrancava e tornava a trancar, no ar frio que tinia com o dobrar monótono de um metal hostil. Ele nada perguntou sobre nós e não fez referência alguma que, mesmo remotamente, pudesse ser considerada afável. Parecia preocupar-se apenas com seu papel, que naquela tarde eu não sabia se era o de guia de visitantes ou o de cão de guarda.

Dobramos à direita e entramos no primeiro bloco de celas, um espaço amplo e desolado de tijolos verde-acinzentados, de janelas quebradas e quatro andares de celas encimados por um teto falso coberto por rolos de arame farpado. Havia dúzias de colchões estreitos forrados de plástico empilhados de qualquer jeito no meio do assoalho de ladrilho marrom, e vassouras, esfregões e cadeiras de barbeiro vermelhas e decadentes espalhados por ali. Nos parapeitos altos das janelas viam-se tênis de couro, jeans e outras peças de uso pessoal e, abandonados em muitas celas, televisores, livros e armarinhos. Parecia que, ao serem transferidos, os presos não haviam podido levar consigo tudo o que possuíam, o que talvez explicasse as obscenidades escritas nas paredes com hidrográficas coloridas.

Mais portas foram destrancadas e fomos sair no pátio, um quadrado de grama castanha cercado por medonhos blocos de celas. Não havia árvores. Em cada ângulo do muro se erguia uma torre de vigilância ocupada por um homem de capote armado com um fuzil. Caminhamos rapidamente e em silêncio e os respingos grudavam em nossos rostos. Vários degraus abaixo passamos por outra abertura, que levava a uma porta de ferro mais pesada que todas as outras.

"Porão leste. É este o lugar para onde ninguém quer ir", disse Roberts, enfiando a chave na fechadura.

Entramos no corredor da morte.

Havia cinco celas na parede leste, cada uma delas equipada com uma cama de ferro e de uma pia e uma privada de louça. No centro do aposento havia uma mesa grande e várias cadeiras onde os guardas se sentavam dia e noite quando o corredor da morte estava ocupado.

"Waddell estava na cela 2. O direito estadual determina que o preso seja transferido para cá quinze dias antes da execução. Waddell veio de Mecklemburg em 22 de novembro", informou Roberts.

"Quem tinha acesso a ele quando ele estava aqui?", perguntou Marino.

"O mesmo pessoal que sempre tem acesso ao corredor da morte. Representantes legais, o clero e os membros da equipe de execução."

"Equipe de execução?", perguntei.

"Ela é composta por agentes de correção e supervisores, cujas identidades são confidenciais. A equipe começa a funcionar quando o preso é mandado de Mecklemburg para cá. Guardam-no, preparam tudo do princípio ao fim."

"Não parece uma função muito agradável", comentou Marino.

"Não é uma missão, é uma escolha", replicou Roberts com o machismo e a impassibilidade dos treinadores entrevistados depois de um grande jogo.

"Não incomoda você?", perguntou Marino. "Quer dizer, eu vi o Waddell ir para a cadeira. Deve perturbar você."

"Não me perturba nada. Depois vou para casa, tomo umas cervejas e vou dormir." Apanhou um maço de cigarros no bolso da camisa.

"Bom, segundo Donahue, vocês querem saber tudo o que aconteceu. Então vou mostrar." Sentou-se na mesa, fumando. "No dia, que foi 13 de dezembro, foi autorizada uma visita de duas horas dos parentes próximos do Waddell, no caso, a mãe dele. Pusemos correntes na cintura dele, ferros nas pernas e algemas nas mãos e o levamos para junto dos visitantes à uma da tarde. Às cinco ele fez sua última refeição. Pediu um filé, salada, batata assada e torta, que mandamos preparar na churrascaria Bonanza. Não foi ele que escolheu o restaurante. Os presos não têm esse

50

direito. E, como de hábito, pedimos duas refeições. O preso come uma e um membro da equipe de execução, a outra. Isso é para garantir que nenhum cozinheiro entusiasmado decida acelerar a viagem do condenado para o outro mundo temperando a comida com algum condimento extra, como arsênico."

"Waddell comeu a refeição?", perguntei, pensando no estômago vazio.

"Não estava com muita fome, pediu-nos que a guardássemos, que ele comeria no dia seguinte."

"Deve ter pensado que o governador Norring ia indultá-lo", disse Marino.

"Não sei o que ele pensou. Só estou contando a vocês o que Waddell disse quando lhe serviram a refeição. Depois, às sete e meia, os funcionários responsáveis pelos bens pessoais foram à cela dele para fazer o inventário de seus bens e perguntar-lhe o que queria que fosse feito com eles. Eram um relógio de pulso, um anel, várias peças de vestuário e cartas, livros, poesias. Às oito da noite ele foi retirado da cela. A cabeça, o rosto e o tornozelo direito estavam raspados. Foi pesado, tomou uma ducha, e vestiram-no com a roupa que ia usar na cadeira. Aí foi devolvido à cela. Às dez e quarenta e cinco foi-lhe feita a leitura da sentença de morte, assistida pela equipe de execução." Roberts levantou-se da mesa. "E aí ele foi levado, sem algemas, para a sala ao lado."

"A essa altura qual era o comportamento dele?", perguntou Marino enquanto Roberts destrancava outra porta e a abria.

"Digamos que sua condição racial não lhe permitia ficar branco como uma folha de papel. Senão, teria ficado."

A sala era menor do que eu tinha imaginado. A uns dois metros da parede do fundo e posta no centro do piso de cimento marrom brilhante estava a cadeira, um trono robusto e rígido de carvalho escuro polido. Em torno do encosto alto e inclinado, das duas pernas dianteiras e dos braços estavam enroladas grossas correias de couro.

"Sentaram o Waddell e a primeira correia a ser apertada foi a do peito. Em seguida foram as duas correias dos braços, a correia da barriga e as correias das pernas", continuou Roberts no mesmo tom indiferente. Enquanto falava, sacudia cada correia. "Levou um minuto para atá-lo. O rosto estava coberto pela máscara de couro — que eu vou lhes mostrar daqui a pouco. O capacete foi posto na cabeça e a peça da perna atada à perna direita."

Tirei a câmera, uma régua e fotocópias dos diagramas do corpo de Waddell.

"Exatamente às onze horas e dois minutos ele recebeu a primeira descarga, quer dizer, dois mil e quinhentos volts e seis ampères e meio. Aliás, dois ampères já matam."

As lesões assinaladas no corpo de Waddell se ajustavam bem à estrutura da cadeira e suas correias.

"O capacete é ligado a isto aqui." Roberts apontou um tubo que partia do teto e terminava numa porca de cobre diretamente sobre a cadeira.

Comecei a tirar fotografias da cadeira de todos os ângulos.

"E a peça da perna é atarraxada a esta porca aqui."

Quando a lâmpada foi apagada senti uma sensação esquisita. Eu estava ficando sobressaltada.

"Esse homem era um grande curto-circuito."

"Quando foi que ele começou a sangrar?", perguntei.

"No momento em que levou a primeira descarga. E não parou até o fim; correram uma cortina que o ocultou das testemunhas. Três membros da equipe de execução desabotoaram a camisa dele e o médico escutou com o estetoscópio, tocou a carótida e declarou-o morto. Puseram Waddell numa maca e levaram para a sala de esfriamento, que é para onde vamos agora."

"E qual sua teoria sobre o suposto defeito da cadeira?"

"Frescura. Waddell tinha um metro e noventa e cinco, pesava cento e dezessete quilos. Muito antes de sentar na cadeira já estava fervendo, com a pressão lá em cima. Depois que verificaram a morte, e por causa da hemorragia, o vice-diretor veio dar uma olhada. Os olhos não tinham saltado. Os tímpanos não tinham estourado. Tinha uma puta hemorragia nasal, o mesmo que acontece quando a gente faz muita força na privada."

Concordei em silêncio. A hemorragia nasal de Waddell fora provocada pela manobra de Valsalva, um aumento súbito da pressão torácica interna. Nicholas Grueman não ia gostar do relatório que eu ia lhe enviar.

"Que experiências vocês fizeram para ter certeza de que a cadeira estava funcionando corretamente?", perguntou Marino.

"As que fazemos sempre. Primeiro, a Eletricidade da Virgínia olha e examina o equipamento." Mostrou uma grande caixa de fusíveis atrás de portas de aço cinzento na parede atrás da cadeira. "Aqui atrás há vinte lâmpadas de duzentas velas presas numa tábua, para teste. Fazemos as experiências na semana anterior à execução, três vezes no mesmo dia e depois mais uma vez diante das testemunhas quando elas chegam."

"OK, isso eu me lembro", disse Marino, fitando a tribuna envidraçada das testemunhas a menos de cinco metros. Dentro havia doze cadeiras de plástico preto em três filas simétricas.

"Tudo funcionou às mil maravilhas", disse Roberts.

"Funciona sempre?", perguntei.

"Que eu saiba, sim."

"E onde fica o interruptor?"

Ele me mostrou uma caixa na parede, à direita da tribuna das testemunhas.

"Tem uma chave que corta a corrente. Mas o botão fica na sala de controle. O diretor ou um substituto liga a chave e aperta o botão. Quer ver?"

"Acho melhor."

Não havia muito o que ver, só um cubículo pequeno atrás da parede dos fundos da sala onde ficava a cadeira. Dentro havia uma caixa grande da GE com vários mostradores para aumentar e diminuir a voltagem, que chegava a três mil volts. Fileiras de luzinhas afirmavam que tudo estava bem ou advertiam que não.

"Em Greensville já vai ser por computador", acrescentou Roberts.

Dentro de um armário de madeira estavam o capacete, a peça da perna e dois fios grossos que, explicou ele enquanto os segurava, "foram presos às porcas de cima e a um lado da cadeira, e aí em cima do capacete e na peça da perna". Fez um esforço, acrescentando: "É como fazer a ligação de um videocassete".

O capacete e a peça da perna eram de cobre, com buracos por onde passavam fios de algodão destinados a fixar a forração de esponja. O capacete era surpreendentemente leve, com manchas verdes nas beiradas dos pontos de contato. Eu não podia imaginar uma coisa daquelas em minha cabeça. A máscara de couro era apenas uma tira rústica que se atava atrás da cabeça do condenado, com um triângulo pequeno aberto para o nariz. Se estivesse em exibição na Torre de Londres ninguém contestaria sua autenticidade.

Passamos por um transformador com cabos que subiam até o teto e Roberts destrancou outra porta. Entramos em outra sala.

"Esta é a sala de esfriamento. Empurramos Waddell para cá e o transferimos para esta mesa."

Era uma mesa de aço com sinais de ferrugem nas juntas.

"Deixamos esfriar por dez minutos e em seguida pusemos os sacos de areia nas pernas dele. Aqueles ali."

Os sacos de areia estavam empilhados no chão ao pé da mesa.

"Quatro quilos cada um. Pode ser uma reação do joelho, mas a verdade é que a perna fica bem dobrada. Os sacos de areia são para estender as pernas. E se as queimaduras são sérias, como as do Waddell, a gente enrola em gaze. Depois de fazer tudo isso, pusemos Waddell de novo na maca e levamos para fora do mesmo jeito que entrou. Só que não fomos pela escada. Ninguém queria ficar com hérnia. Usamos o elevador da comida, saímos pela porta da frente e pusemos na ambulância. Aí entregamos para a senhora, como fazemos sempre depois que os bonecos sentam no trono."

Portas pesadas bateram. Houve um ruído de chaves. Fechaduras giraram. Roberts continuava falando animadamente enquanto nos levava de volta para o vestíbulo. Eu pouco ouvia e Marino não dizia uma palavra.

Neve e chuva misturadas salpicavam de gelo a grama e as paredes. A calçada estava molhada, o frio era penetrante. Eu estava com náuseas, louca para tomar um demorado banho de chuveiro quente e mudar de roupa.

"Marginais como o Roberts são pouco melhores que os presos", disse Marino enquanto ligava o automóvel. "Na verdade, alguns são iguais aos caras que prendem."

Alguns momentos depois ele parou num sinal. As gotas de água que pareciam sangue no pára-brisa iam se substituindo umas às outras aos milhares. O gelo vestia as árvores de vidro.

"Você tem tempo para que eu lhe mostre uma coisa?" Com a manga do casaco, ele limpava o pára-brisa embaçado.

"Dependendo da importância, acho que tenho tempo." Esperava que minha relutância evidente o inspirasse a levar-me para casa.

"Queria reconstituir para você os últimos passos de Eddie Heath." Fez o sinal de dobrar. "Principalmente, acho que você precisa ver onde o corpo foi encontrado."

Os Heath viviam na parte leste da avenida Chamberlayne, ou, nas palavras de Marino, na menos elegante. A casinha de tijolos ficava a poucas quadras de um restaurante de frango assado, o Golden Skiller, e do mercado onde Eddie fora comprar uma lata de sopa para a mãe.

Vários automóveis americanos grandes estavam estacionados na entrada da casa da família Heath, e a chaminé deitava uma fumaça que se perdia no céu cinzento. Ouviu-se um barulho de alumínio, a porta se abriu e apareceu uma velha enrolada num casaco preto que em seguida se deteve para falar com alguém dentro da casa. Agarrada ao corrimão como se a tarde ameaçasse arrastá-la, ela foi descendo os degraus, olhando confusamente para um Ford LTD que passava.

Se tivéssemos avançado mais três quilômetros teríamos entrado na zona dos projetos federais de habitação.

"Antigamente este bairro era só de brancos", disse Marino. "Lembro-me que quando cheguei a Richmond esta era uma região boa para se morar: uma porção de gente decente e trabalhadora que mantinha o quintal bem cuidado e ia à igreja no domingo. Os tempos mudam. Hoje eu não deixaria um filho meu andar por aqui à noite. Mas, quando se mora num lugar, a gente se acostuma. Eddie estava acostumado a andar por aqui, entregando jornais e fazendo pequenas tarefas para a mãe. Na noite do crime ele saiu pela porta da frente, atalhou até a Azalea e dobrou à direita como estamos fazendo agora. Lucky é ali à esquerda, perto do posto de gasolina." Mostrou um mercado com uma ferradura verde no luminoso. "Aquela esquina é um ponto de drogas. Vendem crack e desaparecem. Quando chegamos, só encontramos baratas e dois dias mais tarde estão em outra esquina fazendo a mesma coisa."

"Será que o Eddie estava envolvido com drogas?" No início de minha carreira a pergunta teria sido estranha, mas agora não. Agora aproximadamente dez por cento das prisões por tráfico de narcóticos na Virgínia eram de menores.

"Por enquanto não há indício. Minha intuição me diz que não", disse Marino.

Entramos no estacionamento do mercado e ficamos contemplando um anúncio colado no vidro e umas luzes que brilhavam com extravagância na neblina. Havia uma longa fila de fregueses e o caixa trabalhava na máquina registradora sem levantar os olhos. Um rapaz negro, de topete, vestindo casaco de couro, com uma cerveja na mão, olhava com insolência para nosso carro enquanto punha uma moeda no telefone público junto à porta da frente. Trotando para seu caminhão, um homem vestido de vermelho, com as calças manchadas de tinta, abria um maço de cigarros.

"Aposto que foi aqui que ele encontrou o agressor", disse Marino.

"Como?", disse eu.

"Acho que foi muito simples. Acho que ele saiu da loja e o animal veio para ele e falou qualquer coisa para conquistar sua confiança. Disse uma coisa qualquer e Eddie foi com ele para o carro."

"Os vestígios físicos combinam com isso. Não encontrei lesão de defesa, nada que indicasse luta. Ninguém dentro do mercado o viu com alguém?"

"Ninguém com quem eu já tenha falado. Mas você vê como esse lugar é movimentado, e fora estava escuro. Se alguém viu alguma coisa, terá sido provavelmente algum freguês entrando ou voltando para o automóvel. Estou pensando em pôr um anúncio nos jornais: assim a gente atinge todo mundo que tenha estado aqui entre as cinco e as seis naquela tarde. E os Inimigos do Crime também vão publicar um anúncio."

"Eddie era esperto?"

"Um cara vivo engana qualquer um, até os garotos espertos. Tive um caso em Nova York em que uma menina de dez anos foi ao armazém da esquina comprar meio quilo de açúcar. Quando ia saindo, um pedófilo se aproximou e disse que o pai dela tinha mandado ele lá. Disse que a mãe tinha ido para o hospital e que era para levar ela lá. A menina entrou no carro dele e virou uma estatística." Olhou para mim com o canto do olho. "Então, branco ou preto?"

"Em que caso?"

"No de Eddie Heath."

"Baseada no que você disse, o agressor é branco."

Marino reclinou-se, esperando uma folga no tráfego. "Claro, imagina-se que seja branco. O pai do Eddie não gosta de pretos e Eddie também não tinha confiança neles, de modo que não é provável que um preto tivesse conquistado a confiança de Eddie. E se o pessoal vê um menino branco andando com um homem branco — mesmo que o garoto pareça infeliz — pensam em irmão mais velho e irmão mais novo ou em pai e filho." Dobrou à direita, indo para oeste.

"E aí, doutora. Que mais?"

Marino adorava aquele jogo. Os casos em que eu me identificava com seu pensamento lhe davam o mesmo prazer que aqueles em que pensava que eu estava totalmente errada.

"Se o agressor é branco, então minha conclusão seguinte é que ele não mora nos projetos de habitação popular, embora o lugar seja bem perto."

"Deixando de lado a raça, por que você acha que o cara não mora lá?"

"Questão de lógica. Atirar na cabeça de uma pessoa — mesmo de um menino de treze anos — não é novidade num assassinato de rua, mas o resto da história não faz sentido. Eddie levou um tiro de 22, não de um nove ou dez milímetros ou de um revólver de grosso calibre. Estava nu e mutilado, sugerindo que a violência teve motivo sexual. Até onde sabemos, não estava com nada que valesse a pena ser roubado e não parecia ter um tipo de vida arriscado", disse eu simplesmente.

Tinha começado a chover forte e as ruas estavam perigosas, os carros movimentando-se numa velocidade imprudente, de faróis acesos. Pensei que muita gente estaria indo para o shopping center e me lembrei de que não tinha feito quase nada em matéria de preparativos para o Natal.

A mercearia da rua Patterson era logo adiante, à nossa esquerda. Eu não me lembrava de seu nome anterior, e as placas haviam sido retiradas, deixando só a fachada de tijolos e as janelas tapadas com tábuas. O espaço que ocupava estava mal iluminado e calculei que a polícia não teria tido a idéia de olhar atrás do edifício, não fosse o fato de haver alguns estabelecimentos à esquerda. Contei cinco: farmácia, sapateiro, tinturaria, loja de ferragens e restaurante italiano, todos fechados e desertos na noite em que Eddie fora levado para ali e abandonado como morto.

"Você se lembra de quando essa mercearia fechou?", perguntei.

"Na mesma época em que uma porção de outros lugares foram fechados. Quando começou a guerra no golfo Pérsico", disse Marino.

Entrou por uma travessa com o farol alto varrendo as paredes de tijolos e trepidando quando a rua não asfaltada ficava pior. Atrás da loja uma cerca de arame separava um trecho de asfalto rachado de uma área arborizada que se movia obscuramente ao vento. Por entre os troncos das árvores dava para ver as luzes de ruas distantes e o sinal luminoso de um Burger King.

Marino estacionou com os faróis voltados para um contêiner de lixo canceroso de ferrugem e de pintura empolada, com fios de água escorrendo pelos lados. Gotas de chuva batiam nos vidros e tamborilavam no teto; pelo rádio ouvíamos os operadores despachando viaturas para os locais de acidentes.

Marino segurou com força o volante e moveu os ombros. Fez uma massagem atrás do pescoço. "Meu Deus, estou ficando velho", queixou-se. "Tenho uma capa de chuva no porta-malas."

"Você precisa mais dela do que eu. Não vou derreter", disse eu, abrindo minha porta.

Marino vestiu sua capa azul-marinho da polícia e eu levantei minha gola até as orelhas. A chuva molhou meu rosto e bateu fria sobre minha cabeça. Quase imediatamente minhas orelhas começaram a ficar dormentes. O contêiner estava perto da cerca, no final da parte calçada, talvez a uns vinte metros dos fundos da mercearia. Reparei que ele se abria por cima e não pelo lado.

"Quando a polícia chegou, a tampa do contêiner estava aberta ou fechada?", perguntei a Marino.

"Fechada." O capuz da capa fazia com que tivesse dificuldade de olhar para mim sem girar o tronco. "Repare que não há nada em que se possa subir." Deu uma volta no contêiner com uma lanterna na mão. "Além disso, estava vazio. Nada dentro, só ferrugem e a carcaça de um rato tão grande que dava para pôr uma sela nele e montar."

"Você pode levantar a tampa?"

"Só uns centímetros. A maioria dos contêiners desse tipo tem um ferro dentado de cada lado. Se a pessoa é alta, pode levantar a tampa uns centímetros e passar a mão pelo lado, e continuar levantando a tampa fixando os dentes um a um. Aí dá para abrir o suficiente para jogar um saco de lixo lá dentro. O problema é que neste os dentes não funcionam. A tampa tem de ser totalmente aberta até cair para o outro lado, e só se consegue fazer isso subindo em alguma coisa."

"Qual sua altura? Um metro e oitenta e cinco, um metro e noventa?"

"É. Se não consigo abrir o contêiner, ele também não conseguiria. A teoria favorita no momento é que ele tenha carregado o corpo para fora do carro e escorado no contêiner enquanto tentava abrir a tampa — como se põe um saco de lixo no chão um minuto para ficar com as mãos livres. Quando não pôde abrir a tampa ficou apavorado e deixou o garoto e tudo o mais ali no chão."

"Podia tê-lo arrastado para o bosque."

"Tem a cerca."

"Não é muito alta, talvez um metro e meio", mostrei. "Pelo menos podia ter deixado o corpo *atrás* do contêiner. Do jeito que foi, se você se afastasse para cá via o corpo inteiro."

Marino olhou silenciosamente em torno, iluminando a cerca de arame com a lanterna. No estreito facho de luz, gotículas dançavam como um milhão de preguinhos caídos do céu. Eu quase não conseguia dobrar os dedos. Meu cabelo estava encharcado e uma água gelada me escorria pelo pescoço abaixo. Voltamos para o automóvel e ele ligou a calefação ao máximo.

"O Trent e a turma dele estão todos enrolados com o negócio do contêiner, da posição da tampa, essas coisas... Minha opinião é de que nesse caso o único papel do contêiner foi o de servir de lugar para o elemento despejar o trabalhinho dele", disse.

Olhei para fora, através da chuva.

"A questão é que ele não trouxe o garoto para cá para esconder o corpo, mas para ter certeza de que ia ser encontrado. Os caras de Henrico não vêem isso. Eu não só vejo, como sinto o negócio assim no ar", continuou com voz dura.

Fiquei contemplando o contêiner, com a imagem do corpinho de Eddie Heath apoiado contra ele tão viva como se eu tivesse estado presente quando foi encontrado. De repente a idéia me veio com toda a clareza.

"Quando você examinou pela última vez o caso de Robyn Naismith?", perguntei.

"Não importa. Lembro de tudo a respeito dele. Estava esperando para ver se você pensava nisso. Eu pensei na primeira vez em que cheguei aqui", disse Marino olhando reto para a frente.

3

Naquela noite acendi a lareira, instalei-me diante dela e tomei uma sopa de legumes enquanto a chuva gelada se misturava com a neve. Tinha apagado as luzes e puxado as cortinas das portas de vidro. A grama estava branca de gelo e as folhas dos rododendros encolhidas. O clarão do céu iluminava por trás as árvores desfolhadas pelo inverno.

O dia me exaurira, como se uma força voraz e escura houvesse chupado toda a luz de meu ser. Sentia as mãos indiscretas de uma guarda de prisão chamada Helen e aspirava o fedor rançoso dos cubículos que haviam abrigado homens cheios de ódio e desprovidos de remorso. Lembrei-me de ter, na reunião anual da Academia Americana de Medicina Legal, olhado uns diapositivos à luz da lâmpada, num bar em Nova Orleans. Naquela época o homicídio de Robyn Naismith ainda não fora esclarecido, e de certo modo parecera medonho discutir o que lhe fora feito enquanto os foliões do Carnaval passavam aos gritos.

Acreditava-se que ela tivesse sido espancada, seviciada e morta a facadas na sala de visitas de sua própria casa. O mais chocante, contudo, fora o ritual estranho e macabro observado por Waddell depois da morte da sua vítima. Depois da morte de Robyn, ele a despira. Não havia prova de que a tivesse violado. Sua preferência, aparentemente, era morder e penetrar muitas vezes com uma faca as partes mais carnudas do corpo. Quando uma colega de trabalho passou para fazer uma visita, encontrou o corpo estropiado de Robyn apoiado contra a televisão, cabeça caída para a frente, braços pedentes ao lado, pernas abertas e a roupa empilhada ao lado. Parecia uma boneca ensangüentada em tamanho natural posta de volta em seu lugar depois de uma sessão de faz-de-conta e brincadeira que tivesse resultado num horror.

O parecer de um psiquiatra ouvido pelo tribunal era que, depois de assassiná-la, Waddell fora tomado de remorso e sentara-se a falar com o corpo talvez por horas. Um psicólogo judicial do estado opinara, em sentido oposto, que Waddell sabia que Robyn era uma personalidade da televisão e que seu ato de apoiá-la contra o aparelho era simbólico. Que quisera vê-la de novo na TV, fazendo fantasias. Que a devolvera ao meio que os apresentara um ao outro, o que implicava claramente premeditação. As nuances e contorções das análises infinitas ficavam cada vez mais complicadas.

A exibição grotesca do corpo daquela apresentadora de vinte e sete anos era a assinatura especial de Waddell. Agora, dez anos depois, um rapazinho estava morto e alguém assinara o próprio trabalho — na véspera da execução de Waddell — do mesmo modo.

Fiz café, enchi uma garrafa térmica e levei para o escritório. Sentada à mesa, liguei o computador e conectei-o com o do trabalho. Queria ver o texto da busca que Margaret me dera, embora suspeitasse que ele estivesse no meio do papelório desalentador que desde sexta-feira ocupava minha caixa de entrada. O original, contudo, devia estar ainda no disco rígido. Digitei meu nome de usuário e minha senha no programa UNIX e fui recebida com a palavra *correio*. Margaret, minha analista de programas, me mandara uma mensagem.

"Verifique o arquivo Carne", li.

"Isso é realmente medonho", murmurei, como se Margaret pudesse ouvir.

Mudando para o diretório chamado Principal, onde Margaret em geral colocava o que devia sair e copiava os arquivos que eu pedira, chamei o arquivo que ela denominara Carne.

Era bem grande, porque Margaret o selecionara a partir de todos os tipos de morte e depois fundira os dados com os que obtivera no Registro de Traumatismos. Naturalmente, a maioria dos casos que o computador selecionara eram acidentes em que houve perda de membros e tecidos em choques de veículos e desastres com máquinas. Quatro casos eram de homicídios em que os corpos mostravam marcas de dentadas. Duas das vítimas haviam sido esfaqueadas, as outras duas estranguladas. Uma das vítimas era um homem adulto, duas eram mulheres adultas e uma era uma menina de seis anos apenas. Anotei os números dos casos e os códigos ICD-9.

Em seguida, comecei a examinar uma por uma as anotações do Registro de Traumatismos referentes às vítimas que tinham sobrevivido até serem internadas em hospitais. Esperava que a informação fosse um problema, e foi. Os hospitais só liberavam os dados de pacientes depois de esterilizá-los e despersonalizá-los como faziam com as salas de operação. A fim de manter o sigilo, nomes, números de Seguridade Social e outros elementos de identificação eram suprimidos. Não havia pontos de ligação para quem trafegasse pela papelada labiríntica das equipes de resgate, das salas de emergência, dos vários departamentos de polícia e de outras repartições. A triste conclusão da história era que os dados sobre uma vítima podiam estar nos bancos de dados de seis repartições diferentes e que era impossível compará-los, principalmente se tivesse havido algum erro de classificação. Portanto, se eu descobrisse um caso que despertasse minha atenção, talvez não houvesse muita esperança de saber quem era o paciente ou se ele ou ela havia ou não morrido.

Depois de enumerar as anotações do Registro de Traumatismos que podiam ser interessantes, saí do arquivo. Finalmente, consultei a lista para ver quais relatórios de dados antigos, memorandos e notas de meu diretório seria possível remover para liberar espaço no disco rígido. Foi quando percebi um arquivo que não entendi.

Seu nome era tty07. Só ocupava vinte e dois bytes e a data e hora eram 16 de dezembro — a quinta-feira anterior —, às 4h26 da tarde. O conteúdo do arquivo era uma sentença assustadora:

Não consigo encontrar.

Peguei o telefone, comecei a discar o número de Margaret, depois parei. O diretório Principal e seus arquivos estavam protegidos. Embora qualquer pessoa pudesse entrar em meu diretório, só poderia obter a lista dos arquivos do Principal ou lê-los se introduzisse meu nome de usuário e minha senha. Margaret devia ser a única pessoa que, além de mim, conhecia minha senha. Se ela tivesse entrado em meu diretório, o que seria que não conseguia encontrar e a quem teria comunicado esse fato?

Margaret não, pensei, fixando intensamente aquela sentença breve na tela.

Mas continuei na dúvida, e pensei em minha sobrinha. Talvez Lucy conhecesse o UNIX. Olhei o relógio. Passava das oito numa noite de sábado e de certo modo eu ficaria morrendo de pena se encontrasse Lucy em casa. Ela devia estar na rua com um namorado ou com amigos. Não estava.

"Alô, tia Kay." Parecia espantada, o que me fez lembrar que havia algum tempo não lhe telefonava.

"Como vai minha sobrinha favorita?"

"Sou sua única sobrinha. Vou bem."

"O que você está fazendo em casa numa noite de sábado?", perguntei.

"Terminando um trabalho. E o que você está fazendo em casa numa noite de sábado?"

Por um momento eu não soube o que dizer. Minha sobrinha de dezessete anos me punha em meu lugar melhor do que ninguém.

"Estou às voltas com um problema de computador", respondi, afinal.

"Então, você acaba de telefonar para o departamento certo", disse Lucy, que não era dada a ataques de modéstia. "Espere aí. Deixe eu afastar estes livros e outros troços para poder usar meu teclado."

"Não é problema de PC. Não sei se você conhece alguma coisa do sistema operacional UNIX, conhece?"

"UNIX não é um sistema operacional, tia Kay. Seria como falar em condições climáticas querendo dizer meio ambiente, que inclui as condições climáticas e todos os elementos e edifícios. Você está usando a companhia telefônica?"

"Puxa, Lucy. Não sei."

"Bom, onde você está trabalhando?"

"Num mini NCR."

"Então é a companhia telefônica."

"Acho que alguém violou meu código de segurança", disse eu.

"Acontece. Mas por que você está pensando isso?"

"Encontrei um arquivo esquisito em meu diretório, Lucy. Meu diretório e seus arquivos são protegidos — ninguém pode ler nada se não tiver minha senha."

"Não é não. Quem tiver acesso privilegiado será um superusuário e poderá fazer o que quiser e ler o que quiser."

"A única superusuária é minha analista de programas."

"Pode ser. Mas pode haver certos usuários com acesso privilegiado, usuários que você nem conhece e que vêm junto com o programa. Podemos verificar isso facilmente, mas primeiro me diga qual é esse arquivo esquisito. Qual o nome dele e o que ele contém?"

"Chama-se tty07 e contém a seguinte sentença: 'Não consigo encontrar'."

Ouvi um barulho de teclas.

"O que você está fazendo?", perguntei.

"Estou tomando umas notas enquanto a gente fala. Pronto. Vamos começar com o óbvio. Uma boa pista é o nome do arquivo, tty07. É um aparelho. Em outras palavras, tty07 é com certeza o terminal de alguém em seu trabalho. Pode ser uma impressora, mas para mim a pessoa que estava em seu diretório decidiu mandar uma mensagem para o aparelho chamado tty07. Só que se atrapalhou e em vez de mandar uma mensagem criou um arquivo."

"Quando você manda uma mensagem, não cria um arquivo?", perguntei, intrigada.

"Se estiver só digitando, não."

"Como?"

"É fácil. Você está no UNIX agora?"

"Estou."

"Escreva 'cat redirect t-t-y-q'."

"Espere um minuto."

"E não se preocupe com o barra-dev."

"Devagar, Lucy."

"De propósito estamos deixamos de lado o catálogo dev, que é o que eu aposto que essa pessoa fez."

"O que vem depois de 'cat'?"

"Está bem. 'Cat redirect' e o aparelho..."

"Devagar, por favor."

"Você devia ter um chip 486 nessa coisa, tia Kay. Por que vai tão devagar?"

"Não é a droga do chip que é devagar."

"Opa, desculpe. Esqueci", disse Lucy sinceramente.

Esqueci o quê?

"Vamos voltar ao problema", continuou ela. "Quer dizer, imagino que você não tenha nenhum aparelho chamado t-t-y-q. Onde você está?"

"Ainda estou no 'cat'", disse eu, frustrada. "Aí é 'redirect'... Droga. Isso piscando é a transmissão de mensagens, não é?"

"É. Agora aperte *return* e seu cursor vai para a linha seguinte, que está em branco. Aí você digita a mensagem que quer que vá para a tela do t-t-y-q."

"'Vovó viu a uva'", digitei.

"Aperte *return* e depois *control C.* Agora pode fazer um ls menos um e mandá-lo para p-g e aí ver seu arquivo."

Marquei "ls" e vi o brilho súbito de alguma coisa que passava.

"O que eu acho que aconteceu foi o seguinte", recomeçou Lucy. "Alguém estava em seu diretório — e já vamos tratar disso. Estavam com certeza procurando alguma coisa em seus arquivos e não conseguiam encontrar. Então essa pessoa mandou uma mensagem, ou tentou mandar, para o aparelho chamado tty07. Mas estava com pressa, e em vez de digitar 'cat redirect' barra dev- barra tty07, deixou fora o diretório dev e digitou 'cat redirect tty07'. Assim as letras não apareceram na tela do tty07. Em outras palavras, em vez de enviar uma mensagem para o tty07, essa pessoa sem querer criou um arquivo chamado tty07."

"E se a pessoa tivesse digitado certo e transmitido o texto, a mensagem ficaria guardada?", perguntei.

"Não. O texto teria aparecido na tela do tty07 e teria ficado lá até o usuário limpar a tela. Mas você não veria prova nenhuma disso em seu diretório ou em nenhum outro lugar. Não haveria arquivo."

"Quer dizer que não podemos saber quantas vezes alguém pode ter mandado uma mensagem de meu diretório, se isso tiver sido feito corretamente."

"É isso mesmo."

"Como alguém pode ter lido alguma coisa em meu diretório?" Voltei à questão básica.

"Você tem certeza de que ninguém mais tem sua senha?"

"Só Margaret."

"Ela é sua analista de programas?"

"É."

"Será que ela não deu a senha a alguém?"

"Não posso imaginar que tenha dado", respondi.

"Está bem. Quem tem acesso privilegiado pode entrar sem senha. É o que a gente vai verificar em seguida. Mude para o diretório etc, chame o arquivo Grupo e procure 'grupo básico' — é g-r-p-b-s-c. Veja quais são os usuários relacionados depois disso."

Comecei a digitar.

"O que está vendo?"

"Não cheguei lá ainda", falei, sem conseguir disfarçar a impaciência em minha voz.

Ela repetiu vagarosamente as instruções.

"Vejo três nomes no grupo básico", disse eu.

"Bom. Escreva os nomes. Depois digite vírgula, 'q', *bang*, e você sai do Grupo."

"*Bang?*"

"É o ponto de exclamação. Agora chame o arquivo de senhas — é s-e-n-h-a-s — e veja se algum desses nomes com acesso privilegiado está sem senha."

"Lucy." Tirei as mãos do teclado.

"É fácil, porque no segundo campo você vê letras x em lugar da senha, se o usuário tem senha. Se no segundo campo só há duas vírgulas, ele não tem senha."

"Lucy."

"Desculpe, tia Kay. Estou indo de novo muito depressa?"

"Não sou programadora de UNIX. Para mim você está falando grego."

"Você pode aprender. UNIX é ótimo."

"Obrigada, mas meu problema é que agora não tenho tempo para aprender. Alguém invadiu meu diretório. Guardo aqui documentos e relatórios de dados muito confidenciais. Isso para não mencionar que, se alguém está lendo meus arquivos privados, o que mais eles estão vendo, quem está fazendo isso e por quê?"

"O *quem* é fácil, a não ser que o invasor esteja discando de fora, por modem."

"Mas o bilhete foi mandado para alguém em meu escritório — para um aparelho em meu escritório."

"Isso não quer dizer, tia Kay, que alguém de dentro não tenha conseguido alguém de fora para invadir. Pode ser que a pessoa interessada não soubesse nada sobre o UNIX e precisasse de ajuda para entrar em seu diretório, e aí conseguiu um programa de fora."

"Isso é grave", disse eu.

"Pode ser que seja. Pelo menos estou com a impressão de que seu sistema não é muito seguro."

"Quando você tem de entregar seu trabalho?", perguntei.

"Depois dos feriados."

"Já terminou?"

"Quase."

"Quando começam as férias de Natal?"

"Segunda-feira."

"Você gostaria de vir para cá por uns dias para me ajudar com esse negócio?"

"Está brincando."

"Estou falando sério. Mas não pense que vai ser grande coisa. Geralmente não me preocupo muito com a decoração. Umas guirlandinhas e umas velas na janela. Agora, eu *cozinho*."

"Não tem árvore?"

"Qual o problema?"

"Está bem. Está nevando aí?"

"Na verdade está."

"Nunca vi neve. Quer dizer, em pessoa."

"É melhor você me deixar falar com sua mãe", disse eu.

Dorothy, minha única irmã, estava muito atenciosa quando veio ao telefone muitos minutos depois.

"Ainda trabalhando muito? Kay, você trabalha mais do que qualquer pessoa que eu conheça. As pessoas ficam admiradas quando conto que somos irmãs. Como está o tempo aí em Richmond?"

"Provavelmente o Natal vai ser com neve."

"Ótimo. Lucy devia ver um Natal com neve pelo menos uma vez na vida. Eu nunca vi. Minto. Teve o Natal em que fui esquiar com o Bradley."

Eu não conseguia lembrar quem era Bradley. Os namorados e maridos de minha irmã mais moça formavam um verdadeiro desfile, havia anos que eu deixara de contemplá-lo.

"Gostaria muito que Lucy passasse o Natal comigo. É possível?"

"Você não pode vir para Miami?"

"Não, Dorothy. Este ano não. Estou no meio de vários casos muito difíceis e tenho audiências marcadas quase até a véspera de Natal."

"Não posso imaginar um Natal sem Lucy", disse ela com muita relutância.

"Você já teve muitos Natais sem ela. Quando foi esquiar com o Bradley, por exemplo."

"É verdade. Mas foi difícil. Todas as vezes que passamos o Natal separadas, juramos não fazer isso nunca mais", disse, olímpica.

"Está bem. Fica para outra vez", falei, farta dos joguinhos de minha irmã. Sabia que ela estava louca para ver Lucy pelas costas.

"Na verdade, já estou no fim do prazo para entregar esse livro novo e afinal de contas vou passar a maior parte do feriado diante do computador", reconsiderou ela rapidamente. "Talvez Lucy fique melhor com você. Não vou ter muita graça. Contei que agora tenho um agente para Hollywood? É fantástico e conhece todo mundo que é importante lá. Está negociando um contrato com a Disney."

"Que bom. Tenho certeza de que seus livros vão dar uns filmes ótimos." Dorothy escrevia excelentes livros para crianças e ganhara vários prêmios importantes. Como ser humano, era um fracasso.

"Mamãe está aqui. Ela quer te dar uma palavrinha. Olhe, foi muito bom falar com você. Devíamos fazer isso mais vezes. Não deixe Lucy comer só saladas, e fique sabendo que ela faz ginástica até deixar você maluca. Estou preocupada porque ela vai acabar ficando com aparência masculinizada."

Antes que eu pudesse abrir a boca minha mãe estava na linha.

"Por que você não vem para cá, Katie? Tem feito dias lindos e você precisa ver as grapefruits."

"Não posso, mamãe. É uma pena."

"Então quer dizer que Lucy é que vai para aí? É verdade? E o que eu vou fazer, comer o peru sozinha?"

"Dorothy vai estar aí."

"O quê? Você está brincando? Ela vai passar com o Fred. Não suporto o Fred."

Dorothy tinha se divorciado de novo no último verão. Nem perguntei quem era Fred.

"Acho que ele é iraniano ou coisa assim. É pão-duro como o diabo e tem cabelo na orelha. Sei que não é católico, e agora Dorothy não leva a Lucy à igreja. Na minha opinião essa menina vai de mal a pior."

"Mamãe, elas podem te ouvir."

"Não podem não. Estou na cozinha olhando para uma pia cheia de pratos sujos que eu sei que Dorothy espera que eu lave enquanto estou aqui. É como quando ela vai lá em casa, porque não tomou nenhuma providência para o jantar e fica esperando eu cozinhar. Alguma vez ela se ofereceu para me trazer alguma coisa? Fica preocupada com o fato de eu ser uma velha e praticamente inválida? Talvez você possa abrir um pouco a cabeça de Lucy."

"Qual é o problema com a cabeça de Lucy?", perguntei.

"Ela não tem amigos, só uma menina meio problemática. Você precisa ver o quarto de Lucy. Parece um cenário de ficção científica, com todos aqueles computadores e impressoras e peças e componentes. Não é normal uma menina passar o tempo todo estudando e não sair com rapazes da idade dela. Eu me preocupo com ela como me preocupava com você."

"Eu dei certo", falei.

"Bem, você passava muito tempo com livros de ciências, Katie. E viu no que deu seu casamento."

"Mamãe, se fosse possível, eu gostaria que a Lucy viesse para cá amanhã. Eu faço as reservas daqui e resolvo o problema das passagens. Veja se ela traz as roupas mais quentes que tiver. O que ela não tiver, como um casacão, eu encontro aqui."

"Com certeza ela vai pedir suas roupas emprestadas. Há quanto tempo você não a vê? Desde o Natal passado?"

"Acho que sim."

"Deixe eu lhe contar. Ela está com uns peitos assim. E o jeito de vestir? E pediu a opinião da avó antes de cortar aquele cabelo lindo? Não. Por que iria incomodar-se em contar-me isso..."

"Preciso telefonar para a companhia de aviação."

"Eu queria que você viesse para cá. Podíamos ficar todos juntos." A voz dela estava ficando engraçada. Minha mãe estava quase chorando.

"Eu também gostaria", disse eu.

No fim da manhã de domingo dirigi até o aeroporto por ruas escuras e molhadas que atravessavam um mundo faiscante de vidro. O gelo solto pelo sol escorria pelos postes telefônicos, pelos telhados e pelas árvores, despedaçando-se no chão como projéteis de cristal caídos do céu. A previsão do tempo anunciava outra tempestade e eu estava profundamente contente, apesar dos pesares. Queria momentos sossegados diante da lareira com minha sobrinha. Lucy estava crescendo.

Não parecia fazer tanto tempo que ela nascera. Eu nunca esqueceria seus olhos arregalados que não piscavam, seguindo todos os meus movimentos na casa de sua mãe, ou seus curiosos ataques de impaciência e mágoa quando eu a decepcionava em alguma coisa pequena. A adoração de Lucy tocava meu coração tão profundamente quanto me apavorava. Ela me levava a uma profundidade de sentimentos que eu ainda não experimentara.

Passei a conversa no pessoal da segurança, e esperei no portão de desembarque, examinando ansiosa os passageiros que emergiam do corredor de acesso. Procurava uma adolescente gordinha, de cabelo comprido vermelho escuro e aparelho nos dentes quando uma jovem atraente encontrou meus olhos e sorriu.

"Lucy! Meu Deus, quase não reconheço você", exclamei, abraçando-a.

Seu cabelo estava curto e despenteado de propósito, acentuando os olhos verde-claros e a ossatura que eu não sabia que ela tinha. Não havia traço algum de metal em sua boca, e os óculos grossos tinham sido substituídos por uma armação leve de tartaruga que lhe dava o ar de uma acadêmica de Harvard sisudamente bonita. O que, porém, mais me espantou foi a mudança em seu corpo, pois desde que a vira pela última vez ela se transformara de adolescente socada em atleta esbelta e de pernas longas, vestindo calças desbotadas e bem justas, blusa branca, cinto de couro vermelho trançado e sapatos baixos sem meias. Trazia uma sacola com livros e vislumbrei o brilho de uma pulseirinha de ouro no tornozelo. Achei que ela estava sem maquilagem e sem sutiã.

"Onde está seu casaco?", perguntei, enquanto nos dirigíamos à sala de bagagem.

"Fazia vinte e sete graus quando saí de Miami esta manhã."

"Você vai congelar quando formos pegar o automóvel."

"É fisicamente impossível para mim congelar enquanto for pegar seu automóvel, salvo se você tiver estacionado em Chicago."

"Tem uma suéter na sua mala?"

"Você já reparou que fala comigo como vovó fala com você? Aliás, ela acha que eu pareço 'rock paulada'. É a mancada do mês. Ela quer dizer 'rock pauleira'."

"Tenho uns casacos de esqui, outros de veludo, chapéus, luvas. Pode pegar emprestado o que quiser."

Ela enfiou o braço no meu e farejou meu cabelo.

"Você continua sem fumar."

"Continuo sem fumar e detesto que me digam que continuo sem fumar porque aí fico com vontade de fumar."

"Você está com melhor aparência e não fede a cigarro. E não engordou. Pô, este aeroporto é um troço. Por que o nome dele é Aeroporto *Internacional* de Richmond?", disse Lucy, cujo computador cerebral tinha erros de formatação nos setores de diplomacia.

"Porque tem vôos para Miami."

"Por que vovó nunca vem ver você?"

"Ela não gosta de viajar e se recusa a viajar de avião."

"É mais seguro que andar de carro. Tia Kay, o quadril dela está realmente piorando."

"Eu sei. Vou deixar você apanhando as malas enquanto vou buscar o carro para estacionar aqui na frente. Mas vamos primeiro ver qual é a esteira", disse eu quando chegamos à sala de bagagem.

"Só há três esteiras. Aposto que consigo acertar."

Troquei-a pelo ar brilhante e frio, grata por um momento de solidão para pensar. As mudanças de minha sobrinha tinham me pegado de surpresa e de repente eu estava mais incerta do que nunca quanto ao modo de tratá-la. Lucy nunca fora fácil. Desde o primeiro dia fora um cérebro adulto e prodigioso governado por emoções infantis, volubilidade que acidentalmente tomara forma quando sua mãe se casara com Armando. Antes, eu só ganhava dela por causa do tamanho e da idade. Agora Lucy estava tão alta quanto eu e falava com a voz baixa e calma de uma igual. Não iria correr para o quarto e bater a porta. Nunca mais terminaria uma discussão gritando que me odiava e que ainda bem que não era minha filha. Imaginei estados de espírito que eu não poderia prever e debates em que não poderia vencer. Tive visões em que ela deixava tranqüilamente a casa e partia em meu carro.

Falamos pouco no caminho, pois Lucy parecia fascinada com o inverno. O mundo se derretia como uma escultura de gelo enquanto outra frente fria aparecia no horizonte sob a forma de uma faixa cinzenta ameaçadora. Quando dobramos em direção ao bairro para o qual eu me mudara depois de sua última visita, ela contemplou as casas e os gramados caros, as decorações coloniais de Natal e as calçadas de tijolo. Um homem vestido de esquimó passeava com seu cão velho e obeso, e um Jaguar negro acinzentado pelo sal das ruas espirrou água enquanto passava lentamente.

"Hoje é domingo. Onde estão as crianças — ou não há nenhuma?", disse Lucy, como se a observação de algum modo me incriminasse.

"Há algumas, sim."

Dobrei em minha rua.

"Não há bicicletas nos quintais, nem ancinhos, nem cabanas. Ninguém nunca sai de dentro de casa?"

"Este é um bairro muito sossegado."

"Foi por isso que você o escolheu?"

"Em parte. Além disso é seguro, e espero que ter comprado uma casa aqui acabe sendo um bom investimento."

"Segurança privada?"

"É", disse eu cada vez mais sem graça.

Ela continuou contemplando as casas grandes por que passavámos.

"Aposto que você pode entrar, fechar a porta e nunca mais ouvir falar de ninguém — e também nunca mais ver ninguém do lado de fora, só os que estiverem levando o cachorro para passear. Mas você não tem cachorro. Quantas visitas recebeu no Dia das Bruxas?"

"O Dia das Bruxas foi sossegado", respondi evasivamente.

Na verdade, a campainha da porta soara uma vez só, quando eu estava trabalhando no escritório. Podia ver na tela as quatro crianças à minha porta; agarrando o interfone, eu ia dizer a elas que já estava indo quando ouvi o que estavam dizendo: "Não, não tem ninguém", sussurrou uma chefe de torcida de corpo mirrado.

"Tem sim", disse o Homem Aranha. "Ela aparece sempre na televisão porque corta pessoas em pedaços e bota nuns vidros. Papai me disse."

Estacionei na garagem e disse a Lucy: "Vamos instalar você em seu quarto, depois a primeira tarefa vai ser acender um fogo e preparar um bule de chocolate. Aí vamos conversar sobre o almoço".

"Eu não tomo chocolate. Você tem máquina de café expresso?"

"Tenho."

"Seria ótimo, principalmente se você tiver café francês sem cafeína. Você conhece os vizinhos?"

"Sei quem são. Segure aqui esta mala enquanto seguro a outra, destranco a porta e desarmo o alarme. Puxa, isto está pesado."

"Vovó queria que eu trouxesse grapefruits. São boas, mas cheias de sementes."

Quando entrou em minha casa, Lucy olhou em torno. "Puxa. Clarabóias. Que estilo de arquitetura é esse, além de ser o estilo rico?"

Talvez ela melhorasse se eu fingisse não reparar.

"O quarto de hóspedes é aqui atrás. Posso instalar você em cima, se você quiser, mas achei que você ia preferir ficar aqui perto de mim."

"Aqui embaixo está ótimo. Contanto que eu fique perto do computador."

"É no meu escritório, na porta ao lado de seu quarto."

"Trouxe minhas notas do UNIX, livros e uns outros troços."

Parou diante das portas envidraçadas de correr da sala de visitas.

"O jardim não é tão bonito quanto o que você tinha antes. Não tem nenhuma rosa." Disse isso como se eu tivesse abandonado algum conhecido.

"Tenho anos para trabalhar no jardim. Isso me fornece um projeto para o futuro."

Lucy examinou lentamente os arredores e seus olhos finalmente se detiveram em mim.

"Você tem câmeras nas portas, detetores de movimento, cerca, grades de segurança, que mais? Cabines armadas?"

"Cabines armadas, não."

"Este é seu Forte Apache, não é, tia Kay? Você se mudou para cá porque o Mark morreu e agora só tem gente ruim no mundo."

O comentário me atingiu com um impacto fortíssimo, e imediatamente as lágrimas me encheram os olhos. Fui para o quarto de hóspedes, onde deixei a mala, e verifiquei toalhas, sabonete e pasta de dentes no banheiro. Voltando ao quarto, abri as cortinas, verifiquei as gavetas da cômoda, arrumei o armário e ajustei a calefação enquanto minha sobrinha, sentada na beira da cama, seguia todos os meus movimentos. Passados vários minutos pude olhá-la de novo nos olhos.

"Quando você desmanchar as malas eu lhe mostro um armário onde você pode procurar roupa de inverno", disse eu.

"Você nunca o viu como todo mundo."

"Lucy, precisamos conversar sobre outra coisa." Acendi uma lâmpada e verifiquei se o telefone estava na tomada.

"Você está melhor sem ele", acrescentou sem convicção.

"Lucy..."

"Ele não ligava para você como devia. Nunca ligaria, não era o jeito dele. E sempre que as coisas não iam bem você ficava diferente."

Fui para a janela e fiquei olhando as clematites adormecidas e as rosas congeladas em suas estacas.

"Lucy, você precisa aprender a ter um pouco de delicadeza e tato. Não pode dizer tudo o que pensa."

"É engraçado ouvir você dizer isso. Você sempre me disse que detestava hipocrisia e joguinhos."

"As pessoas têm sentimentos."

"Está certo. Eu também", disse ela.

"Feri seus sentimentos?"

"Como você acha que estou me sentindo?"

"Acho que não estou entendendo."

"Porque em nenhum momento você pensou em mim. Por isso não entende."

"Eu penso em você o tempo todo."

"Isso é o mesmo que dizer que você é rica, e mesmo assim nunca me dá um tostão. Que importância têm para mim as coisas que você esconde?"

Eu não sabia o que dizer.

"Você já não me telefona. Nunca mais foi me visitar depois que ele morreu." Contida por muito tempo, a mágoa em sua voz apareceu afinal. "Escrevi para você e você não respondeu. Agora, ontem, você telefona e me convida para vir visitá-la porque precisava de um negócio."

"Não foi essa a intenção."

"É o mesmo que mamãe faz."

Fechei os olhos e encostei a cabeça no vidro frio. "Você espera demais de mim, Lucy. Não sou perfeita."

"Não espero que você seja perfeita. Mas pensei que fosse diferente."

"Não sei como me defender quando você faz uma observação dessas."

"Você não pode se defender."

Vi um esquilo cinza correr por cima da cerca do quintal. Pássaros catavam sementes na grama.

"Tia Kay?"

Voltei-me para ela e nunca vira seus olhos tão desalentados.

"Por que os homens são sempre mais importantes que eu?"

"Não são, Lucy. Juro!", murmurei.

Minha sobrinha queria salada de atum e café com leite para o almoço e enquanto eu revia um artigo para uma revista, sentada diante da lareira, ela fuçava meu armário e as gavetas da cômoda. Tentei não pensar em outro ser humano tocando minha roupa, dobrando as coisas de um jeito diferente do meu ou pendurando um casaco no cabide errado. Lucy tinha o dom de fazer com que me sentisse como o Homem de Lata enferrujando na floresta. Será que eu estava me transformando no adulto rígido e sério de quem não gostaria quando tinha a idade dela?

"O que você acha?", perguntou ela quando, à uma e meia, saiu de meu quarto. Estava usando um de meus abrigos térmicos para tênis.

"Acho que você levou muito tempo para acabar só com isso. Mas fica bem em você."

"Encontrei outras coisas bonitinhas, mas a maioria de seus troços é muito formal. Todas essas roupas de advogada, azul-marinho ou pretas, seda cinza com listrinhas delicadas, cáqui, cashmere e blusas brancas. Você deve ter pelo menos vinte blusas brancas e outras tantas echarpes. Aliás, você não devia usar marrom. E não vi quase nada vermelho, e você fica bem de vermelho, com seus olhos azuis e seu cabelo louro meio grisalho."

"Louro-cinza", disse eu.

"Cinza é grisalho ou branco. Olhe aí na lareira. Também não usamos o mesmo número de sapato — não que eu goste de seus sapatos caros e formais. Encontrei um casaco de couro preto que é realmente o máximo. Você foi motoqueira em outra encarnação?"

"É de couro de carneiro e você pode usar."

"E o perfume Fendi e as pérolas? Você tem uns jeans?"

"Apanhe o que você quiser." Comecei a rir. "Claro que tenho uns jeans por aí. Talvez estejam na garagem."

"Quero levar você para fazer umas compras, tia Kay."

"Só se eu estiver louca."

"Por favor!"

"Talvez", disse eu.

"Se não houver problema, gostaria de ir ao seu clube para fazer um pouco de exercício. Estou dura depois do avião."

"Se quiser jogar tênis enquanto estiver aqui, eu vejo se o Ted tem tempo para jogar com você. Minhas raquetes estão no armário da esquerda. Agora mesmo troquei para uma Wilson. Dá para bater na bola a cento e sessenta quilômetros por hora. Você vai adorar."

"Não, obrigada. Prefiro usar os aparelhos e os pesos ou correr. Por que *você* não toma umas aulas com o Ted enquanto eu faço os exercícios? Podíamos ir juntas!"

Obedientemente, fui até o telefone e disquei o número da Academia Westwood. Ted estava ocupado até as dez. Ensinei o caminho a Lucy, dei-lhe as chaves do automóvel e, depois que ela saiu, fiquei lendo na frente da lareira e adormeci.

Quando abri os olhos ouvi as brasas se mexendo e o vento tocar delicadamente os sinos de estanho presos atrás das portas de correr. A neve caía em flocos grandes e lentos e o céu estava da cor de uma lousa empoeirada. As luzes em meu quintal tinham se acendido e a casa estava tão quieta que ouvi o tique-taque do relógio de parede. Passava pouco das quatro e Lucy não voltara do clube. Liguei para o telefone do carro e ninguém atendeu. Ela nunca dirigira na neve antes, pensei, preocupada. E eu tinha de ir ao mercado comprar peixe para o jantar. Poderia telefonar para o clube e pedir que a localizassem. Disse para mim mesma que era tudo bobagem. Fazia só duas horas que Lucy tinha saído. Ela não era mais criança. Às quatro e meia tentei novamente o telefone do carro. Às cinco telefonei para o clube e não conseguiram encontrá-la. Comecei a entrar em pânico.

Perguntei de novo à moça da academia:

"Tem certeza de que ela não está nos aparelhos, ou tomando banho no vestiário feminino? Será que não foi até a lanchonete?"

"Já chamamos o nome dela quatro vezes, dra. Scarpetta. E eu mesma dei uma olhada. Vou verificar de novo. Se a encontrar, mando ligar para a senhora imediatamente."

"Você sabe se ela esteve aí? Deve ter chegado por volta das duas."

"Só cheguei às quatro. Não sei."

Continuei a ligar para o telefone do carro.

"O assinante do celular de Richmond que está sendo chamado não responde..."

Tentei Marino, mas ele não estava em casa nem no trabalho. Às seis horas mandei recado pelo bip e fiquei na cozinha olhando pela janela. A neve caía no brilho esbranquiçado da iluminação da rua. Meu coração batia com força enquanto eu andava pelos quartos e continuava ligando para o telefone de meu carro. Às seis e meia tinha decidido dar parte do desaparecimento à polícia quando o telefone tocou. Corri para o escritório e ia agarrar o telefone quando reparei no número conhecido formando-se agourentamente na telinha de identificação da pessoa que estava telefonando. Os telefonemas haviam cessado na noite da execução de Waddell. Desde então eu não pensara mais neles. Confusa, fiquei parada, esperando que, como sempre, desligassem depois de minha mensagem gravada. Fiquei chocada quando reconheci a voz que começou a falar.

"Detesto fazer isso com você, doutora..."

Peguei o fone, limpei a garganta e disse, sem acreditar: "Marino?".

"É", disse ele. "Más notícias."

4

"Onde você está?", perguntei, com os olhos fixos na tela.

"Na zona leste, e o negócio está preto. Temos um cadáver. Uma mulher branca. À primeira vista parece um suicídio típico com gás carbônico, com o automóvel dentro da garagem e uma mangueira enfiada no cano do escapamento. Mas as circunstâncias são meio estranhas. É melhor você vir até aqui."

"De onde você está telefonando?", perguntei, tão imperiosamente que ele hesitou. Percebi seu espanto.

"Da casa da morta. Cheguei agora. Essa é outra coisa. Não estava trancada. A porta de trás estava aberta."

Ouvi a porta da garagem.

"Graças a Deus! Marino, espere aí", disse eu, aliviada.

O barulho dos sacos de papel acompanhou o da porta da cozinha que se fechava.

Pondo a mão no fone, gritei: "Lucy, é você?".

"Não, é Congelado, o Homem das Neves. Você precisava ver como está lá fora. Um negócio!"

Procurando caneta e papel, eu disse a Marino: "Qual o nome e o endereço da morta?"

"Jennifer Deighton. Ewing, 217."

Não reconheci o nome. Ewing dava na estrada Williamsburg, perto do aeroporto, um bairro que eu não conhecia.

Eu estava desligando o telefone quando Lucy entrou no escritório. Seu rosto estava corado de frio, e os olhos brilhavam.

"Pelo amor de Deus, onde você estava?", disparei.

Foi-se o sorriso. "Fazendo compras."

"Está bem, depois a gente conversa. Tenho de fazer uma perícia."

Ela deu de ombros e devolveu minha irritação: "Grande novidade".

"Sinto muito. Não posso controlar a morte das pessoas."

Agarrando o casaco e as luvas, corri para a garagem. Liguei o motor, afivelei o cinto, ajustei a calefação e estudei o caminho antes de lembrar-me do dispositivo automático para abrir a porta preso ao painel. É curioso como um espaço fechado se enche rapidamente de fumaça.

"Meu Deus", disse com severidade para mim mesma enquanto abria rapidamente a porta da garagem.

Envenenamento pela descarga de um automóvel é uma maneira fácil de morrer. Casais jovens agarrando-se no banco de trás, com o motor funcionando e a calefação ligada, jogam-se nos braços um do outro e não despertam mais. Indivíduos suicidas transformam automóveis em pequenas câmaras de gás e deixam seus problemas para os outros. Eu tinha esquecido de perguntar a Marino se Jennifer Deighton vivia só.

A neve já atingia muitos centímetros e iluminava a noite. Não havia tráfego em meu bairro e muito pouco quando cheguei à rodovia expressa do centro. O rádio tocava sem parar músicas de Natal, enquanto meus pensamentos passavam numa revolução confusa até chegarem, um por um, ao medo. Jennifer Deighton, ou alguém que usava seu telefone, tinha o hábito de telefonar para meu número e desligar. Agora ela estava morta. O viaduto fazia uma curva no extremo leste da região central, onde os trilhos da estrada de ferro cruzavam a terra como cortes suturados e os estacionamentos elevados eram mais altos que muitos dos edifícios. A estação na rua Principal destacava-se do céu leitoso com seu telhado coberto de branco e o relógio da torre semelhante ao olho turvo de um ciclope.

Na estrada Williamsburg passei bem devagar por um shopping center deserto e pouco antes do começo do condado de Henrico localizei a avenida Ewing. As casas eram pequenas, com caminhonetes e carros americanos de modelos antigos parados defronte. No número 217 havia automóveis da polícia na entrada e nos dois lados da rua. Estacionei atrás do Ford de Marino, desci com minha maleta médica e andei até o fim da entrada de terra, onde a garagem para um carro só estava iluminada como um presépio. Encontrei Marino agachado perto da porta de trás do lado do motorista, examinando um pedaço de mangueira de jardim verde que vinha do cano de escapamento e entrava por uma janela parcialmente aberta. O interior do carro estava imundo de fuligem e o cheiro de fumaça pairava no ar frio e úmido.

"A ignição ainda está ligada. A gasolina acabou", disse-me Marino.

A morta parecia estar na casa dos cinqüenta, talvez sessenta e poucos anos. Estava atrás do volante, caída para o lado direito e com a pele do pescoço e das mãos exposta e rosada. Um fluido seco sanguinolento manchava a forração atrás de sua cabeça. De onde eu estava não dava para ver o rosto. Abri a maleta, tirei um termômetro químico para tomar a temperatura do interior da garagem e calcei luvas cirúrgicas. Perguntei a um jovem policial se ele podia abrir as portas da frente do carro.

"Agora estamos tirando as impressões digitais", disse ele.

"Eu espero."

"Johnson, comece pelas maçanetas, que é para a doutora poder entrar no carro."

Fixou em mim os escuros olhos latinos.

"Meu nome é Tom Lucero. Esse negócio aqui não faz muito sentido. Para começo de conversa, é esquisito esse sangue no banco da frente."

"Há muitas explicações possíveis para isso", disse eu. "Uma é hemorragia *post-mortem*."

Ele apertou os olhos.

"Quando a pressão dos pulmões faz o sangue sair pelo nariz e pela boca", expliquei.

"Bom. Mas isso geralmente só acontece quando a pessoa começa a se decompor, não é?"

"Geralmente é."

"Com base no que a gente sabe, essa senhora está morta há umas vinte e quatro horas e aqui está frio como num congelador de necrotério."

"É verdade. Mas se ela estivesse com a calefação funcionando, mais a descarga quente entrando no carro, o ambiente teria esquentado e teria ficado quente até a gasolina acabar."

Marino olhou pela janela opaca de fuligem e disse: "Parece que o aquecimento estava no máximo."

"Uma outra possibilidade é que, ao ficar inconsciente, ela tenha caído para a frente e batido com o rosto no volante, na quina do painel, no banco. O nariz pode ter sangrado. Ela pode ter mordido a língua ou cortado o lábio. Só vou saber depois de examinar."

"Está bem, e o jeito como ela está vestida? Não é esquisito ela sair para o frio, entrar numa garagem fria, enfiar a mangueira e entrar no carro frio só de camisola?", disse Lucero.

A camisola azul-claro era curta, tinha mangas compridas e o tecido parecia um produto sintético fino. Não há etiqueta quanto ao traje dos suicidas. Teria sido lógico Jennifer Deighton vestir um casaco e sapatos antes de sair de casa numa noite gelada de inverno. Se, porém, tivesse planejado matar-se, sabia que não sentiria frio por muito tempo.

O dactiloscopista tinha terminado de colher as impressões digitais. Recuperei o termômetro químico. Fazia dois graus negativos dentro da garagem.

"Quando você chegou aqui?", perguntei a Lucero.

"Há mais ou menos uma hora e meia. É claro que aqui estava mais quente antes de a gente abrir a porta, mas não muito. A garagem não é aquecida. O capô estava frio. Calculo que a gasolina acabou e a bateria descarregou algumas horas antes de sermos chamados."

As portas do automóvel foram abertas e fiz uma série de fotografias antes de ir para o lado do assento do passageiro para examinar a cabeça dela. Preparei-me para alguma centelha de familiaridade, um pormenor que pudesse acender alguma lembrança por muito tempo sepultada. Não havia nada, contudo. Eu não conhecia Jennifer Deighton. Nunca a vira antes em minha vida.

Seu cabelo descolorido estava escuro na raiz e cuidadosamente preso a rolinhos cor-de-rosa, vários dos quais haviam sido deslocados. Era bem gorda, embora seus traços finos deixassem ver que podia ter sido bastante bonita numa juventude mais esbelta. Apoiei o dorso da mão em seu rosto e tentei virá-lo. Estava frio e duro, e o lado que estivera encostado no banco estava pálido e inchado pelo calor. Não parecia que seu corpo tivesse sido movido depois da morte e a pele não ficava branca quando pressionada. Ela estava morta havia pelo menos doze horas.

Só quando eu ia começar a ensacar suas mãos reparei que havia algo sob a unha de seu indicador direito. Usei uma lanterna para ver melhor, depois apanhei um saquinho de plástico e uma pinça. O pedacinho de metal verde estava enfiado na pele debaixo da unha. Pensei logo em enfeites de Natal. Encontrei também fibras de tinta dourada, e estudando os dedos um a um encontrei mais. Enfiei as mãos dela em sacos de papel pardo, que fixei em seus pulsos com elásticos, e passei para o outro lado do carro. Queria olhar os seus pés. As pernas estavam totalmente rígidas e não ajudaram quando as soltei do volante para colocá-las sobre o banco. Examinei as solas das meias grossas e escuras e encontrei, presas na lã, fibras parecidas com as que tinha visto debaixo das unhas. Não havia poeira, lama nem grama. Um alarme soava no fundo de minha cabeça.

"Encontrou alguma coisa interessante?", perguntou Marino.

"Você não encontrou por aí chinelos ou sapatos?", perguntei.

"Não", respondeu Lucero. "Como disse à senhora, achei estranho ela sair de casa numa noite fria só de..."

Interrompi. "Temos um problema aqui. As meias estão limpas demais."

"Puta merda", disse Marino.

"Vamos ter de levá-la para a cidade." Afastei-me do automóvel.

"Vou falar com a patrulha", propôs Lucero.

"Quero ver a casa por dentro", eu disse a Marino.

"Está bem." Ele descalçara as luvas e estava soprando as mãos. "Também quero que você veja."

Enquanto esperava pela patrulha andei pela garagem, sem atrapalhar e com cuidado quanto aos lugares onde pisava. Não havia muito o que ver, só o amontoado comum dos objetos de jardim e da tralha que não tinha outro lugar onde ser guardada. Examinei pilhas de jornais velhos, cestas de palha, latas de tinta empoeiradas e uma churrasqueira enferrujada que duvido houvesse sido usada em anos. Mal enrolada num canto, como uma cobra verde de jardim acéfala, estava a mangueira de onde parecia ter sido cortado o segmento ligado ao cano de escapamento. Agachei-me junto ao ponto cortado, sem tocá-lo. O tubo de plástico parecia não ter sido serrado, mas decepado obliquamente de um só golpe. Reparei num corte reto no piso de cimento ali perto. Levantei-me e passei em revista as ferramentas que pendiam de um quadro. Havia um machado e uma marreta, ambos enferrujados e ornados de teias de aranha.

A equipe de resgate estava vindo com a maca e o saco para o corpo.

"Dentro da casa você encontrou alguma coisa com a qual ela pudesse ter cortado a mangueira?", perguntei a Lucero.

"Não."

Jennifer Deighton não queria sair do carro; era a morte resistindo às mãos da vida. Passei para o lado do passageiro para ajudar. Três de nós seguramos o corpo por baixo dos braços e pela cintura enquanto um servente puxava as pernas. Depois de aberto o zíper do saco e ajustadas as correias da maca, carregaram-na pela noite nevada e fui andando pela frente da casa com Lucero, lamentando não ter tido tempo de calçar minhas botas. Entramos na casa de tijolos em estilo rústico por uma porta nos fundos que dava para a cozinha.

A casa parecia ter sofrido uma reforma recente, com eletrodomésticos pretos, balcões e armários brancos e papel de parede com motivo oriental, de flores pastel contra fundo azul. Avançando numa direção de onde vinham vozes, Lucero e eu atravessamos um corredor estreito e detivemo-nos na entrada de um quarto onde Marino e um dactiloscopista estavam examinando as gavetas da cômoda. Durante um certo tempo olhei em volta as manifestações peculiares à personalidade de Jennifer Deighton. Era como se seu quarto fosse uma célula solar onde ela capturasse energia radiante e a transformasse em mágica. Pensei de novo nos telefonemas interrompidos que andara recebendo: minha paranóia crescia aos trancos e barrancos.

As paredes, o carpete, a roupa de cama e a mobília de vime eram brancos. Estranhamente, na cama desfeita, perto do ponto onde ambos os travesseiros estavam encostados na cabeceira, uma única folha de papel, em branco, estava embaixo de uma pirâmide de cristal. Na cômoda e em cima das mesinhas havia mais cristais, e outros menores pendiam das janelas. Eu podia imaginar os arco-íris dançando no quarto e a luz atravessando os prismas quando o sol entrava.

"Estranho, hein?", perguntou Lucero.

"Ela era ocultista?", perguntei.

"Tinha seu próprio negócio, quase sempre aqui mesmo." Lucero aproximou-se de uma secretária eletrônica que estava sobre uma mesa junto à cama. A luz de mensagem recebida estava piscando e o número 38 aparecia em vermelho.

"*Trinta e oito* mensagens desde ontem às oito da noite! Ouvi algumas. A mulher fazia horóscopos. Parece que o pessoal ligava para saber se ia ter um bom dia, se ia ganhar no jogo ou se ia poder pagar os cartões de crédito depois do Natal", acrescentou Lucero.

Marino abriu a tampa da secretária eletrônica e, com o canivete de bolso, arrancou as fitas, que lacrou dentro de um saquinho. Eu estava interessada em vários outros objetos que se achavam na mesinha de cabeceira e me aproximei para dar uma olhada. Junto a um bloquinho e a uma caneta, havia um copo com um centímetro de um líquido claro. Abaixei-me, mas não senti cheiro algum. Achei que era água. Perto havia duas brochuras, *Paris Trout*, de Pete Dexter, e *Seth fala*, de Jane Roberts. Não vi outros livros no quarto.

"Gostaria de dar uma olhada nestes", disse a Marino.

"*Paris Trout*. É sobre o quê, pesca na França?", resmungou ele.

Infelizmente estava falando sério.

"Podem me dizer alguma coisa sobre o estado de espírito dela antes de morrer", acrescentei.

"Não tem problema. Vou fazer o setor de documentos verificar se há impressões digitais neles e depois os entrego a você. E acho que é melhor o setor também dar uma olhada no papel", acrescentou, referindo-se à folha de papel em branco que estava na cama.

"É, pode ser que ela tenha escrito um bilhete de suicídio com tinta invisível", brincou Lucero.

"Venha cá. Queria lhe mostrar umas coisas", disse Marino. Fui com ele até a sala de visitas, onde uma árvore de Natal artificial se escondia num canto, encurvada sob o peso de um mundo de enfeites berrantes e estrangulada por fios prateados, luzes e algodão. Junto à base estavam amontoadas caixas de doces e queijos, sais de banho, um vidro do que parecia ser chá aromatizado e um unicórnio de cerâmica com olhos azuis flamejantes e um chifre dourado. Achei que o carpete felpudo e dourado era a origem das fibras que encontrara na sola das meias de Jennifer Deighton e debaixo de suas unhas.

Marino tirou uma lanterninha do bolso e se agachou. "Olhe aqui", disse.

Abaixei-me a seu lado enquanto o facho de luz iluminava um brilho metálico e um pouco de fio dourado fino enfiado no tapete junto à base da árvore.

"Quando entrei aqui, a primeira coisa que fiz foi verificar se havia presentes na árvore", disse Marino, apagando a lanterna. "Evidentemente ela os abriu cedo e o papel de embrulho e os cartões foram jogados na lareira, que está cheia de cinza de papel. Vi, ainda, uns pedaços de papel metálico que não queimaram. A senhora que mora defronte disse que reparou na fumaça que saía da chaminé pouco antes de escurecer, ontem à noite."

"Foi essa vizinha que chamou a polícia?", perguntei.

"Foi."

"Por quê?"

"Não sei bem. Tenho de conversar com ela."

"Quando conversar, veja se descobre alguma coisa sobre o histórico médico dessa mulher, se tinha problemas psiquiátricos etc. Eu gostaria de saber quem era o médico dela."

"Daqui a pouco vou até lá. Você pode vir comigo e perguntar pessoalmente."

Pensei em Lucy esperando por mim em casa enquanto eu continuava procurando informações sobre pormenores. No centro do quarto meus olhos deram com quatro marquinhas quadradas no carpete.

"Também reparei nisso. É como se alguém tivesse trazido uma cadeira para cá, com certeza da sala de jantar. Há quatro cadeiras em torno da mesa da sala de jantar. Todas têm pernas quadradas", disse Marino.

"Uma outra coisa que você podia fazer é verificar o vídeo dela. Veja se ela tinha programado gravar alguma coisa. Isso também pode nos dizer alguma coisa sobre ela", pensei alto.

"Boa idéia."

Saímos da sala de visitas, passando pela salinha de jantar com uma mesa de carvalho e quatro cadeiras de costas retas. No assoalho de madeira, o tapete trançado parecia novo ou pouco usado.

"Parece que ela vivia mais era aqui", disse Marino quando atravessamos um corredor e entramos no que evidentemente era o escritório.

A sala estava entupida com a parafernália necessária para administrar um pequeno negócio, inclusive um aparelho de fax, que imediatamente investiguei. Estava desligado, e com o fio na tomada. Olhei um pouco em torno, cada vez mais intrigada. Um microcomputador, uma máquina de selar, vários formulários e envelopes atulhavam a mesa e uma escrivaninha. Nas estantes viam-se enciclopédias e livros sobre parapsicologia, astrologia, signos do zodíaco e religiões orientais e ocidentais.

Junto à máquina de selar estava uma pilha do que pareciam ser formulários de assinatura; apanhei um. Por trezentos dólares por ano você podia telefonar até uma vez por dia e Jennifer Deighton dedicaria até três minutos para dizer-lhe seu horóscopo "baseado em pormenores pessoais, inclusive o alinhamento dos planetas no momento de seu nascimento". Por mais duzentos dólares por ano ela faria "uma leitura semanal". Contra recepção do pagamento o assinante receberia um cartão com um código de identificação que só seria válido enquanto a taxa anual continuasse a ser paga.

"Quanta besteira", disse Marino.

"Imagino que ela vivesse só."

"Até agora é o que parece. Uma mulher sozinha dirigindo um negócio como esse é um bom caminho para atrair a pessoa errada."

"Marino, você sabe quantas linhas telefônicas ela tem?"

"Não. Por quê?"

Enquanto ele me olhava atentamente, contei-lhe dos telefonemas que recebia. Os músculos de seu queixo começaram a tensionar-se.

"Preciso saber se o aparelho de fax e o telefone estão na mesma linha", concluí.

"Meu Deus."

"Se estão e se ela estava com o fax ligado na noite em que liguei para o número que apareceu na tela de identificação do meu telefone, fica explicado o ruído que escutei", prossegui.

"Meu Deus do céu. Por que não me disse isso antes?", falou ele, tirando o rádio do bolso do casaco.

"Não quis contar quando havia outras pessoas em volta."

Ele aproximou o rádio dos lábios. "Sete-dez." Depois para mim: "Se você estava preocupada com os telefonemas, por que não disse nada semanas atrás?".

"Não estava tão preocupada assim."

"Sete-dez", respondeu a voz metálica da operadora.

"Dez-cinco, oito-vinte e um."

A operadora expediu uma chamada para o 821, o código do delegado.

"Tenho um número que eu gostaria que você discasse. Você está com o telefone celular?", disse Marino quando, no ar, entrou em contato com o delegado.

"Dez-quatro."

Marino deu-lhe o número de Jennifer Deighton e em seguida ligou o aparelho de fax. Temporariamente ele começou a tilintar, apitar e emitir outras queixas.

"Isso responde a sua questão?", perguntou Marino.

"Responde a uma delas, mas não à mais importante", disse eu.

O nome da vizinha da frente, a que avisara a polícia, era Myra Clary. Acompanhei Marino à casinha dela, de paredes de alumínio, Papai Noel de plástico iluminado no gramado dianteiro e luzes nos arbustos. Mal Marino tocou a campainha, abriu-se a porta da frente e a sra. Clary nos convidou a entrar sem saber quem éramos. Calculei que provavelmente vira da janela nossa chegada.

Ela nos conduziu até uma sala de visitas sombria onde o marido se enroscava junto da lareira elétrica, com um robe de chambre sobre as pernas finas e o olhar vazio fixo num homem que, na televisão, ensaboava-se com um sabonete desodorante. A ação penosa dos anos manifestava-se por toda parte. A forração dos móveis estava gasta e suja nos lugares onde houvera o contato constante de carne humana. A madeira estava embaçada pelas camadas de cera e as gravuras nas paredes amareleciam atrás de vidros poeirentos. O cheiro oleoso de milhões de refeições preparadas na cozinha e comidas em bandejas em frente à TV impregnava o ar.

Marino explicou por que estávamos ali, enquanto a sra. Clary andava de um lado para o outro nervosamente, tirando jornais do sofá, desligando a televisão e levando para a cozinha os pratos sujos do jantar. O marido não abandonou seu mundo interior, a cabeça tremendo sobre o pescoço magro. No mal de Parkinson a máquina trepida violentamente pouco antes de parar, como se soubesse o que está por vir e protestasse como pudesse.

"Não, não se incomode", disse Marino quando a sra. Clary nos ofereceu algo para comer e beber. "Sente-se e procure relaxar. Eu sei que este tem sido um dia duro para a senhora."

"Eles disseram que ela estava no carro respirando aquela fumaça. Ai, meu Deus. Vi como a janela estava enfumaçada, parecia que a garagem estava pegando fogo. Compreendi logo que tinha acontecido o pior."

"*Eles* quem?", perguntou Marino.

"A polícia. Depois que eu telefonei, fiquei esperando por eles. Quando estacionaram, atravessei logo para ver se Jenny estava bem."

A sra. Clary não conseguia sentar-se ereta na cadeira de braços defronte do sofá em que Marino e eu nos acomodáramos. O cabelo grisalho escapara do toucado, o rosto estava enrugado como uma maçã seca, os olhos famintos por informação e brilhantes de medo.

"Sei que a senhora já falou com a polícia. Mas gostaria que repetisse tudo bem devagarinho para nós, começando pela última vez em que viu Jennifer Deighton", disse Marino, puxando o cinzeiro.

"Eu a vi no outro dia..."

Marino interrompeu. "Que dia?"

"Sexta-feira. Lembro que o telefone tocou e fui à cozinha atender e a vi pela janela. Estava chegando."

"Ela sempre parava o carro na garagem?", perguntei.

"Parava."

"E ontem? A senhora a viu, ou o carro, ontem?", indagou Marino.

"Não, não vi não. Mas saí para apanhar a correspondência. Já era tarde, nesta época do ano costuma ser assim. Três, quatro horas, e o correio ainda não passou. Acho que eram umas cinco e meia, talvez um pouco mais tarde, quando me lembrei de olhar a caixa de novo. Já estava ficando escuro e reparei na fumaça saindo da chaminé da Jenny."

"Tem certeza?", perguntou Marino.

Ela acenou com a cabeça. "Claro. Lembro que pensei logo que estava uma noite boa para acender a lareira. Mas a lareira sempre foi tarefa do Jimmy. Ele nunca me ensinou, entende? Quando ele servia para alguma coisa, ele é que fazia. Aí desisti das lareiras e mandei instalar essa, elétrica."

Jimmy Clary estava olhando para ela. Eu gostaria de saber se ele entendia o que ela estava dizendo.

"Gosto de cozinhar. Nessa época do ano uso muito o forno. Faço bolos e dou para os vizinhos. Ontem queria levar um para a Jenny, mas gosto de telefonar primeiro. É difícil a gente saber se a pessoa está em casa, principalmente quando o carro costuma ficar na garagem. E você deixa um bolo na porta e os cachorros comem. Então tentei falar com ela mas caí na secretária eletrônica. Tentei o dia inteiro e ela não respondeu e, para dizer a verdade, eu estava um pouco preocupada", prosseguiu ela.

"Por quê? Jenny tinha problemas de saúde, algum tipo de problema de que a senhora soubesse?", perguntei.

"Colesterol. Mais de duzentas; foi o que ela me disse uma vez. Mais a pressão alta, que ela falou que era de família."

Eu não vira nenhuma receita médica na casa de Jennifer Deighton.

"A senhora sabe quem era o médico dela?", perguntei.

"Não me lembro. Mas a Jenny acreditava nas curas naturais. Disse para mim que, quando se sentia mal, meditava."

"Parece que vocês eram bem chegadas", disse Marino.

A sra. Clary estava dando puxões na blusa, as mãos como as de uma criança hiperativa. "Passo o dia inteiro aqui, só saio quando vou ao mercado." Espiou o marido, que voltara a contemplar a televisão. "Às vezes eu ia visitá-la, entende, só como vizinha, por exemplo para levar alguma coisa que eu tivesse cozinhado."

"Ela era simpática? Recebia muitas visitas?", perguntou Marino.

"Ela trabalhava em casa, entende? Acho que a maior parte do negócio dela era pelo telefone. Mas às vezes eu via gente entrando lá."

"Pessoas que a senhora conhecia?"

"Não que me lembre."

"A senhora reparou em alguém entrando na casa dela ontem à noite?", perguntou Marino.

"Não reparei."

"E quando a senhora foi apanhar a correspondência e viu a fumaça saindo da chaminé? A senhora teve a impressão de que havia gente lá?"

"Não vi nenhum carro. Nada que me fizesse pensar que havia alguém lá."

Jimmy Clary caíra no sono. Estava babando.

"A senhora disse que ela trabalhava em casa. A senhora tem alguma idéia do que fazia?", perguntei.

A sra. Clary fixou em mim um par de olhos arregalados. Inclinou-se e baixou a voz: "Sei o que o pessoal dizia".

"E o que era?", perguntei.

Ela apertou os lábios e balançou a cabeça.

"Sra. Clary, tudo o que a senhora puder nos dizer pode ajudar. Sei que a senhora quer ajudar", disse Marino.

"Há uma igreja metodista a duas quadras daqui. O senhor pode ver. O campanário fica aceso de noite, sempre ficou, desde que construíram a igreja, três ou quatro anos atrás."

"Vi a igreja quando vinha dirigindo para cá. O que isso tem a ver..."

"Bom", interrompeu ela, "Jenny se mudou para cá, acho que foi no começo de setembro. E eu nunca entendi. A luz do campanário. A gente vê quando vem para casa. Claro..." Parou, com uma expressão desapontada. "Talvez não faça mais."

"O quê?", perguntou Marino.

"Apagar e acender de novo. A coisa mais esquisita que eu já vi. Fica acesa um minuto e aí você olha pela janela e está tudo escuro como se a igreja não estivesse lá. Aí olha outra vez e o campanário está aceso como sempre. Eu cronometrei. Um minuto aceso, aí dois apagado, três minutos aceso de novo. Às vezes fica aceso uma hora. Não tem regra."

"O que isso tem a ver com Jennifer Deighton?", perguntei.

"Lembro que não fazia muito tempo que ela se mudara, foi umas poucas semanas antes do derrame do Jimmy. Era uma noite fria e ele estava acendendo a lareira. Eu estava na cozinha lavando os pratos e pela janela via o campanário, iluminado com sempre. Ele veio apanhar uma bebida e eu disse: 'Sabe o que a Bíblia diz sobre embriagar-se com o Espírito e não com vinho?'. E ele disse: 'Não estou bebendo vinho. Estou bebendo bourbon. A Bíblia nunca disse

97

nada sobre bourbon'. E aí, enquanto ele estava ali, o campanário apagou. Foi como se a igreja sumisse no ar. Eu disse: 'Está vendo? A palavra do Senhor. Essa é a opinião dele sobre você e seu bourbon'. Ele riu como se eu fosse doida, mas nunca mais bebeu uma gota. Toda noite ele ficava em frente à janela da pia, olhando. Num minuto o campanário acendia e no outro apagava. Deixei o Jimmy acreditar que era Deus — qualquer coisa para fazer ele deixar a bebida. A igreja nunca fizera aquilo antes de Jennifer Deighton se mudar para o outro lado da rua."

"Ultimamente a luz tem acendido e apagado?", perguntei.

"Ontem de noite ainda piscou. Agora não sei. Para dizer a verdade, não olhei."

"O que a senhora está dizendo é que de algum jeito Jenny tinha um efeito sobre as luzes do campanário da igreja", disse Marino suavemente.

"O que estou dizendo é que mais de uma pessoa nesta rua já formou uma opinião a respeito dela faz tempo."

"Que opinião?"

"De que ela era bruxa", disse a sra. Clary.

O marido começara a roncar, fazendo medonhos ruídos estrangulados que sua mulher parecia não perceber.

"Parece que seu marido começou a ficar doente mais ou menos na época em que a srta. Deighton se mudou para cá e as luzes começaram a ficar estranhas", disse Marino.

Ela pareceu perturbada. "É verdade. Ele teve o primeiro derrame no fim de setembro."

"A senhora alguma vez pensou que podia haver uma ligação? Que talvez Jennifer Deighton tivesse alguma coisa a ver com isso, como a senhora pensa que tinha a ver com as luzes da igreja?"

"Jimmy não gostava dela." A sra. Clary falava cada vez mais rápido.

"A senhora está dizendo que os dois não se davam bem", disse Marino.

"Logo que ela se mudou, veio aqui umas duas vezes pedir a ele que a ajudasse com umas coisas da casa, serviço de homem. Lembro de uma vez que a campainha da porta da casa dela estava fazendo um zumbido terrível dentro de casa e ela apareceu na entrada com medo de haver um curto-circuito e a casa pegar fogo. Aí o Jimmy foi até lá. Acho também que uma vez a máquina de lavar louça transbordou, isso naquele tempo. O Jimmy foi sempre muito jeitoso."

Olhou furtivamente para o marido, que roncava.

"A senhora ainda não disse por que ele não se dava bem com ela", insistiu Marino.

"Ele disse que não gostava de ir lá. Não gostava do interior da casa, com todos aqueles cristais por todo lado. E o telefone tocava o tempo todo. Mas ele ficou realmente danado foi quando ela disse a ele que lia a sorte das pessoas e que faria isso de graça para ele se ele continuasse consertando as coisas na casa dela. Ele disse — lembro como se fosse hoje — 'Não, muito obrigado, srta. Deighton. A Myra se ocupa de meu futuro e planeja cada minuto dele'."

"Será que a senhora sabe de alguém que tenha tido um grande problema com Jennifer Deighton, a ponto de desejar que acontecesse alguma coisa ruim com ela, desejar de certo modo atingi-la?", perguntou Marino.

"O senhor acha que alguém a matou?"

"No momento há muita coisa que a gente não sabe. Temos de examinar todas as possibilidades."

Ela cruzou os braços sob os seios caídos, pensativa.

"E o estado emocional dela? A senhora alguma vez achou que ela estava deprimida? Sabe se ela tinha problemas que não pudesse enfrentar, especialmente nos últimos tempos?", perguntei.

"Eu não a conhecia assim tão bem." Evitou meus olhos.

"A senhora sabe se ela ia a algum médico?"

"Não sei."

"E parentes? Tinha família?"

"Não faço idéia."

"E o telefone? Atendia quando estava em casa ou deixava sempre a secretária eletrônica atender?", perguntei afinal.

"Minha experiência é que quando ela estava em casa atendia."

"Por isso é que a senhora ficou preocupada hoje cedo quando a senhora ligava e ela não atendia", disse Marino.

"Exatamente."

Tarde demais, Myra Clary deu-se conta do que dissera.

"Interessante", comentou Marino.

O rubor subiu-lhe pelo pescoço, e as mãos dela se detiveram.

Marino perguntou: "Como a senhora sabia que ela estava em casa hoje?".

Ela não respondeu. A respiração do marido foi interrompida por um estertor em seu peito e ele tossiu, pestanejou e abriu os olhos.

"Acho que deduzi. Porque não a vi sair. No carro..." A voz da sra. Clary se arrastava.

"Quem sabe a senhora não foi lá de manhã cedo?", sugeriu Marino, como se buscasse ajudar. "Para entregar o bolo ou dizer bom-dia, e pensou que o carro estava na garagem."

Ela enxugou umas lágrimas dos olhos.

"Estive toda a manhã na cozinha fazendo um bolo e não a vi apanhar o jornal nem sair de carro. Então, no meio da manhã, fui até lá e toquei a campainha. Ela não respondeu. Aí olhei para dentro da garagem."

"Quer dizer que a senhora viu as janelas cheias de fumaça e não pensou que tinha acontecido alguma coisa errada?", perguntou Marino.

"Eu não sabia o que era, o que eu tinha de fazer." Sua voz subiu várias oitavas. "Senhor, Senhor. Eu devia ter chamado alguém. Talvez ela estivesse..."

Marino interveio: "Eu acho que ela já não estava viva, que já não podia estar viva". Olhou firmemente para mim.

"Quando olhou para dentro da garagem, a senhora ouviu o motor funcionando?", perguntei à sra. Clary.

Ela sacudiu a cabeça e assoou o nariz.

Marino levantou-se e pôs o bloquinho de volta no bolso. Parecia abatido, como se a covardia e a mendacidade da sra. Clary o tivessem desapontado profundamente. Àquela altura eu já conhecia bem todos os papéis que ela representava.

Com voz trêmula, Myra Clary me disse: "Eu devia ter telefonado antes".

Não respondi. Marino olhava fixamente o carpete.

"Não estou me sentindo bem. Tenho de ir me deitar."

Marino tirou um cartão da carteira e deu a ela.

"Se a senhora se lembrar de alguma coisa que pense que eu deva saber, me telefone."

"Sim, senhor. Prometo que telefono", balbuciou ela.

"Você vai fazer a autópsia esta noite?", quis saber Marino depois de fechar a porta da frente.

A neve já chegava à altura dos tornozelos e continuava a cair.

"Amanhã de manhã", disse eu, catando as chaves no bolso do casaco.

"O que você acha?"

"Acho que sua ocupação incomum a expunha ao risco de que aparecessem pessoas erradas. Acho também que aquela existência aparentemente isolada, como a sra. Clary descreveu, e o fato de que ao que parece ela abriu cedo os presentes de Natal, fazem do suicídio uma presunção fácil, mas as meias limpas são um problema importante."

"Está certo", disse ele.

A casa de Jennifer Deighton estava iluminada e um caminhão-plataforma com correntes nos pneus tinha entrado em marcha à ré pelo caminho da garagem. A neve abafava as vozes dos homens que trabalhavam, e todos os carros da rua estavam inteiramente brancos e com os perfis atenuados.

Segui o olhar de Marino para cima do telhado da casa da srta. Deighton. Muitas quadras adiante, a igreja se delineava contra o céu de um cinzento pérola, com o campanário fantasticamente conformado como um chapéu de bruxa. Os arcos da galeria encaravam-nos com olhos enlutados e abertos quando, subitamente, a luz se acendeu. Encheu os espaços e as superfícies pintadas de um ocre luminoso, e a galeria se transformou num rosto sério mas gentil que flutuava na noite.

Olhei para a casa dos Clary e vi o movimento das cortinas na janela da cozinha.

"Meu Deus, já vou indo." Marino começou a atravessar a rua.

Chamei-o. "Quer que avise o Neils sobre o carro dela?"

"Está bem, boa idéia", gritou ele de volta.

Quando cheguei, minha casa estava iluminada e da cozinha vinha um cheiro bom. A lareira estava acesa e, diante dela, dois pratos tinham sido arrumados na mesinha. Deixando minha maleta médica cair no sofá, olhei em torno e escutei. Um toque fraco e rápido de teclas vinha de meu escritório, no outro lado do vestíbulo.

"Lucy?", chamei, descalçando as luvas e desabotoando o casaco.

"Estou aqui." As teclas continuavam a bater.

"O que você andou cozinhando?"

"O jantar."

Dirigi-me ao escritório, onde encontrei minha sobrinha sentada à mesa e contemplando fixamente a tela do computador. Fiquei assombrada quando reparei no sinal de libra. Ela estava no UNIX. Fosse como fosse, tinha ligado para o computador do trabalho.

"Como você fez isso?", perguntei. "Eu não lhe disse qual é a ordem de discagem, o nome de usuário, a senha, nada."

"Não precisava ensinar. Encontrei o arquivo, que me disse qual era o comando *bat*. Depois, você tem aqui uns programas com seu nome de usuário e sua senha já codificados para que o computador não os peça. É um bom atalho, mas é perigoso. Seu nome de usuário é Marley e sua senha é '*miolo*'."

"Você é perigosa." Puxei uma cadeira.

"Quem é Marley?" Ela continuou a digitar.

"Nós tínhamos lugares marcados na faculdade de medicina. Marley Scates sentou-se a meu lado nos laboratórios durante dois anos. Agora é neurocirurgião por aí."

"Você era apaixonada por ele?"

"Nunca saímos juntos."

"Ele era apaixonado por você?"

"Você é muito perguntadeira, Lucy. Não pode sair perguntando qualquer coisa."

"Posso sim. Quem não quiser não responde."

"É desagradável."

"Acho que descobri como entraram em seu diretório, tia Kay. Lembra que eu lhe falei dos usuários que vêm com o programa?"

"Lembro."

"Tem um, chamado demo, que tem acesso privilegiado mas não tem senha. Desconfio que isso é que foi usado e vou mostrar a você o que com certeza aconteceu." Seus dedos voavam sem pausa sobre o teclado enquanto ela falava. "O que estou fazendo agora é ir até o menu do administrador do sistema para verificar a lista dos usuários. Vamos procurar um determinado usuário. Neste caso um usuário básico. Agora vamos apertar G para ir e bum! Olhe aí." Lucy correu o dedo por uma linha na tela.

"No dia 16 de dezembro às cinco e seis da tarde alguém entrou, a partir de um aparelho chamado tty14. Essa pessoa tinha acesso privilegiado e imagino que tenha sido ela quem entrou em seu diretório. Não sei o que procurou. Mas vinte minutos mais tarde, às cinco e vinte e seis, tentou mandar a mensagem 'Não consigo encontrar' para o tty07 e sem querer criou um arquivo. Saiu às cinco e trinta e dois, e teve no total sessão a vinte e seis minutos. Aliás, parece que nada foi impresso. Dei uma olhada no rol da impressora, que mostra os arquivos impressos. Não vi nada que me chamasse a atenção."

"Deixe ver se entendi. Alguém quis enviar uma mensagem do tty14 para o tty07", disse eu.

"Claro. E eu verifiquei. Esses aparelhos são terminais, todos os dois."

"Como a gente pode saber em que sala estão esses terminais?", perguntei.

"Acho estranho não haver uma lista por aqui. Mas ainda não encontrei. Se tudo o mais falhar, você pode verificar os fios dos terminais. Geralmente têm etiquetas. E, se você está interessada em minha opinião pessoal, não acho que sua analista de programas seja a espiã. Em primeiro lugar, ela sabe seu nome de usuário e sua senha e não precisaria entrar com o demo. E depois, como eu imagino que o computador esteja na sala dela, também imagino que ela use o terminal do sistema."

"Usa sim."

"O nome do terminal do sistema é ttyb."

"Bom."

"Uma outra maneira de descobrir quem fez isso seria entrar na sala de alguém quando o cara não estiver lá mas o terminal estiver funcionando. Basta você entrar no UNIX e datilografar 'Quem sou eu' que o sistema te responde."

Empurrou a cadeira e se levantou. "Espero que você esteja com fome. Temos peito de galinha e salada de arroz integral com castanha de caju, pimentão e óleo de gergelim. E pão. A churrasqueira está funcionando?"

"Já são mais de onze horas e está nevando."

"Não estou dizendo para a gente comer do lado de fora. Só queria grelhar a galinha na churrasqueira."

"Onde você aprendeu a cozinhar?"

Estávamos indo para a cozinha.

"Não foi com mamãe. Por que você pensa que eu era uma baleia? De comer as porcarias que ela comprava. Salgadinhos, refrigerantes e pizza com gosto de papelão. Tenho células gordas que vão gritar o resto da minha vida por causa de mamãe. Não vou perdoá-la nunca."

"Nós precisamos conversar sobre o que aconteceu esta tarde, Lucy. Se você não tivesse chegado em casa naquele momento, a polícia ia te procurar."

"Fiz exercícios durante uma hora e meia, depois tomei um banho de chuveiro."

"Você ficou quatro horas e meia fora."

"Tinha de comprar a comida e umas outras coisas."

"Por que você não respondeu ao telefone do carro?"

"Imaginei que fosse alguém querendo falar com você. Além do mais, nunca usei um telefone de carro. Tia Kay, não tenho mais doze anos."

"Eu sei. Mas você não vive aqui e nunca dirigiu aqui antes. Eu estava preocupada."

"Desculpe", disse ela.

Comemos à luz do fogo, ambas sentadas no chão em volta da mesinha. Eu tinha apagado as luzes. Como se celebrassem um momento mágico na vida de minha sobrinha e em minha vida, as chamas pulavam e as sombras dançavam.

"O que você quer de Natal?", perguntei, pegando meu vinho.

"Aulas de tiro", disse ela.

5

Lucy ficou acordada até tarde trabalhando com o computador, e não a ouvi se mexer quando o despertador me acordou bem cedo, na manhã de segunda-feira. Abrindo as cortinas da janela do quarto, olhei para os flocos de neve que giravam em torno das lâmpadas acesas no pátio. A neve estava alta e nada se movia na vizinhança. Depois do café e de uma olhada rápida no jornal, vesti-me e já estava quase na porta quando voltei. Embora Lucy já não tivesse doze anos, eu não podia sair sem vê-la.

Entrando sorrateiramente no quarto, encontrei-a dormindo de lado num emaranhado de lençóis, com metade do cobertor no chão. Fiquei emocionada ao vê-la usando uma camiseta que tinha tirado de uma de minhas gavetas. Nunca outro ser humano havia tido vontade de dormir com uma roupa minha, e arrumei as cobertas com cuidado para não despertá-la.

A viagem para o centro foi horrível, e tive inveja dos trabalhadores cujos escritórios tinham sido fechados por causa do mau tempo. Nós, que não tínhamos ganhado aquele feriado inesperado, nos arrastávamos lentamente pela estrada interestadual, derrapando a cada pisada de freio, enquanto espreitávamos pelos pára-brisas riscados de neve que os limpadores não conseguiam tirar. Eu me perguntava como ia explicar a Margaret que minha sobrinha adolescente achava que nosso sistema de computador não era seguro. Quem entrara em meu escritório, e por que Jennifer Deighton telefonara várias vezes para meu número e depois desligara?

Só cheguei ao trabalho às oito e meia, e quando entrei no necrotério parei no meio do corredor, intrigada. Uma maca com um corpo coberto por um lençol estava displicentemente encostada perto da porta da geladeira de aço inoxidável. Verificando a etiqueta do artelho, li o nome de Jennifer Deighton e olhei em torno. Não havia ninguém na sala de raio X. Abri a porta da sala de autópsia e encontrei Susan vestida com um macacão e discando um número no telefone. Ela desligou depressa e me cumprimentou com um bom-dia nervoso.

"Que bom que você conseguiu chegar", disse, olhando-a com curiosidade, enquanto desabotoava o casaco.

"O Ben me deu uma carona", disse ela, referindo-se ao administrador, que possuía um jipe com tração nas quatro rodas. "Até agora só chegamos nós três."

"E o Fielding?"

"Telefonou há uns minutos avisando que não estava conseguindo sair da garagem. Eu disse a ele que até agora só tínhamos um caso mas que, se aparecessem outros, o Ben poderia ir apanhá-lo."

"Você sabia que o corpo está parado aí no corredor?"

Ela hesitou, corando. "Eu estava levando para o raio X quando o telefone tocou. Desculpe."

"Você já a mediu e pesou?"

"Não."

"Vamos fazer isso primeiro."

Antes que eu pudesse fazer outros comentários, ela correu para fora da sala de autópsia.

Como o necrotério ficava perto do estacionamento, era freqüente que secretárias e cientistas que trabalhavam nos laboratórios de cima entrassem no edifício e o deixassem passando pelo necrotério. Os encarregados da manutenção também passavam por ali. Deixar um corpo no meio do corredor era um péssimo procedimento, que podia até prejudicar o processo se a cadeia de acontecimentos fosse questionada em juízo.

Susan voltou empurrando a maca e fomos trabalhar, enjoadas devido ao mau cheiro da carne em decomposição. Apanhei luvas e um avental de plástico numa prateleira e prendi vários formulários num quadro. Susan estava silenciosa e tensa. Quando se dirigiu para o painel de operações para ajustar a balança computadorizada, notei que suas mãos tremiam. Talvez ela estivesse sofrendo de alguma náusea matinal.

"Tudo bem?", perguntei.

"Estou só um pouco cansada."

"Tem certeza?"

"Positivo. Pesa exatamente oitenta e um quilos."

Vesti o uniforme e Susan e eu levamos o corpo para a sala de raios X, do outro lado do corredor, transferindo-o da maca para a mesa. Abri o lençol e coloquei um bloco sob o pescoço para evitar que a cabeça tombasse. O tecido da garganta estava limpo, sem muco ou queimaduras, pois o queixo tinha ficado enfiado no peito enquanto ela estivera dentro do automóvel com o motor funcionando. Não vi nenhuma lesão, escoriação ou unha quebrada que fosse evidente. O nariz não estava fraturado. Não havia cortes do lado de dentro dos lábios e ela não havia mordido a língua.

Susan tirou os raios X e os enfiou no processador enquanto eu ia para diante do corpo com uma lente. Coletei uma série de fibras esbranquiçadas quase invisíveis que muito provavelmente provinham do lençol ou da colcha, e encontrei outras semelhantes às que havia nas solas das meias. Ela não usava jóias e estava nua sob a camisola. Lembrei-me da roupa de cama amarfanhada, dos travesseiros encostados na guarda do leito e do copo de água na mesa. Na noite de sua morte, ela havia posto rolos no cabelo, tinha se despido e a certa altura talvez tivesse lido na cama.

Susan saiu da sala de revelação e encostou-se na parede com as mãos atrás da cintura.

"Qual é a história dessa senhora? Era casada?", perguntou.

"Parece que vivia sozinha."

"Trabalhava?"

"Tinha um negócio em casa." Algo chamou minha atenção.

"Que negócio?"

"Parece que era uma espécie de cartomante."

Havia uma pluma muito pequena e suja, presa ao vestido de Jennifer Deighton na região do quadril esquerdo. Enquanto apanhava um saquinho plástico, tentei recordar se tinha visto plumas pela casa. Talvez o travesseiro fosse recheado com plumas.

"Você encontrou alguma prova de que ela lidava com ocultismo?"

"Parece que uns vizinhos pensavam que ela era bruxa", disse eu.

"Baseados em quê?"

"Tem uma igreja perto da casa. Dizem que as luzes do campanário começaram a acender e a apagar depois que ela se mudou para lá, faz uns meses."

"Você está brincando."

"Eu mesma vi o negócio quando estava saindo do local. O campanário estava escuro. Aí, de repente, se acendeu."

"Estranho."

"Estranho à beça."

"Pode ser que tenha um sistema automático."

"Não é provável. Acender e apagar a luz durante a noite toda não ia economizar eletricidade. Isto é, se é verdade que o negócio continua a noite toda. Eu só vi uma vez."

Susan não disse nada.

"Talvez seja um curto-circuito na fiação." Enquanto continuava a trabalhar, pensava que devia telefonar para a igreja. Eles podiam estar ignorando o problema.

"Tinha coisas estranhas dentro da casa dela?"

"Cristais. E uns livros esquisitos."

Silêncio.

Depois Susan disse: "Gostaria que você tivesse me dito antes".

"Como?" Levantei o olhar. Ela estava contemplando o corpo, perturbada e pálida.

"Você tem certeza de que está se sentindo bem?", perguntei.

"Não gosto desses negócios."

"Que negócios?"

"É como o negócio da AIDS. Deviam me avisar de saída. Principalmente agora."

"Esta mulher não devia ter AIDS nem..."

"Devia ter me dito. Antes que eu tocasse nela."

"Susan..."

"Na minha escola tinha uma menina que era bruxa."

Interrompi o que estava fazendo. Susan estava rígida, encostada na parede, apertando a barriga com as mãos.

"O nome dela era Doreen. Fazia parte de um grupo secreto e no último ano fez um trabalho contra minha irmã gêmea, Judy. A Judy morreu num desastre de automóvel duas semanas antes da formatura."

Eu a contemplava desconcertada.

"Você sabe como esse negócio de ocultismo me arrepia. Como aquela língua de vaca cheia de agulhas que os tiras trouxeram faz uns meses. Aquela embrulhada numa lista de nomes de gente morta. Foi deixada numa sepultura."

"Foi uma brincadeira. A língua era do mercado, e os nomes não significavam nada, foram copiados dos túmulos do cemitério", recordei-lhe calmamente.

"A gente não deve mexer com coisas satânicas, de brincadeira ou não." Sua voz tremeu. "Levo o mal tão a sério quanto Deus."

Susan era filha de um pastor e havia muito que abandonara a religião. Nunca a ouvira aludir a Satã ou mencionar Deus, salvo em exclamações. Nunca soubera que fosse minimamente supersticiosa ou suscetível de ser perturbada pelo que quer que fosse. Estava quase chorando.

110

"Vou lhe dizer o que nós vamos fazer", disse eu suavemente. "Como parece que hoje vem pouca gente, se você atender ao telefone lá em cima eu me encarrego de tudo aqui embaixo."

Seus olhos se encheram de lágrimas, e na mesma hora fui para perto dela.

"Está tudo bem." Passei o braço em volta dos seus ombros e saí com ela da sala. "O que há? Você quer que o Ben leve você para casa?", disse eu gentilmente enquanto ela se encostava em mim, soluçando.

Fez que sim, murmurando: "Desculpe. Desculpe".

"Você precisa descansar um pouco." Sentei-a numa cadeira dentro do necrotério e peguei o telefone.

Jennifer Deighton não tinha respirado nenhum monóxido de carbono ou fuligem, porque quando fora posta dentro do automóvel já não estava respirando. Sua morte havia sido evidentemente um homicídio, e passei a tarde toda deixando recados impacientes para que Marino me telefonasse. Várias vezes tentei ter notícias de Susan, mas seu telefone tocava e ninguém atendia.

"Estou preocupada", disse a Ben Stevens. "Susan não está atendendo ao telefone. Quando você a levou para casa ela mencionou que estava planejando ir a algum lugar?"

"Ela me disse que ia se deitar."

Estava sentado à mesa examinando uma pilha de documentos. Numa estante, o rádio em volume baixo tocava um rock, e ele bebia água mineral aromatizada com tangerina. Stevens era jovem e vivo e tinha uma aparência bonita de garoto. Trabalhava muito e, segundo me haviam contado, era freqüentador assíduo de bares para solteiros. Eu tinha certeza de que seu emprego como administrador seria apenas uma fase transitória de sua vida.

"Pode ser que ela tenha desligado o telefone para dormir melhor", disse ele, ligando a calculadora.

"Pode ser."

Stevens lançou-se então à atualização de nossas inquietações orçamentárias.

No fim da tarde, quando já começava a escurecer, ele ligou para o meu ramal.

"Susan telefonou. Disse que amanhã ela não vem. E estou com John Deighton na outra linha. Disse que é irmão de Jennifer Deighton."

Stevens passou a ligação.

"Alô. Estão dizendo que a senhora fez a autópsia em minha irmã", um homem murmurou. "Jennifer Deighton, minha irmã".

"Seu nome, por favor?"

"John Deighton. Moro em Colúmbia, na Carolina do Sul."

Levantei os olhos quando Marino apareceu na porta do escritório e fiz sinal para que se sentasse.

"Estão dizendo que ela ligou uma mangueira no carro e se matou."

"Quem disse isso?", perguntei. "E o senhor podia por favor falar mais alto?"

Ele hesitou. "Não me lembro do nome, devia ter anotado mas fiquei chocado demais."

O homem não parecia chocado. Sua voz estava tão abafada que quase não dava para ouvir o que ele dizia.

"Sr. Deighton, sinto muito, mas o senhor vai ter de solicitar as informações por escrito. Também vou precisar, junto com seu requerimento escrito, de alguma prova de que o senhor é parente."

O homem não respondeu.

"Alô? Alô?"

A resposta foi o ruído de uma ligação interrompida.

"Estranho. Você sabia da existência de um John Deighton, que diz ser irmão de Jennifer Deighton?", disse eu a Marino.

"Era ele? Porra. Estávamos tentando entrar em contato com ele."

"Disse que alguém tinha avisado da morte."

"Você sabe de onde ele estava ligando?"

"Devia ser de Colúmbia, na Carolina do Sul. Bateu o telefone."

Marino não parecia interessado.

"Estou vindo do escritório do Vander", disse ele, referindo-se a Neils Vander, o dactiloscopista chefe. "Ele examinou o carro de Jennifer Deighton, os livros que estavam ao lado da cama e um poema que havia dentro de um deles. Mas ainda não recebeu a página em branco que estava em cima da cama dela."

"Já descobriu alguma coisa?"

"Conseguiu umas impressões. Se for preciso, vai passar pelo computador. Com certeza a maioria é mesmo dela. Olhe."

Pôs um pacote de papel em minha escrivaninha. "Divirta-se."

"Acho que você vai querer que essas impressões sejam examinadas com urgência", respondi, carrancuda.

Uma sombra passou pelos olhos de Marino, que massageou as têmporas.

"É óbvio que Jennifer Deighton não se suicidou. O nível de monóxido de carbono estava em menos de sete por cento. Ela não tinha fuligem nas vias respiratórias. O tom rosa brilhante da pele foi causado pela exposição ao frio, e não por monóxido de carbono", informei.

"Meu Deus", disse ele.

Procurando na papelada à minha frente, entreguei-lhe um diagrama do corpo e depois abri um envelope de onde tirei fotografias Polaroid do pescoço de Jennifer Deighton.

"Como você pode ver, externamente não há lesões", continuei.

"E o sangue no banco do carro?"

"Acho que foi uma hemorragia *post-mortem*. Ela estava começando a se decompor. Não encontrei escoriações nem contusões, nem ferimentos nas pontas dos dedos. Mas aqui" — mostrei-lhe uma fotografia do pescoço, tirada durante a autópsia — "vemos hemorragias irregulares bilaterais no músculo esternoclidomastóideo. Também tem uma fratura no lado direito do hióide. A morte foi causada por asfixia, por pressão no pescoço..."

Falando alto, Marino me interrompeu: "Você acha que ela foi estrangulada?".

Mostrei outra fotografia. "Tem também petéquias faciais, pequenas manchas que indicam hemorragia. Isso pode aparecer nos estrangulamentos. O caso é de homicídio, e minha idéia é que mantenhamos o fato longe da imprensa pelo maior tempo possível."

Ele me fitou com olhos injetados. "Não me faltava mais nada. Neste momento tenho oito homicídios sem solução na minha mesa. Henrico não descobre merda nenhuma no caso do Eddie Heath e o pai do garoto me telefona quase todo dia. Isso para não mencionar uma puta batalha sobre entorpecentes na vara de Mosby. Isto é que é Natal. Não me faltava mais nada."

"Também não faltava mais nada para Jennifer Deighton, Marino."

"Vamos embora. O que mais você descobriu?"

"Ela sofria de pressão alta, como sugeriu a sra. Clary, a vizinha."

"Tá", disse ele, afastando os olhos de mim. "Como você sabe?"

"Tinha hipertrofia no ventrículo esquerdo, ou seja, um engrossamento do lado esquerdo do coração."

"Pressão alta faz isso?"

"Faz. Com certeza vou encontrar alterações fibrinosas no sistema microvascular renal ou nefrosclerose precoce. Acho que o cérebro também vai mostrar mudanças hipertensivas nas arteríolas cerebrais, mas só posso ter certeza depois de olhar no microscópio."

"Quer dizer que células do cérebro e dos rins morrem quando a gente tem pressão alta?"

"É um modo de dizer."

"Mais alguma coisa?"

"Nada de importante."

"E o conteúdo gástrico?", perguntou Marino.

"Carne, vegetais, tudo parcialmente digerido."

"Álcool, ou drogas?"

"Álcool, não. O exame de drogas está sendo feito."

"Há sinais de estupro?"

"Não há lesões nem outros sinais de agressão sexual. Colhi material para ver se havia esperma mas esses relatórios ainda vão demorar um pouco. Mesmo assim, nunca se pode ter certeza."

O rosto de Marino estava inescrutável.

"O que você está procurando?", perguntei afinal.

"Bom, estou pensando como é que esse negócio foi planejado. Alguém teve um trabalho danado para nos fazer acreditar que ela havia se suicidado com a fumaça do escapamento. Mas daí ela morreu antes mesmo que ele a colocasse dentro do carro. Ele aplicou uma gravata, usou força demais e ela morreu. Vai ver ele não sabia que ela não tinha boa saúde e foi assim que a coisa aconteceu."

Comecei a balançar a cabeça. "A pressão alta não tem nada a ver com isso."

"Então explique como ela morreu."

"Vamos dizer que o agressor passou o braço esquerdo pela frente do pescoço dela e usou a mão direita para puxar o pulso esquerdo para a direita." Fiz a demonstração. "Isso pôs pressão num lado do pescoço e causou a fratura da porção conforme direita, a maior, do osso hióideo. A pressão interrompeu a parte superior das vias respiratórias e oprimiu as artérias carótidas. Ela ficou hipóxica, sem ar. Às vezes a pressão no pescoço causa bradicardia, que é uma queda no ritmo do coração, e a vítima tem uma arritmia."

"Com a autópsia dá para dizer se o agressor começou dando uma gravata que acabou num estrangulamento? Em outras palavras, se ele estava só tentando dominá-la e usou força demais?"

"Com as conclusões médicas não posso chegar a isso."

"Mas é possível."

"Está no domínio do possível."

"Espere aí, doutora. Vamos sair um minutinho do banco das testemunhas, sim? Tem mais alguém aqui na repartição?", disse Marino, exasperado.

Não havia ninguém, mas eu estava cansada. A maioria do pessoal não viera trabalhar e Susan se comportara de modo estranho. Parecia que Jennifer Deighton, uma estranha, tinha tentado falar comigo pelo telefone, fora assassinada e havia pouco um homem que dizia ser seu irmão batera o telefone na minha cara. Isso para não mencionar o mau humor terrível de Marino. Quando senti que estava perdendo a serenidade fiquei muito profissional.

"Olhe, ele bem que pode ter dado uma gravata nela para dominá-la e afinal ter aplicado força demais, estrangulando-a por engano. Na verdade, posso até sugerir que tenha simplesmente pensado que ela estava desmaiada e não sabia que estava morta quando a botou no carro", disse eu.

"Então o cara é uma besta."

"Eu não chegaria a essa conclusão se fosse você. Mas, se amanhã de manhã ele acordar e ler no jornal que Jennifer Deighton foi assassinada, vai ter a maior surpresa da vida dele. Vai ficar imaginando o que fez de errado. Daí eu recomendar que mantenhamos isso longe da imprensa."

"Para mim não tem problema. Por sinal, só porque você não conhecia Jennifer Deighton não quer dizer que ela não conhecesse você."

Esperei que ele explicasse.

"Estive pensando naqueles telefonemas. Você aparece na televisão, nos jornais. Talvez ela soubesse que havia alguém atrás dela, não soubesse a quem recorrer e tivesse procurado sua ajuda, mas, quando caía na secretária eletrônica, estava paranóica demais para deixar uma mensagem."

"Isso é muito deprimente."

"Quase tudo o que a gente pensa aqui é deprimente." Levantou-se da cadeira.

"Faça-me um favor. Verifique a casa dela. Diga se encontrar algum travesseiro de plumas, casacos acolchoados, espanadores, tudo o que se relacione com plumas."

"Por quê?"

"Encontrei uma peninha na camisola dela."

"Está bem. Qualquer coisa eu digo. Você está de saída?"

Olhei para um ponto atrás dele, pois ouvira as portas do elevador se abrirem e se fecharem. "Era o Stevens?", perguntei.

"Era."

"Ainda tenho de fazer umas coisas antes de ir para casa", disse eu.

Depois que Marino tomou o elevador, fui até uma janela no fundo do corredor que dava para o estacionamento dos fundos. Queria certificar-me de que o jipe de Stevens já não estava ali. Não estava, e vi quando Marino saiu do edifício, caminhando com cuidado sobre a neve pisada que as luzes da rua iluminavam. Com dificuldade, chegou a seu carro e, antes de entrar, sacudiu violentamente a neve dos sapatos, como um gato que tivesse pisado na água. Que nada violasse o ar puro e a couraça sagrada de seu santuário. Perguntei-me se ele teria planos para o Natal e lamentei não tê-lo convidado para jantar. Este era o primeiro Natal desde que ele e Doris tinham se divorciado.

Ao voltar pelo corredor vazio, entrei em todas as salas por que ia passando, para verificar os terminais de computador. Infelizmente, nenhum estava ligado e o único fio etiquetado com um número era o de Fielding. Não era nem tty07 nem tty14. Frustrada, abri a sala de Margaret e acendi a luz.

Como sempre, parecia que por ali passara uma ventania, espalhando os papéis na mesa, derrubando livros na estante e jogando outros no chão. Presos às paredes e aos monitores dos terminais havia montes de impressos em formulários contínuos abertos como acordeões, anotações indecifráveis e números de telefone. O microcomputador zumbia como um inseto eletrônico e na bancada onde estavam os modems, sobre uma prateleira, havia uma dança de luzes. Sentei-me diante do terminal do sistema, abri uma gaveta à direita e comecei a correr os dedos pelas etiquetas dos arquivos. Encontrei vários com títulos promissores, tais como Usuários e Rede, mas nada do que examinei me deu nenhuma informação a respeito do que eu precisava saber. Olhando em volta enquanto pensava, reparei num feixe grosso de fios que subia pela parede e sumia no teto. Cada fio tinha uma etiqueta.

Tanto o tty07 como o tty14 estavam diretamente ligados ao computador. Desconectei primeiro o tty07, depois percorri terminal por terminal para ver qual deles tinha sido desligado. O terminal do escritório de Ben Stevens caíra e voltou quando tornei a ligar o fio. Passei então a procurar o tty14 e fiquei perplexa quando me pareceu que o desligamento daquele fio não tivera conseqüências. Os terminais instalados nas mesas continuavam todos funcionando. Foi quando me lembrei de Susan. Sua sala era no necrotério, embaixo.

Abri a porta e, assim que entrei em sua sala, observei duas coisas. Não se via nada de pessoal, como fotografias ou enfeites, e numa estante acima da mesa havia várias obras de referência sobre UNIX, SQL e Wordperfect. Eu estava lembrada de que, na primavera anterior, Susan se matriculara em vários cursos de computação. Levantei o interruptor para ligar o monitor e fiquei desconcertada quando o sistema respondeu. O terminal ainda estava conectado; não podia ser o tty14. E aí me dei conta de algo tão óbvio que teria rido se não tivesse ficado horrorizada.

Subi e parei diante da porta de minha sala, olhando para dentro como se ali trabalhasse alguém que eu nunca tivesse encontrado. Espalhados em torno do aparelho sobre minha mesa havia relatórios de laboratório, folhas de anotações, atestados de óbito e as provas de um manual de patologia legal que eu estava organizando; o suporte onde o microscópio estava apoiado se encontrava numa situação parecida. Havia três arquivos altos encostados na parede e, do outro lado, um sofá afastado das estantes o suficiente para que se pudesse passar por trás dele para apanhar livros nas prateleiras mais baixas. Atrás de minha cadeira havia uma credência de carvalho que anos antes eu encontrara num depósito de objetos pertencentes ao estado e que estavam sem uso naquele momento. As gavetas tinham chaves, o que as tornava o lugar ideal para guardar minha agenda e os casos especialmente delicados. Eu guardava as chaves debaixo do telefone e tornei a pensar na quinta-feira anterior, quando Susan quebrara os vidros de formol enquanto eu autopsiava Eddie Heath.

Eu não sabia o número de meu terminal, nunca antes isso fora importante. Sentei-me à mesa, puxei a plataforma do teclado e tentei entrar no sistema, mas meus esforços foram em vão. Ao desligar o tty14 eu me desligara.

"Droga. Droga!", murmurei, sentindo o sangue gelar em minhas veias.

Eu não mandara nenhuma mensagem ao terminal de minha administradora. Não fora eu que digitara: "Não consigo encontrar". Com efeito, eu estava no necrotério quando, por acidente, o arquivo fora criado na última quinta-feira. Susan, porém, não estava. Eu lhe dera as chaves e lhe dissera que se deitasse no sofá de minha sala até recuperar-se do derramamento de formol. Seria possível que ela tivesse não só entrado em meu diretório como também revistado pastas e papéis em minha mesa? Que tivesse mandado uma mensagem para Ben Stevens dizendo que não conseguira encontrar o dado em que estavam interessados?

De repente, um dos analistas de provas do andar de cima apareceu na porta, assustando-me.

"Oi", murmurou ele, examinando uma papelada e com o guarda-pó abotoado até o queixo. Entrou e me entregou um relatório de várias páginas.

"Eu ia deixar isso no seu escaninho, mas como você ainda está aqui vou dar pessoalmente. Já examinei o resíduo adesivo dos pulsos de Eddie Heath."

"Era material de construção?", perguntei, correndo os olhos pela primeira página do relatório.

"Isso mesmo. Tinta, gesso, madeira, cimento, asbesto, vidro. Geralmente encontramos esse tipo de resíduo em casos de arrombamento, muitas vezes na roupa do suspeito, nos punhos, bolsos, sapatos, e assim por diante."

"E a roupa de Eddie Heath?"

"Havia desses resíduos na roupa também."

"E as tintas? Como eram?"

"Encontrei restos de tinta de cinco origens diferentes. Três têm mais de uma camada, mostrando que alguma coisa foi pintada e repintada mais de uma vez."

"São de carro ou de casa?", perguntei.

"Só uma é de carro, uma laca acrílica usada no teto dos automóveis fabricados pela General Motors."

Pensei que aquilo podia provir do veículo usado para seqüestrar Eddie Heath. E de qualquer outro lugar.

"E a cor?", perguntei.

"Azul."

"Mais de uma camada?"

"Não."

"E os resíduos da região pavimentada onde o corpo foi encontrado? Pedi ao Marino que lhe desse amostras e ele me disse que ia fazer isso."

"Areia, poeira, pedacinhos de material de calçamento e mais os resíduos normais em torno de uma lixeira. Vidro, papel, cinza, pólen, ferrugem, material vegetal."

"Isso é diferente do que você encontrou nos pulsos."

"É. Para mim, parece que a fita foi posta e retirada dos pulsos num lugar onde havia restos de material de construção e pássaros."

"Pássaros?"

"Na terceira página do relatório. Encontrei um monte de fragmentos de penas."

Quando cheguei em casa, Lucy estava inquieta e meio de mau humor. Era óbvio que ela não tivera muito com que se ocupar durante o dia, porque assumira a tarefa de rearrumar meu escritório. A impressora a laser, o modem e todas as obras de referência de informática tinham sido mudados de lugar.

"Por que você fez isso?", perguntei.

Ela estava sentada em minha cadeira, de costas para mim, e respondeu sem se virar ou esmorecer a ação dos dedos no teclado. "Assim fica mais lógico."

"Lucy, você não pode entrar no escritório de outra pessoa e mudar tudo de lugar. Como se sentiria se eu fizesse isso com você?"

"Não ia haver motivo para mudar minhas coisas de lugar. Tudo está arrumado de maneira muito racional." Parou de digitar e voltou-se. "Está vendo, agora você pode alcançar a impressora sem se levantar da cadeira. Os livros estão fáceis de alcançar e o modem não fica no seu caminho. Você não deve pôr livros, xícaras de café e outros troços em cima de um modem."

"Você passou o dia inteiro aqui?", perguntei.

"Onde mais eu podia estar? Você levou o carro. Fui correr pelo bairro. Você já tentou correr na neve?"

Puxei uma cadeira, abri minha pasta e tirei o pacote de papel que Marino tinha me dado. "Quer dizer que você acha que precisa de um carro?"

"Me sinto presa."

"Onde você gostaria de ir?"

"Ao seu clube. Não sei a que outro lugar. Simplesmente gostaria de ter a opção. O que é que tem nesse pacote?"

"Livros e um poema que o Marino me deu."

"Desde quando ele é intelectual?" Levantou-se e espreguiçou-se. "Vou fazer um chá. Você quer?"

"Café, por favor."

"Café faz mal", disse ela, saindo da sala.

"Ah, droga", murmurei com irritação enquanto tirava os livros e o poema do pacote. Um pó vermelho fluorescente se espalhou por minhas mãos e por minha roupa.

Como sempre, Neils Vander fizera seu exame exaustivo e eu esquecera sua paixão por seu brinquedo novo.

121

Muitos meses antes ele comprara uma nova fonte luminosa e jogara fora o laser. A Luma-Lite, com sua "lâmpada-de-arco-metálico-de-vapor-azul-de-alta-intensidade-de-trezen-tos-e-cinqüenta-watts-aperfeiçoada-por-tecnologia-de-pon-ta", como Vander apaixonadamente a descrevia sempre que o assunto vinha à baila, coloria de um laranja flamejante cabelos e fibras praticamente invisíveis. Manchas de esperma e resíduos de drogas colhidos na rua saltavam como labaredas solares, e o melhor de tudo era que a luz podia localizar impressões digitais que no passado nunca seriam vistas.

Vander percorrera integralmente os romances de Jennifer Deighton. Eles haviam sido postos no tanque de vidro e expostos aos vapores de Super Glue, o éster de cianoacrilato que reage aos componentes da transpiração emanada de pele humana. Depois Vander polvilhara as capas gastas dos livros com o pó fluorescente que agora me cobria. Finalmente, submetera os livros ao escrutínio frio e azul da Luma-Lite e arroxeara as páginas com Ninhydrin. Eu esperava que seus esforços fossem recompensados. Minha recompensa foi ir ao banheiro e limpar-me com um pano úmido.

O exame da *Truta de Paris* fora infrutífero. O romance contava a história do assassinato cruel de uma moça negra e, se isso era relevante para o caso de Jennifer Deighton, eu não podia imaginar por quê. *Seth fala* era uma narrativa fantasmagórica supostamente transmitida ao autor por alguém do outro mundo. Na verdade não me espantou que a srta. Deighton, com suas inclinações para o além, pudesse ler aquilo. O que mais me interessou foi o poema.

Estava datilografado numa folha de papel branco borrifada de roxo pelo Ninhydrin e protegida por um invólucro de plástico:

JENNY
Os beijos de Jenny, muitos,
esquentaram a moeda de cobre
unida a seu pescoço

pelo cordel de algodão.
Fora na primavera
que ele o encontrara
no caminho empoeirado
atrás daquele prado
e o dera a ela.
Palavras de paixão
não foram ditas.
Amava-a
com um penhor.
Está queimado agora o prado
e as sarças o vão cobrindo.
Ele partiu.
Dorme a moeda
fria
lá no fundo
da fonte
do bosque.

Não havia data, nem nome do autor. Por ter sido dobrado em quatro, o papel estava marcado. Levantei-me e fui até a sala de visitas, onde Lucy pusera o café e o chá sobre a mesa e atiçava o fogo.

"Você não está com fome?", perguntou.

"Para falar a verdade, estou sim", respondi, lendo de novo o poema e perguntando-me o que ele significava. Jenny era Jennifer Deighton? "O que você gostaria de comer?"

"Você não vai acreditar, eu queria um bife. Mas só se for bom e se as vacas não tiverem sido alimentadas com um monte de produtos químicos. Será que esta semana você pode trazer um carro do trabalho para eu usar?"

"Quando não estou em serviço costumo não trazer o carro oficial para casa."

"Ontem à noite você foi fazer uma diligência e não estava em serviço. Você está sempre em serviço, tia Kay."

"Está bem. Por que não fazemos o seguinte: vamos comer o melhor bife da cidade. Aí, passamos no meu trabalho, eu venho com a caminhonete para casa e você pode ficar com o meu carro. Ainda tem um pouco de gelo nas ruas. Você tem de prometer que vai ser supercuidadosa."

"Nunca estive em seu trabalho."

"Se quiser eu lhe mostro."

"De jeito nenhum. De noite não."

"Os mortos são inofensivos."

"Nada disso. Papai me prejudicou quando morreu. Deixou-me para mamãe me criar."

"Vamos pegar os casacos."

"Por que toda vez que falo de um assunto ligado a nossa família problemática você muda de assunto?"

Rumei em direção a meu quarto para apanhar o casaco. "Quer minha jaqueta de couro preto?"

"Está vendo, você sempre faz isso", gritou ela.

Discutimos durante todo o trajeto até a churrascaria, e quando estacionei o automóvel estava com dor de cabeça e completamente desgostosa comigo mesma. Lucy me fizera alterar a voz, e minha mãe era a única pessoa que normalmente conseguia isso.

"Por que você é tão complicada?", disse no ouvido dela enquanto éramos conduzidas até uma mesa.

"Quero falar com você e você não deixa", disse ela.

Imediatamente apareceu um garçom para anotar o pedido das bebidas.

"Uísque e soda", disse eu.

"Água mineral com limão", pediu Lucy. "Você não devia beber e dirigir."

"Só vou tomar um. Mas você tem razão. Seria melhor eu não tomar nenhum. E lá vem você com as críticas outra vez. Como quer ter amigos se fala assim com os outros?"

"Não quero ter amigos." Desviou o olhar. "Os outros é que querem que eu tenha amigos. Talvez eu não queira amigo nenhum porque acho quase todo mundo chato."

O desespero oprimiu meu coração.

"Lucy, acho que você é a pessoa que eu conheço que mais quer ter amigos."

"Sei que você acha isso. E com certeza acha que daqui a uns dois anos eu devia me casar."

"Não acho, não. Na verdade, espero sinceramente que não."

"Hoje quando eu estava passeando por seu computador vi o arquivo chamado Carne. Por que você tem um arquivo com esse nome?", perguntou minha sobrinha.

"Por que estou trabalhando num caso muito difícil."

"O garoto chamado Eddie Heath? Vi os dados dele no arquivo de casos. Foi encontrado sem roupa, perto de um contêiner. Alguém tinha cortado pedaços da pele dele."

"Lucy, você não devia ler os relatórios dos casos", eu ia dizendo, quando meu bip tocou. Soltei-o do cós da saia e verifiquei o número.

"Com licença um minuto", falei, levantando-me da mesa no momento em que as bebidas chegavam.

Encontrei um telefone público. Eram quase oito horas da noite.

"Preciso falar com você. Talvez queira vir até aqui e trazer os cartões com as dez impressões digitais do Ronnie Waddell", disse Neils Vander, que ainda estava no trabalho.

"Por quê?"

"Tem aqui um problema sem precedentes. Também vou chamar o Marino."

"Está bem. Diga para ele me encontrar no necrotério em meia hora."

Quando voltei à mesa, Lucy intuiu pela expressão em meu rosto que eu ia estragar outra noite.

"Desculpe", disse eu.

"Aonde vamos?"

"Até meu trabalho e depois ao edifício Seaboard." Puxei a carteira.

"O que há no edifício Seaboard?"

"É para onde se mudaram, não muito tempo atrás, os laboratórios de serologia, DNA e dactiloscopia. Marino vai se encontrar com a gente lá", disse eu. "Faz muito tempo que você não o vê."

"Babacas como ele não mudam nem melhoram com o tempo."

"Lucy, você está sendo indelicada. O Marino não é babaca."

"Da última vez que estive aqui, era."

"Você também não foi simpática com ele."

"Eu não o chamei de pirralho metido a besta."

"Mas, se bem me lembro, chamou de uma porção de outras coisas e ficou o tempo todo corrigindo as palavras dele."

Meia hora mais tarde deixei Lucy no escritório do necrotério e corri escada acima. Abri a credência, encontrei a pasta de Waddell e, assim que tomei o elevador, a campainha da porta tocou. Marino estava de jeans e jaqueta azul-escura, e um boné de beisebol dos Richmond Braves esquentava sua calvície incipiente.

"Vocês se lembram um do outro, não lembram? Lucy está passando o Natal comigo e me ajudando com um problema no computador", expliquei enquanto saíamos para o frio ar noturno.

O edifício Seaboard ficava em frente ao estacionamento situado atrás do necrotério, na esquina do outro lado da delegacia da rua Principal, onde os escritórios administrativos do Departamento de Saúde tinham sido instalados enquanto sua sede anterior passava por uma reforma. O relógio da delegacia flutuava bem alto sobre nós como a lua no campo, e as luzes vermelhas no alto dos edifícios piscavam lentamente para advertir os aviões em vôo baixo. No meio da escuridão um trem se arrastava nos trilhos, fazendo a terra roncar e estalar como um navio no oceano.

Marino andava à nossa frente e a ponta de seu cigarro de vez em quando brilhava. Ele não queria que Lucy estivesse ali, e eu sabia que ela percebia isso. Quando chegamos ao edifício Seaboard, onde no tempo da Guerra Civil carregavam-se as carroças com suprimentos, toquei a campainha. Vander apareceu quase imediatamente para receber-nos.

Ele não cumprimentou Marino nem perguntou quem era Lucy. Se uma criatura do espaço sideral acompanhasse alguém em quem ele confiasse, Vander nada perguntaria, nem esperaria ser apresentado. Fomos atrás dele escada acima até o segundo andar, onde os velhos corredores e salas haviam sido pintados em tons de cinza militar e mobiliados com mesas e estantes revestidas de cerejeira e cadeiras forradas em tecido azul-esverdeado.

"Em que você está trabalhando tão tarde?", perguntei enquanto entrávamos na sala onde ficava o Sistema de Identicação Dactiloscópica Automática, conhecido como SIDA.

"No caso de Jennifer Deighton", disse ele.

"Então para que os cartões com as dez impressões digitais do Waddell?", perguntei, perplexa.

"Quero ter certeza de que foi Waddell que você autopsiou na semana passada", disse Vander, seco.

"Que negócio é esse?", Marino olhou atônito.

"Já vou mostrar." Vander sentou-se diante do terminal de alimentação remota que parecia um PC comum. O terminal estava ligado por modem ao computador da Polícia Estadual, onde havia uma central de dados com mais de seis milhões de impressões digitais. Vander apertou diversas teclas e ligou a impressora a laser.

"Registros perfeitos são poucos e raros, mas este aqui é." Começou a digitar e uma impressão digital branca e brilhante apareceu no monitor. "Indicador direito, curva simples." Mostrou o redemoinho de linhas na superfície de vidro. "Uma impressão parcial para lá de boa, recolhida na casa de Jennifer Deighton."

"Em que lugar da casa?", perguntei.

"Em uma cadeira da sala de jantar. Primeiro achei que que devia haver algum engano. Mas pelo jeito não." Vander continuava contemplando a tela e tornou a digitar enquanto falava. "A impressão digital é de Ronnie Joe Waddell."

"Impossível", disse eu, chocada.

"Você acha?", falou Vander, distraído.

"Na casa de Jennifer Deighton você encontrou alguma coisa que pudesse indicar que ela e Waddell se conheciam?", perguntei a Marino enquanto abria a pasta do caso Waddell.

"Não."

"Se você tem as impressões do Waddell tiradas no necrotério, vamos compará-las com os dados do SIDA", disse Vander.

Apanhei dois invólucros de papel pardo e imediatamente estranhei que ambos fossem pesados e espessos. Senti meu rosto corar quando os abri e dentro só encontrei as fotografias que estava esperando e nada mais. Não havia envelope com as impressões digitais de Waddell. Quando levantei os olhos, todo mundo estava olhando para mim.

"Não estou entendendo", disse, consciente do olhar sem graça de Lucy.

"Você não tem as impressões?", perguntou Marino, incrédulo.

Procurei de novo na pasta. "Não estão aqui."

"Geralmente é Susan que colhe, não é?"

"É. Sempre. Ela teria que fazer dois jogos, um para o Departamento de Execuções Penais, outro para nós. Pode ser que ela tenha entregado ao Fielding e ele tenha esquecido de dar para mim."

Apanhei meu livro de endereços e peguei o telefone. Fielding estava em casa e nada sabia sobre as fichas de impressões digitais.

"Não, não reparei se ela tirou as impressões dele, mas não reparo em metade das coisas que outras pessoas fazem lá. Imaginei que ela tivesse lhe dado as fichas."

Enquanto ligava para Susan, eu procurava lembrar se a vira apanhar as fichas dactiloscópicas e apertar os dedos de Waddell na almofada de tinta.

"Você se lembra da Susan tirando as impressões do Waddell?", perguntei a Marino enquanto o telefone de Susan continuava chamando.

"Enquanto estive lá ela não tirou. Se tivesse tirado, eu teria me oferecido para ajudar."

"Não responde." Desliguei.

"Waddell foi cremado", disse Vander.

"Foi", disse eu.

Ficamos um momento em silêncio.

Depois, com rudeza desnecessária, Marino disse a Lucy: "Você dá licença? Precisamos conversar um minuto a sós".

"Espere em minha sala. No corredor, é a última à direita", ofereceu Vander.

Depois que ela saiu, Marino disse: "Supostamente, Waddell passou dez anos preso, e a impressão digital recolhida na cadeira de Jennifer Deighton não pode ter sido deixada lá há dez anos, de jeito nenhum. Aliás, ela só se mudou para a casa de Southside há poucos meses, e a mobília da sala de jantar parece novíssima. Ainda por cima há marcas no carpete da sala de visitas mostrando que uma das cadeiras da sala de jantar foi levada para lá, provavelmente na noite em que ela morreu. Foi por isso que, para começo de conversa, eu quis colher impressões nas cadeiras".

"Uma possibilidade sinistra. Assim sendo, não podemos provar que o homem executado na semana passada era Ronnie Joe Waddell", disse Vander.

"Talvez haja outra explicação para o fato de a impressão digital do Waddell aparecer numa cadeira da casa de Jennifer Deighton. Por exemplo, talvez a penitenciária tivesse uma oficina de marcenaria que fabricasse móveis", disse eu.

"Muito pouco provável. Em primeiro lugar, não fazem trabalho com madeira nem placas de automóveis no corredor da morte. E, mesmo que fizessem, a maioria dos civis não costuma mobiliar sua casa com peças feitas na prisão", disse Marino.

"Assim mesmo, seria interessante se você pudesse averiguar de quem, e quando, ela comprou a mobília da sala de jantar", disse Vander a Marino.

"Não se preocupe. Primeira prioridade."

"O arquivo do FBI deve ter toda a ficha corrida do Waddell, inclusive as digitais. Vou conseguir uma cópia da ficha com as digitais e a fotografia da impressão digital do polegar nos registros do caso Robyn Naismith. Onde mais o Waddell esteve preso?"

"Em nenhum outro lugar. A única jurisdição que deve ter o prontuário dele é Richmond", disse Marino.

"E essa digital encontrada numa cadeira da sala de jantar é a única que você identificou?", perguntei a Vander.

"Claro, muitas das digitais que colhemos são de Jennifer Deighton. Principalmente a dos livros perto da cama e da folha dobrada — a do poema. Tenho ainda algumas impressões parciais desconhecidas, deixadas no carro dela, como seria de se esperar, por qualquer pessoa que tenha posto suas compras no porta-malas ou enchido o tanque de gasolina. Por enquanto é só."

"E com Eddie Heath, você teve mais sorte?", indaguei.

"Não havia muita coisa que examinar. O saco de papel, a lata de sopa, o chocolate. Usei a Luma-Lite nos sapatos e na roupa dele. Não descobri nada."

Algum tempo depois ele nos conduziu até a porta, passando por um aposento com congeladores trancados em que amostras do sangue de uma quantidade de condenados suficiente para povoar uma cidade pequena esperavam admissão no banco estadual de dados de DNA. O automóvel de Jennifer Deighton estava estacionado diante da porta e parecia mais patético do que a lembrança que eu tinha dele, como se tivesse sofrido um declínio acentuado desde o assassinato de sua dona. Por ter sido repetidas vezes atingido pelas portas de outros carros, o metal das partes laterais estava riscado e amassado. A pintura estava enferrujando em alguns pontos e empolada ou arranhada em outros, e o teto de plástico estava descascando. Lucy parou para espiar por uma janela preta de fuligem.

"Ei, não mexa em nada", disse-lhe Marino.

Ela olhou para ele sem dizer nada e saímos todos.

Dirigindo meu automóvel, sem esperar por Marino ou por mim, Lucy foi diretamente para casa. Quando entramos ela já estava em meu escritório, de porta fechada.

"Estou vendo que ela ainda é miss Cordialidade", disse Marino.

"Você também não ganhou muitos prêmios esta noite." Abri o pára-fogo da lareira e acrescentei várias achas de lenha.

"Será que ela vai ser discreta a respeito de nossa conversa?"

"Vai. Claro", respondi, desanimada.

"Tá bom, sei que você confia nela porque é tia dela. Mas, doutora, não acho que tenha sido boa idéia deixar ela ouvir aquilo tudo."

"Confio em Lucy. Ela é muito importante para mim. Você também é muito importante para mim. Espero que vocês dois acabem amigos. O bar está aberto, e também teria muito prazer em preparar um café."

"Café é uma boa idéia."

Sentou-se na borda da lareira e sacou seu canivete suíço. Enquanto eu preparava o café, cortou as unhas e jogou as aparas no fogo. Disquei novamente o número de Susan, mas ninguém atendeu.

Quando pousei na mesinha a bandeja com o café, Marino disse: "Não acho que Susan tenha colhido as digitais. Fiquei pensando, enquanto você estava na cozinha. Sei que enquanto eu estava no necrotério, naquela noite, ela não tirou, e fiquei lá quase o tempo todo. Quer dizer, ou ela tirou assim que o corpo chegou, ou não tirou mesmo".

Cada vez mais irritada, eu disse: "Então não tirou. O pessoal do Departamento de Execuções Penais saiu corren-do. Estava a maior confusão. Era tarde e todo mundo estava cansado. Susan esqueceu e eu, muito ocupada com o que estava fazendo, não reparei".

"Você espera que ela tenha esquecido."

Peguei meu café.

"Pelo que você tem me contado, está acontecendo algum negócio com ela. Eu não confiaria nem um pouco nela", disse ele.

Naquele momento, eu também não confiava.

"Precisamos falar com o Benton", lembrou.

"Você viu o Waddell na mesa, Marino. Viu quando ele foi executado. Não consigo acreditar que não possamos ter certeza de que era ele."

"Não podemos não. Poderíamos comparar fotos três por quatro dele com as fotografias do necrotério e ainda assim não poderíamos ter certeza. Eu não o via desde que ele foi em cana, há mais de dez anos. O cara que eles levaram para a cadeira elétrica era mais ou menos trinta e cinco quilos mais gordo. A barba, o bigode e a cabeça tinham sido raspados. Claro, havia uma certa semelhança, de modo que eu imaginei que fosse ele. Mas não posso jurar."

Lembrei de Lucy desembarcando do avião, na outra noite. Ela era minha sobrinha. Fazia só um ano que eu não a via e mesmo assim quase não a reconheci. Eu sabia muito bem a que ponto as identificações visuais são pouco confiáveis.

"Se alguém trocou os presos e se o Waddell está livre e outra pessoa foi morta, me diga por quê", disse eu.

Marino pôs mais açúcar no café.

"Pelo amor de Deus, Marino, um motivo, qual?"

Ele ergueu os olhos. "Não sei."

Nesse momento a porta do escritório se abriu e nós dois nos viramos para ver Lucy sair. Ela entrou na sala de visitas e sentou-se perto da lareira, ao lado de Marino, que estava sentado de costas para o fogo e apoiava os cotovelos nos joelhos.

"O que você pode me dizer sobre o SIDA?", ela me perguntou, como se Marino não estivesse na sala.

"O que você quer saber?"

"A linguagem. E se está num computador central."

"Não conheço os pormenores técnicos. Por quê?"

"Posso descobrir se algum arquivo foi alterado."

Senti os olhos de Marino fixos em mim.

"Lucy, você não pode entrar no computador da Polícia Estadual."

"Provavelmente poderia, mas não estou propondo isso, necessariamente. É possível que haja outros meios."

Marino olhou para ela. "Você está dizendo que poderia verificar se a folha corrida do Waddell foi alterada no SIDA?"

"É. Estou dizendo que poderia verificar se a folha corrida *foi* alterada."

Os músculos do queixo de Marino se crisparam. "Acho que se alguém foi esperto o bastante para fazer isso também terá sido esperto o bastante para garantir que nenhum micreiro maníaco descobrisse."

"Não sou micreira maníaca. Não sou nenhuma maníaca."

Calaram-se, um de cada lado da lareira, como dois suportes de livro desemparelhados.

"Você não pode entrar no SIDA", eu disse a Lucy.

Ela me olhou e não se mexeu.

Acrescentei: "Sozinha, não. Só se houver um meio seguro de garantir seu acesso. E, mesmo assim, acho que preferia que você ficasse fora disso".

"Na verdade acho que você não prefere não. Se tiverem mexido em alguma coisa, você sabe que eu descubro, tia Kay."

Marino se levantou da lareira. "A garota tem complexo de Deus."

"Você conseguiria acertar no número 12 do relógio ali na parede? Se puxasse sua arma agora e mirasse?", perguntou Lucy.

"Não estou interessado em dar tiros na casa de sua tia só para provar alguma coisa a você."

"Você conseguiria acertar o 12 do lugar onde você está?"

"Claro."

"Garante?"

"Garanto, garanto."

Lucy se virou para mim.

"O tenente tem complexo de Deus."

Marino voltou-se para o fogo, mas não sem que eu antes percebesse a sombra de um sorriso.

Lucy continuou: "Neils Vander só tem um terminal e uma impressora. Está conectado ao computador da Polícia Estadual por modem. Foi sempre assim?".

"Não. Antes da mudança para o edifício novo havia muito mais equipamento na jogada", respondi.

"Qual?"

"Bom, havia muitos componentes diferentes. Mas o computador mesmo era bem parecido com o que Margaret tem na sala dela." Lembrando que Lucy não conhecia a sala de Margaret, acrescentei: "Um micro".

A luz das chamas punha sombras móveis em seu rosto.

"Aposto que o SIDA é um computador central que não é computador central. Aposto que é uma série de micros, ligados entre si por UNIX ou algum outro ambiente multiuso e multiusuário. Se você me desse o acesso ao sistema, talvez eu pudesse chegar até lá do seu terminal aqui de casa, tia Kay."

"Não quero que ninguém me rastreie até aqui", eu disse com ênfase.

"Ninguém vai poder rastrear você. Eu disco para o computador do seu trabalho, passo por uma série de cancelas e monto uma rede bem complicada. Quando tudo estiver pronto, vai ser muito difícil seguir minha pista."

Marino foi ao banheiro.

"Até parece que ele mora aqui", disse Lucy.

"Não chega a tanto", respondi.

Muitos minutos mais tarde acompanhei Marino até a porta. A neve endurecida no gramado parecia irradiar luz e o ar açoitava meus pulmões como a primeira baforada de um cigarro mentolado.

"Seria ótimo se você viesse passar o Natal comigo e Lucy", disse eu da porta.

Ele vacilou, olhando seu automóvel estacionado na rua. "É muita gentileza sua, mas não vai ser possível, doutora."

"Seria tão bom se você não detestasse tanto a Lucy", disse, magoada.

"Estou cansado de ela me tratar sempre como um caipira de merda."

"Você às vezes se comporta como um caipira de merda. E não tem procurado conquistar o respeito dela."

"Ela é uma fedelha mimada de Miami."

"Quando tinha dez anos, ela era uma fedelha de Miami, mas nunca foi mimada. Na verdade, é o oposto. Quero que vocês dois se dêem bem. Como presente de Natal."

"Quem disse que eu ia lhe dar um presente de Natal?"

"Claro que vai. Vai me dar o que estou pedindo. E sei muito bem o que vou fazer."

"O quê?", perguntou ele, desconfiado.

"Lucy quer aprender a atirar e você acabou de dizer a ela que consegue acertar no número 12 do relógio. Você podia dar umas aulas a ela."

"De jeito nenhum."

6

Os três dias que se seguiram foram típicos do período que antecede o Natal. Ninguém estava em casa, ninguém respondia os telefonemas que recebia. Havia espaço de sobra nos estacionamentos, os intervalos para almoço se prolongavam e as saídas a serviço incluíam paradas clandestinas em lojas, no banco e no correio. Na prática, o Estado estava fechado desde antes dos feriados oficiais. Neils Vander, porém, não era típico em nada. Ele não estava preocupado com tempo ou lugar quando me telefonou na véspera do Natal pela manhã.

"Estou aqui trabalhando uma imagem e acho que você pode estar interessada nela. É o caso da Jennifer Deighton."

"Já estou indo."

Descendo o corredor, quase esbarrei em Ben Stevens, que saía do banheiro masculino.

"Tenho uma reunião com o Vander. Não vai demorar muito e meu relatório está quase pronto", disse eu.

"Eu ia justamente falar com você."

Sem muita vontade, parei para saber o que ele queria. Perguntei-me se ele reparava que era difícil para mim comportar-me serenamente perto dele. Do meu terminal de casa, Lucy continuava varrendo nosso computador para ver se alguém estava tentando entrar novamente em meu diretório. Até aquele momento, ninguém tentara.

"Falei com Susan esta manhã", disse Stevens.

"Como é que ela vai?"

"Dra. Scarpetta, ela não vai voltar a trabalhar."

Não fiquei espantada, mas estranhei que ela não me informasse pessoalmente. Naquela altura eu já tentara falar com ela pelo menos meia dúzia de vezes e ou ninguém atendia ou seu marido dava uma desculpa para ela não vir ao telefone.

"Só isso? Não vem mais e acabou-se? Deu alguma razão?"

"Parece que a gravidez está sendo mais complicada do que ela esperava. Acho que neste momento ela está sem condições de trabalhar."

"Ela vai ter de mandar uma carta de demissão. E você fica encarregado de acertar os detalhes com o departamento de pessoal. Vamos ter de começar a procurar um substituto imediatamente", disse eu, sem conseguir esconder a raiva.

"As contratações estão suspensas", ele me lembrou enquanto eu me retirava.

Fora, a neve recolhida nas sarjetas se congelara formando montes de gelo sujo que impediam que os carros estacionassem ou transitassem, e o sol ardia pálido através de nuvens formidáveis. Um bonde passou transportando uma bandinha de música e, ao som de "Noite feliz", subi alguns degraus de granito cobertos de sal grosso. Um guarda de necrotério me abriu a porta do edifício Seaboard, em cujo andar superior encontrei Vander numa sala iluminada por monitores coloridos e luzes ultravioleta. Sentado diante do ampliador de imagens, ele observava intensamente alguma coisa na tela enquanto manipulava um mouse.

"Não estava em branco", proclamou sem mesmo dizer "como vai". "Alguém escreveu alguma coisa num pedaço de papel que estava em cima desse, ou pouco acima. Se você olhar bem, vai ver as marcas."

Eu estava começando a entender. No centro da mesa de luz à direita de Vander, havia uma folha de papel em branco. Curvei-me para examiná-la. As marcas eram tão fracas que achei que talvez fossem imaginação minha.

"Esta é a folha de papel que estava embaixo do cristal da cama de Jennifer Deighton?", perguntei, animando-me.

Ele fez que sim com a cabeça, movendo um pouco mais o mouse e ajustando os tons de cinza.

"Isso é ao vivo?"

"Não. A câmera de vídeo já captou as marcas, que estão gravadas no disco rígido. Mas não toque no papel. Ainda não o submeti ao processo de busca de impressões digitais. Estou só começando, bata na madeira. Vamos, vamos!" Agora ele falava com o ampliador. "A câmera pegou muito bem. Você tem de ajudar a gente."

Os métodos de melhoramento de imagens mediante computador são uma aula sobre contrastes e charadas. Uma câmera pode distinguir mais de duzentos tons de cinza, e o olho humano menos de quarenta. Só porque algo não aparece não quer dizer que não exista.

Enquanto trabalhava, Vander prosseguia. "Graças a Deus, com papel a gente não tem de se preocupar com outras interferências. Quando a gente não tem de se preocupar com elas as coisas vão mais depressa. Outro dia tive uma amostrinha disso analisando uma impressão digital marcada com sangue num lençol. Você sabe, a trama do tecido. Algum tempo atrás a impressão digital não ia servir para nada. Pronto." Um novo tom de cinza invadiu a área em que ele estava trabalhando. "Agora estamos chegando a alguma coisa. Está vendo?" Apontou para umas formas vagas e esmaecidas na parte superior da tela.

"Um pouquinho."

"O que estou tentando melhorar aqui é a sombra, não um escrito apagado, porque aqui nada foi escrito nem apagado. A sombra foi produzida quando a luz oblíqua bateu na superfície plana do papel e nas marcas que ele apresenta — pelo menos a câmera de vídeo percebeu a sombra bem claramente. Nós não podemos ver a olho nu. Vamos tentar melhorar as verticais." Moveu o mouse. "Escurecer só um tiquinho as horizontais. Pronto. Está aparecendo. 2-0-2, tracinho. É um pedaço de número de telefone."

Puxei uma cadeira para perto dele e me sentei. "É o código de acesso do distrito de Colúmbia."

"Tem um 4 e um 3. Ou é um 8?"

Apertei os olhos. "Acho que é um 3."

"Melhorou agora. Você tem razão. É um 3 sim."

Continuou a trabalhar por algum tempo e novos números e palavras tornaram-se visíveis na tela. Depois suspirou e disse:

"Puxa. Não consigo ver o último algarismo. Simplesmente não está lá, mas olhe isso aqui, antes do código de acesso do distrito de Colúmbia. 'Para' seguido de dois-pontos. E embaixo tem 'de' seguido de outros dois-pontos e outro número. 8-0-4. É local. Esse número está muito apagado. Um 5 e talvez um 7. Ou é um 9?"

"Acho que é o número de Jennifer Deighton. O fax e o telefone estão na mesma linha — ela tinha um aparelho de fax no escritório, que usava papel comum. Com certeza escreveu um fax em cima dessa folha de papel. O que foi? Uma outra folha? Aqui não tem mensagem nenhuma."

"Ainda não acabamos. Está aparecendo um negócio que parece a data. É um 11? Não, aqui é 7. Dezessete de dezembro. Vou descer um pouco."

Moveu o mouse e as setas deslizaram tela abaixo. Apertando uma tecla, ele ampliou o campo onde queria trabalhar e começou a cobri-lo com tons de cinza. Sentada imóvel, eu via as formas que começavam lentamente a materializar-se num limbo literário, curvas aqui, pontos ali, e letras *t* atrevidamente cortadas. Vander trabalhava em silêncio. Mal piscávamos, mal respirávamos. Assim ficamos por uma hora, as palavras pouco a pouco ficando mais nítidas e os tons de cinza contrastando uns com os outros, molécula por molécula, pedacinho por pedacinho. Ele os invocava, chamava-os à existência. Era incrível. Estava tudo ali.

Exatamente uma semana antes, apenas dois dias antes de seu assassinato, Jennifer Deighton transmitira o seguinte fax para um número de Washington, no distrito de Colúmbia: "Está bem, vou cooperar, mas agora é tarde demais, tarde demais, tarde demais. É melhor você vir até aqui. Tudo isso está muito errado!".

139

Quando finalmente tirei os olhos da tela e Vander apertou o botão que acionava a impressora, eu estava eufórica. O aumento da adrenalina me turvava temporariamente a visão. "Marino precisava ver isso imediatamente. Com certeza a gente consegue descobrir de quem é esse número de fax, esse número em Washington. Só falta o último algarismo. Quantos números de fax podem existir em Washington que sejam exatamente como esse, tirando o último algarismo?"

Vander levantou a voz acima do barulho da impressora. "Do dígito 0 ao 9. No máximo dez. Dez números, de fax ou não, exatamente como esse, com exceção do último algarismo."

Ele me entregou uma folha impressa. "Vou limpar um pouco mais e depois dou a você uma cópia melhor. E ainda tem outra coisa. Não estou conseguindo pôr as mãos na impressão digital do Ronnie Waddell, a fotografia da impressão digital de um polegar marcada a sangue que foi colhida na casa de Robyn Naismith. Sempre que telefono para o arquivo, me dizem que ainda estão procurando o prontuário."

"Nesta época do ano aposto que não tem quase ninguém lá", disse eu, sem conseguir afastar um mau pressentimento.

De volta a minha sala chamei Marino e expliquei o que o ampliador de imagens havia descoberto.

"Porra, a companhia telefônica você pode esquecer", ele disse. "Meu contato lá já saiu para as férias de fim de ano e ninguém mais vai fazer merda nenhuma na véspera de Natal."

"Talvez possamos descobrir sozinhos para quem ela mandou o fax."

"Não sei, só se mandarmos um fax perguntando: 'Quem é você?', e esperarmos um fax dizendo: 'Oi. Sou o assassino de Jennifer Deighton'."

"Isso depende de a pessoa ter gravado uma identificação em seu aparelho de fax", disse eu.

"Uma *identificação*?"

"Os aparelhos mais aperfeiçoados de fax permitem que você grave seu nome ou o de sua empresa. Essa rubrica vai impressa em tudo o que você transmitir. Mas o mais importante é que a identificação da pessoa que receber o fax também vai aparecer no mostrador da máquina que enviou. Em outras palavras, se eu mandar um fax para você, no mostrador do meu aparelho vai aparecer "Departamento de Polícia de Richmond" logo embaixo do número que eu tiver discado."

"Você tem um bom aparelho de fax? O da delegacia é uma droga."

"Tenho um aqui no trabalho."

"Está bem, então me diga se encontrar algo. Preciso ir."

Rapidamente fiz uma lista de dez números de telefone que começavam pelos seis algarismos que eu e Vander tínhamos conseguido identificar na folha de papel achada na cama de Jennifer Deighton. Completei os números sucessivamente com 0, 1, 2, 3 e assim por diante, depois comecei a experimentá-los. Só em um deles a resposta foi um som inumano e agudo.

O aparelho de fax estava instalado na sala de minha analista de programas e Margaret felizmente também havia antecipado os feriados. Fechei a porta e sentei-me à mesa dela, pensando enquanto o microcomputador zumbia e as luzes do modem piscavam. A identificação se dava em ambos os sentidos. Se eu desse início a uma transmissão, o nome de minha repartição apareceria no mostrador do aparelho de fax que eu houvesse chamado. Eu teria de interromper o processo rapidamente, antes que a transmissão fosse completada. Eu esperava que quando alguém fosse verificar o aparelho para ver o que estava acontecendo, as palavras "ESCRITÓRIO DO MÉDICO-LEGISTA CHEFE" e nosso número já tivessem desaparecido do mostrador.

Introduzi uma folha de papel em branco na bandeja, disquei o número em Washington e esperei enquanto a transmissão tinha início. Nada apareceu no mostrador. Raios. O aparelho de fax para onde eu telefonara não tinha identificação. Paciência. Interrompi o processo e, derrotada, voltei para minha sala.

141

Assim que me sentei à mesa, o telefone tocou.

"Dra. Scarpetta", respondi.

"Aqui fala Nicholas Grueman. O fax que a senhora quis mandar não chegou."

"Perdão?", disse eu, atordoada.

"Só recebi uma folha em branco com o nome de sua repartição. Aí, código de erro 001, 'remeta novamente por favor', diz lá."

"Sei", eu disse enquanto os pelinhos de meus braços se arrepiavam.

"A senhora estava querendo mandar uma emenda para seu relatório? Sei que a senhora deu uma olhada na cadeira elétrica."

Não respondi.

"Fico-lhe muito grato, doutora. Talvez a senhora tenha descoberto alguma novidade sobre aquelas lesões que discutimos, as escoriações nas faces internas dos braços do sr. Waddell? As *fossas antecubitais?*"

"Dê-me outra vez seu número de fax, por favor", disse eu sem alterar a voz.

Ele deu. Era o número que eu tinha na lista.

"O aparelho de fax fica na sua sala ou o senhor o divide com outros advogados, dr. Grueman?"

"Fica aqui ao lado de minha mesa. Não precisa nenhuma especificação. Basta mandar — e, por favor, *rápido*, doutora. Estava pensando em ir cedo para casa."

Tangida pela frustração, saí da repartição pouco depois. Não consegui falar com Marino. Eu não podia fazer mais nada. Senti-me presa numa rede de conexões estranhas, sem pistas sobre o ponto comum entre elas.

Sem saber por quê, entrei num terreno de Cary Oeste onde um velho vendia enfeites e árvores de Natal. Sentado num tamborete no meio de sua pequena floresta, o ar frio perfumado pelas sempre-vivas, ele parecia um lenhador de alguma fábula. Quem sabe minha indiferença pelo espírito do Natal estivesse finalmente por ser vencida. Ou talvez eu quisesse simplesmente achar uma distração. Tão perto do Natal, já não havia muita escolha; suspeitei que, fora a que levei, aquelas árvores desdenhadas, tortas ou moribundas, teriam o destino de sobra das festas. Seria encantador, se não fosse perverso. Decorar minha árvore foi antes um desafio ortopédico que um ritual festivo, mas com os enfeites e guirlandas de lâmpadas estrategicamente pendurados e com arame fixando os pontos problemáticos, ela se ergueu orgulhosamente em minha sala de visitas.

"Pronto. O que você acha?", perguntei a Lucy, recuando para apreciar meu trabalho.

"Acho esquisitíssimo você de repente decidir comprar uma árvore de Natal. Há quanto tempo você não compra uma árvore?"

"Acho que desde o tempo em que era casada."

"Os enfeites são daquele tempo?"

"Naquele tempo eu fazia uma porção de coisas para o Natal."

"Por isso não faz mais."

"Agora estou muito mais ocupada do que naquele tempo."

Lucy abriu o pára-fogo da lareira e, com o atiçador, ajeitou as achas de lenha. "Você e o Mark alguma vez passaram o Natal juntos?"

"Não se lembra? Fomos ver vocês no Natal passado."

"Não. *Depois* do Natal vocês passaram três dias e foram embora no dia de Ano-Novo."

"No Natal ele estava com a família."

"Você não foi convidada?"

"Não."

"Por que não?"

"O Mark era de uma família tradicional de Boston. Tinham lá o jeito deles de fazer as coisas. E sobre esta noite, o que você decidiu? Minha jaqueta com a gola de veludo preto ficou bem?"

143

"Não experimentei nada. Por que a gente tem de ir a esses lugares todos? Não vou conhecer ninguém."

"Não é tão ruim assim. Só tenho de levar um presente para uma moça que está grávida e que com certeza não vai mais trabalhar. E tenho de dar uma passada numa festa aqui perto. Aceitei o convite antes de saber que você vinha. Claro que você não é obrigada a ir comigo."

"Prefiro ficar aqui. Queria começar logo com o SIDA."

"Paciência", respondi, embora não me sentisse nada paciente.

No fim da tarde depois de ter deixado várias mensagens com o operador, e concluí que ou o bip de Marino não estava funcionando ou ele estava ocupado demais para procurar um telefone público. Nas janelas de meus vizinhos velas ardiam e uma lua ovalada brilhava bem acima das árvores. Toquei aquela música de Natal de Pavarotti com a Filarmônica de Nova York, fazendo o possível para entrar no estado de espírito adequado enquanto tomava um banho de chuveiro e me vestia. A festa a que eu ia só começava às sete. Isso me dava tempo bastante para entregar o presente de Susan e conversar um pouco com ela.

Ela atendeu ao telefone, o que me surpreendeu, e pareceu relutante e nervosa quando perguntei se podia passar em sua casa.

"Jason saiu. Foi ao shopping center", ela disse, como se fizesse alguma diferença.

"Bom, tenho umas coisas para você", expliquei.

"Que coisas?"

"Coisas de Natal. Tenho de ir a uma festa, de modo que não vou ficar muito tempo. Está bem?"

"Acho que sim. Quer dizer, está ótimo."

Eu tinha esquecido que ela morava em Southside, aonde eu raramente ia e aonde tinha uma propensão a me perder. O tráfego estava pior do que eu temera, com a Midlothian Turnpike engarrafada, cheia de compradores de última hora dispostos a tirar você do caminho a fim de cumprir seu roteiro de boas-festas. Os estacionamentos transbordavam de automóveis e as lojas e galerias estavam tão berrantemente iluminadas que cegavam a gente. O bairro de Susan era mal iluminado e duas vezes tive de parar e acender a luz interna para ler suas instruções sobre como chegar até sua casa. Depois de muitas voltas finalmente encontrei uma casinha rústica apertada entre duas outras que pareciam exatamente iguais a ela.

"Oi", disse eu, olhando para ela através das folhas das asas-de-papagaio cor-de-rosa que lhe levava.

Nervosamente, ela trancou a porta e me conduziu para a sala de visitas. Empurrando para os lados livros e revistas, ela pôs o vaso na mesinha.

"Como você está se sentindo?", perguntei.

"Melhor. Você quer beber alguma coisa? Espere, deixe eu pegar seu casaco."

"Obrigada. Não quero beber nada não. Só posso ficar um minuto." Entreguei-lhe um embrulho. "Isso é uma coisinha que eu comprei quando estive em São Francisco, no verão." Sentei-me no sofá.

Ela evitou meus olhos enquanto se enroscava numa bergère.

"Puxa. Você faz as compras com bastante antecedência. Quer que eu abra agora?"

"Como quiser."

Cuidadosamente, ela partiu a fita adesiva com a unha do polegar e retirou, intata, a fita de cetim. Dobrou o papel num retângulo caprichado, como se pretendesse tornar a usá-lo, colocou-o no colo e abriu a caixa preta.

"Oh", disse, contendo a respiração e desdobrando o lenço vermelho de seda.

"Achei que ia bem com seu casaco preto. Não sei quanto a você, mas não gosto de sentir a lã na pele", falei.

"É lindo. É muita bondade sua, dra. Scarpetta. Nunca ninguém trouxe nada para mim de São Francisco."

A expressão de seu rosto apertou meu coração e de repente enxerguei melhor o ambiente em que me achava. Susan estava com um roupão de belbutina amarela puído nos punhos e um par de meias pretas que achei que eram do marido. A mobília barata era velha e as forrações estavam gastas. A árvore de Natal artificial ao lado da pequena televisão tinha poucos enfeites e perdera vários galhos. Embaixo dela, poucos presentes. Encostado numa parede havia um berço dobrado, evidentemente de segunda mão.

Susan percebeu meu olhar e pareceu pouco à vontade.

"Tudo tão limpo", disse eu.

"Você sabe como eu sou. Obsessiva e compulsiva."

"Ainda bem. Se há um necrotério magnífico, é o nosso."

Ela dobrou o lenço com cuidado e tornou a pô-lo na caixa. Apertando o roupão, fitou as flores em silêncio.

"Susan, você quer conversar sobre o que está acontecendo?", disse-lhe com delicadeza.

Ela não olhou para mim.

"Não é seu estilo ficar perturbada como você ficou no outro dia. Não é seu estilo faltar ao trabalho e depois não trabalhar mais e nem sequer me telefonar."

Ela respirou fundo. "Sinto muito. Não estou conseguindo fazer as coisas direito ultimamente. Fico alterada. Como quando me lembrei da Judy."

"Sei que a morte de sua irmã deve ter sido terrível para você."

"Éramos gêmeas. Não idênticas. Judy era muito mais bonita que eu. Isso era parte do problema. Doreen tinha ciúme dela."

"Doreen era a moça que dizia que era bruxa?"

"É. Desculpe. Eu só não quero me envolver com esse tipo de coisa. Principalmente agora."

"Talvez você se sinta melhor se eu lhe disser que telefonei para a igreja perto da casa de Jennifer Deighton e me disseram que o campanário é iluminado por lâmpadas de vapor de sódio que começaram a falhar uns meses atrás. Parece que ninguém reparou que as lâmpadas não tinham sido consertadas. Deve ser por isso que elas acendem e apagam."

"Quando eu era pequena, na igreja que eu freqüentava havia uns pentecostalistas que acreditavam falar línguas estranhas e exorcizar demônios. Lembro-me de um homem que foi jantar em nossa casa e falou que tinha encontrado demônios e que de noite ficava deitado na cama ouvindo uma coisa respirando no escuro e que os livros voavam da estante e ficavam batendo nas paredes do quarto. Eu ficava apavorada com esse tipo de coisa. Não consegui nem ver *O exorcista*."

"Susan, no trabalho temos que ser objetivas e realistas. Não podemos deixar nossas histórias, crenças e fobias interferirem."

"Você não é filha de pastor."

"Sou católica."

"Você não imagina o que é ser filha de pastor fundamentalista", disse ela, retendo as lágrimas.

Não discuti.

Prosseguiu com dificuldade. "Quando eu acho que me livrei das coisas antigas elas me agarram pelo pescoço. Parece que há uma outra pessoa dentro de mim me perturbando."

"Perturbando como?"

"Estragando muita coisa."

Esperei que ela me explicasse, mas ela ficou calada. Fitava as mãos com olhos desamparados e então murmurou: "É pressão demais".

"O que é pressão demais, Susan?"

"O trabalho."

"Em que ele está diferente do que sempre foi?" Eu achava que ela ia dizer que esperar um filho mudava tudo.

"Jason acha que não é saudável para mim. Sempre achou isso."

"Sei."

"Chego em casa, digo a ele como foi meu dia e ele não gosta nada. Diz: 'Você não vê que esse negócio é horrível? Não pode ser bom para você de jeito nenhum'. Ele tem razão. Nem sempre consigo esquecer, atualmente. Estou farta

147

de ver corpos apodrecendo, gente estuprada, cortada e baleada. Estou farta de ver bebês mortos e gente morta em acidentes de carro. Não quero mais violência." Olhou para mim, com o lábio inferior tremendo. "Não quero mais mortes."

Pensei na dificuldade de substituí-la. Com uma pessoa nova os dias seriam demorados, e o aprendizado seria longo. Pior ainda eram os riscos ao entrevistar candidatos e eliminar os maníacos. Nem todos os candidatos a trabalhar num necrotério são modelos de equilíbrio. Eu gostava de Susan. Estava magoada e profundamente perturbada. Ela não estava sendo sincera comigo.

"Há mais alguma coisa sobre a qual você gostaria de me falar?", perguntei, fitando-a atentamente.

Ela me olhou depressa, e em seu olhar havia medo. "Não me lembro de nada."

Ouvi bater a porta de um automóvel.

"Jason chegou", murmurou ela.

Nossa conversa tinha terminado e, ao levantar-me, eu lhe disse suavemente: "Por favor, Susan, se precisar de alguma coisa entre em contato comigo. Algo com que eu possa ajudar, ou só para conversar. Você sabe onde me achar".

Na saída, conversei brevemente com o marido. Era alto e bonito, tinha cabelo castanho crespo e olhos distantes. Embora tenha sido cortês, percebi que não gostara de encontrar-me em sua casa. Ao cruzar o rio em meu carro, eu pensava, abalada, na imagem que aquele casal jovem e lutador devia ter de mim. Eu era a *chefe* com roupa de griffe que chegava numa Mercedes para entregar um presentinho qualquer na véspera de Natal. A perda da lealdade de Susan atingia minhas inseguranças mais profundas. Eu já não estava segura quanto a meus relacionamentos, e tampouco quanto à forma como era vista pelos outros. Temia ter falhado em algum teste depois do assassinato de Mark, como se minha reação àquela perda pudesse responder a uma questão formulada pelos que me cercavam. Afinal, eu supostamente lidava com a morte melhor do que ninguém. Dra. Kay Scarpetta, a perita. Em vez disso, havia me recolhido e sabia que, a despeito de meus esforços para ser cordial e generosa, os outros sentiram a frieza de que me cercara. Meus funcionários já não confiavam em mim. E agora pelo jeito a segurança de minha sala fora violada e Susan deixava o trabalho.

Segui pela rua Cary, dobrei à direita em meu bairro e rumei para a casa de Bruce Carter, um juiz de direito. Ele morava em Sulgrave, a várias quadras de minha casa, e subitamente voltei aos meus tempos de criança em Miami, contemplando o que então me pareciam mansões. Lembrei-me de como batia de porta em porta com um carrinho cheio de frutas cítricas, sabendo que as mãos elegantes que me davam uns trocados pertenciam a pessoas inatingíveis, que sentiam pena de mim. Lembrei-me de como voltava para casa com um punhado de moedas e do cheiro de doença que vinha do quarto onde meu pai agonizava.

Windsor Farms era um bairro rico e tranqüilo, com casas em estilo Tudor ou georgiano harmonicamente enfileiradas ao longo de ruas com nomes ingleses e solares arborizados em torno dos quais serpenteavam muros de tijolos. Guardas particulares protegiam zelosamente os privilegiados, para quem os alarmes contra roubo eram tão comuns quanto os irrigadores. Os pactos tácitos eram mais temíveis que os expressos. Não se ofendia os vizinhos com cordas de secar roupa ou visitas inesperadas. Não era preciso andar num Jaguar, mas se seu meio de transporte fosse uma caminhonete enferrujada ou um furgão de necrotério você devia mantê-lo escondido oculto na garagem.

Às sete e quinze estacionei atrás de uma fileira comprida de automóveis, diante de uma casa de tijolos pintados de branco com telhado de ardósia. Como estrelinhas, luzes brancas prendiam-se aos arbustos e aos abetos, e uma guirlanda fresca e perfumada pendia da porta principal, pintada de vermelho. Nancy Carter saudou minha chegada com um sorriso esplêndido, os braços estendidos para tomar-me o casaco. Falava sem parar, num plano

149

acima da linguagem indecifrável das multidões enquanto os vidrilhos de seu vestido comprido encarnado despediam chispas. A mulher do juiz tinha cerca de cinqüenta anos e o dinheiro a transformara em obra de arte bem-educada e refinada. Na juventude, imaginei, não fora bonita.

"Bruce está por aí..." Olhou em torno. "O bar é ali."

Ela me conduziu até a sala de visitas, onde os vistosos trajes de festa dos convidados mesclavam-se maravilhosamente a um grande e esplendoroso tapete persa que, suspeitei, custara mais do que a casa que eu visitara havia pouco, do outro lado do rio. Vislumbrei o juiz conversando com um homem que eu não conhecia. Escrutei os rostos, reconhecendo vários médicos e advogados, um lobista e o chefe de gabinete do governador. Não sei como, acabei com um uísque com soda, e um homem que eu nunca vira antes tocava meu braço.

"Dra. Scarpetta? Frank Donahue", apresentou-se em voz alta. "Feliz Natal."

"Para o senhor também."

O diretor, supostamente enfermo no dia em que eu e Marino visitáramos a penitenciária, era pequeno e tinha uma fisionomia rude e abundante cabelo grisalho. Como uma paródia de mestre-de-cerimônias inglês, exibia casaca vermelha brilhante, camisa branca com *jabot* e gravata-borboleta também vermelha onde piscavam luzinhas elétricas. Enquanto me estendia uma das mãos, um copo de bourbon puro pendia perigosamente da outra.

Inclinando-se, disse em meu ouvido: "Sinto muito não ter podido recebê-la quando de sua visita à penitenciária".

"Um de seus policiais cuidou de nós. Muito obrigada."

"Deve ter sido o Roberts."

"Acho que foi."

"Bom, é uma pena a senhora ter tido essa maçada." Seus olhos vasculharam a sala e ele piscou para alguém atrás de mim. "Foi tudo sacanagem. A senhora sabe, o Waddell já havia tido umas duas hemorragias nasais e sofria de pressão alta. Estava sempre se queixando de alguma coisa. Dor de cabeça. Insônia."

Aproximei a cabeça, fazendo força para ouvir.

"Esses caras do corredor da morte são artistas consumados. E, para falar a verdade, Waddell era um dos piores."

"Não sabia", disse, levantando os olhos até ele.

"Esse é o problema, ninguém sabe. Digam o que digam, ninguém sabe, só a gente, que está com os caras todos os dias."

"Claro."

"A tal recuperação do Waddell, virando bonzinho. Um dia vou lhe contar, dra. Scarpetta, o jeito como ele costumava se gabar para os outros presos sobre o que fez com a coitada da garota, a tal Naismith. Se achava o máximo porque tinha despachado uma celebridade."

A sala estava abafada e quente demais. Eu sentia os olhos dele percorrendo meu corpo.

"Acho que a senhora também não fica muito surpresa", disse ele.

"Não fico não, sr. Donahue. Poucas coisas me surpreendem."

"Para ser franco, não sei como a senhora vê sua atividade no dia-a-dia. Principalmente nesta época do ano, com esse pessoal matando os outros e a si mesmos, como aquela senhora, coitada, que se matou na garagem outro dia, depois de abrir mais cedo os presentes de Natal."

Sua observação me atingiu como uma cotovelada nas costelas. O jornal da manhã publicara uma reportagem curta sobre a morte de Jennifer Deighton, onde uma fonte policial era mencionada como tendo dito que parecia que ela abrira antecipadamente os presentes de Natal. O que poderia significar que ela cometera suicídio, mas isso não havia sido dito diretamente.

"O senhor está falando de que senhora?", perguntei.

"Não me lembro do nome."

Com o rosto corado e os olhos brilhantes em constante movimento, Donahue tomou um gole de sua bebida.

"Triste, muito triste. Bom, a senhora vai ter de nos visitar um dia desses na nossa casa nova, em Greensville." Abriu um sorriso, depois me trocou por uma matrona de busto grande, vestida de preto. Beijou-a na boca e os dois caíram na gargalhada.

Assim que pude fui para casa, onde encontrei o fogo aceso e minha sobrinha estendida no sofá, lendo. Reparei que havia diversos presentes novos ao pé da árvore.

"Como foi?", perguntou ela com um bocejo.

"Você fez bem em ficar em casa. Marino telefonou?"

"Não."

Tentei de novo falar com ele e depois de quatro chamadas ele atendeu, irritado.

"Espero não estar ligando muito tarde", desculpei-me.

"Também espero. Qual o problema agora?"

"Muita coisa. Encontrei seu amigo, o sr. Donahue, numa festa hoje."

"Emocionante."

"Não fiquei impressionada e pode ser que eu seja só paranóica, mas achei estranho ele ter vindo com o negócio da morte de Jennifer Deighton."

Silêncio.

"A outra novidade", continuei, "é que parece que menos de dois dias antes de ser assassinada Jennifer Deighton mandou um bilhete via fax para Nicholas Grueman. No tal bilhete parecia transtornada, e fiquei com a impressão de que ela queria encontrar-se com ele. Ela sugeriu que ele viesse a Richmond."

Marino continuava sem dizer nada.

"Você está me ouvindo?", perguntei.

"Estou pensando."

"Ainda bem. Mas talvez seja melhor a gente pensar junto. Tem certeza de que não posso fazê-lo mudar de opinião sobre o jantar amanhã?"

Ele suspirou fundo. "Gostaria, doutora. Mas..."

Uma voz de mulher, ao fundo, disse: "Está em que gaveta?".

Ficou evidente que Marino havia tapado o fone com a mão e resmungado algo. Quando voltou a falar comigo, pigarreou.

"Desculpe. Não sabia que você estava acompanhado", eu disse.

"É." Calou-se.

"Eu ficaria encantada se você e sua amiga viessem jantar aqui amanhã", convidei.

"Tem um bufê no Sheraton. A gente ia lá."

"Tem um presente para você na árvore. Se mudar de idéia, telefone de manhã."

"Acho que não vou mudar. Você afinal entregou os pontos e comprou uma árvore? Aposto que é uma merdinha."

"Nada disso, é a inveja da vizinhança. Dê um 'Feliz-Natal' a sua amiga por mim."

7

Na manhã seguinte acordei com o som dos sinos da igreja e as cortinas cintilantes de sol. Embora tivesse bebido muito pouco na noite anterior, estava de ressaca. Deixando-me ficar na cama, tornei a dormir e em sonhos vi Mark.

Quando finalmente me levantei, a cozinha recendia a baunilha e laranja. Lucy estava moendo café.

"Você está me estragando. Como vou fazer depois? Feliz Natal." Beijei o alto de sua cabeça, reparando num pacote pouco comum de cereal em cima do balcão. "O que é isso?"

"Müsli de Cheshire. Uma maravilha. Trouxe meu suprimento. É melhor com iogurte natural, mas você não tem. Então vamos ter de nos virar com leite desnatado e banana. Tem ainda suco de laranja fresco e café francês descafeinado aromatizado com baunilha. Acho que devíamos telefonar para mamãe e vovó."

Enquanto, na cozinha, eu discava o número de minha mãe, Lucy foi para o escritório a fim de usar a extensão. Minha irmã já estava na casa de minha mãe e pouco depois estávamos as quatro na linha, minha mãe queixando-se longamente do clima. Disse que estava caindo uma tempestade feroz em Miami. Tarde da noite na véspera de Natal começara a chover torrencialmente e a ventar como se fosse um castigo, e uma saraivada de relâmpagos festejara a manhã.

"Não convém falar ao telefone com uma tempestade dessas. Mais tarde a gente se fala", disse eu.

"Você é tão paranóica, Kay. Tudo o que você vê pode matar alguém", implicou Dorothy.

"Lucy, o que você ganhou?", interrompeu minha mãe.

"Ainda não abrimos os presentes, vovó."

"Nossa! Esse caiu aqui perto. As luzes até piscaram", exclamou Dorothy por cima dos estalidos da estática.

"Mamãe, espero que você não esteja com nenhum arquivo aberto no computador. Porque, se está, com certeza acaba de perder todo o seu trabalho", disse Lucy.

"Dorothy, você se lembrou de trazer manteiga?", perguntou minha mãe.

"Porra. Eu sabia que tinha uma coisa faltando..."

"Acho que falei umas três vezes ontem de noite."

"Mamãe, já falei que não me lembro das coisas que você me diz quando estou escrevendo."

"Tem cabimento? Véspera de Natal. Você vai à missa comigo? Não. Fica em casa trabalhando no tal livro e esquece de trazer a manteiga."

"Eu saio e compro."

"E você acha que tem alguma coisa aberta na manhã de Natal?"

"Alguma coisa há de ter."

Ergui os olhos quando Lucy entrou na cozinha.

"Não acredito", sussurrou para mim enquanto minha mãe e minha irmã continuavam a discutir.

Depois de desligar, passei com Lucy para a sala de visitas, onde voltamos a uma sossegada manhã de inverno da Virgínia, com árvores peladas imóveis e extensões de neve imaculada à sombra. Não pensava poder um dia voltar a viver em Miami. A mudança das estações era como as fases da lua, uma força que me puxava e deslocava meu ponto de vista. Eu tinha necessidade de lua cheia, lua nova e nuances intermediárias e, para apreciar as manhãs de primavera, precisava de dias curtos e frios.

O presente que Lucy ganhara da avó era um cheque de cinqüenta dólares. Dorothy também dera dinheiro, e fiquei meio envergonhada quando Lucy abriu meu envelope e juntou meu cheque aos outros.

"Dinheiro é tão impessoal", desculpei-me.

"Para mim não é impessoal, porque é o que eu quero. Com isto você comprou outro megabyte de memória para meu computador."

Entregou-me um presente pequeno e pesado, envolto em papel vermelho e prateado, e não pôde esconder a alegria quando abri a caixa e afastei as folhas de papel de seda.

"Achei que você podia usar para anotar as audiências. Combina com sua jaqueta de motociclista."

"É uma beleza, Lucy."

Toquei a encadernação da agenda, de couro negro de carneiro, e alisei suas páginas sedosas. Pensei no domingo em que ela fora à cidade e em como havia demorado quando eu deixara que usasse meu automóvel para ir ao clube. Aposto que a danada tinha ido fazer compras.

"E este outro presente aqui são mais folhas para a parte de endereços e o calendário para o ano que vem." Depositou um presente menor em meu colo e o telefone tocou.

Marino me desejou feliz Natal e disse que queria passar para levar meu "presente".

"Diga à Lucy que é melhor ela vestir uma roupa quente e não usar nada apertado", disse com irritação.

"Que negócio é esse?", espantei-me.

"Nada de jeans apertados, senão ela não consegue botar e tirar os cartuchos do bolso. Você disse que ela queria aprender a atirar. A primeira aula é hoje antes do almoço. Se perder a hora é problema dela. A que horas a gente vai comer?"

"Entre uma e meia e duas horas. Pensei que você tinha um compromisso."

"É, bom, eu desmarquei. Estou aí em vinte minutos. Diga à pirralha que fora está frio paca. Você quer ir com a gente?"

"Desta vez não. Vou ficar para fazer a comida."

O humor de Marino não havia melhorado quando ele chegou à minha porta e fez um carnaval examinando meu revólver extra, um Ruger 38 com borracha na coronha. Apertou o fecho, soltou o cilindro e girou-o vagarosamente, espiando para dentro de cada orifício. Puxou o cão para trás, olhou pelo cano abaixo e por fim testou o gatilho. Enquanto Lucy o observava num silêncio curioso, ele pontificava sobre o acúmulo de resíduos deixado pelo solvente que eu usava e informava-me que meu Ruger provavelmente tinha "sulcos" que precisavam de remendos. Depois levou Lucy em seu Ford.

Quando voltaram, muitas horas mais tarde, estavam com os rostos rosados de frio e Lucy exibia orgulhosamente uma bolha de sangue no dedo do gatilho.

"Como ela se saiu?", perguntei, enxugando as mãos no avental.

"Nada mal. Sinto cheiro de frango frito", disse Marino, olhando para além de mim.

Peguei os casacos deles. "Não é não. É cheiro de *costoletta di tacchino alla bolognese.*"

"Fui melhor que 'nada mal'. Só não acertei o alvo duas vezes", disse Lucy.

"Você precisa treinar até parar de bater com o gatilho. E lembre de puxar o cão."

"Estou mais cheia de fuligem que Papai Noel depois de descer pela chaminé. Vou tomar uma ducha", disse Lucy alegremente.

Na cozinha servi um café enquanto Marino inspecionava um balcão coberto de vinho Marsala, parmesão recémralado, presunto cru, trufas brancas, filés de peru *sautés* e vários outros ingredientes de nossa refeição. Passamos para a sala de visitas, onde o fogo crepitava.

"Foi muito simpático o que você fez. Não imagina como eu gostei", falei.

"Uma aula não chega. Talvez eu ainda possa trabalhar com ela umas duas vezes antes de ela voltar para a Flórida."

"Obrigada, Marino. Espero que não tenha sido muito chato para você mudar seus planos."

"Nada de mais", disse ele secamente.

"Pelo jeito você desistiu do jantar no Sheraton. Sua amiga podia ter vindo com você", arrisquei.

"Mudei os meus planos."

"Como é o nome dela?"

"Tanda."

"Nome interessante."

Marino estava ficando vermelho.

"Como é a Tanda ?", indaguei.

"Se você quer saber a verdade, não vale a pena falar nela."

Ele se levantou abruptamente e seguiu pelo corredor na direção do banheiro.

Eu sempre tivera o cuidado de não fazer perguntas a Marino sobre sua vida pessoal se ele não me convidasse a fazê-lo, mas daquela vez não pude resistir. Quando ele voltou, perguntei: "Como você e Tanda se conheceram?".

"No baile da polícia."

"Que bom você estar saindo e encontrando gente."

"Se quer saber, é um saco. Faz mais de trinta anos que não saio com ninguém. É como Rip van Winkle, que acordou num outro século. As mulheres agora são diferentes das de antigamente."

"Como assim?" Tentei não rir. Era claro que Marino não achava nada daquilo divertido.

"Já não são mais simples."

"Simples?"

"É, como a Doris. Nossa vida não era complicada. Agora, depois de trinta anos, ela tinha de se separar e começar de novo. Fui a essa porra desse baile da polícia porque uns caras me convenceram. Estou cuidando da minha vida quando essa Tanda vem até minha mesa. Você acredita que depois de duas cervejas ela pediu meu telefone?"

"E você deu?"

"Eu disse: 'Espere aí, se você quer que a gente se encontre, você me dá seu número. Eu telefono'. Aí ela perguntou se eu tinha fugido do jardim zoológico e me convidou para jogar boliche. Foi assim que começou. Agora, ela acabou me dizen-

158

do que tinha batido seu carro quando dava marcha à ré duas semanas atrás e que havia sido multada. Queria que eu desse um jeito.”

“Que pena.” Apanhei o presente dele e entreguei-o. “Não sei se isso vai ajudar em sua vida social.”

Ele desembrulhou um par de suspensórios vermelhos e uma gravata de seda combinando. “Puxa, doutora, não precisava.” Levantando-se, resmungou contrariado: “Raio de comprimido”, e foi de novo para o banheiro. Minutos depois, voltou para junto da lareira.

“Quando você fez seu último check-up?”, perguntei.

“Umas semanas atrás.”

“E aí?”

“O que você está pensando?”

“Você está com pressão alta, o que estou pensando é isso.”

“Sem essa.”

“O que exatamente o médico disse?”

“Está quinze por dez e o raio da próstata está dilatada. Então estou tomando esses comprimidos. Para baixo e para cima o tempo todo, tenho a sensação de que estou com vontade e a metade das vezes não consigo. Se não melhorar, ele disse que vai me fazer um *turp*.”

Um *turp* era um corte transuretral da próstata. Não era sério, embora não fosse agradável. A pressão sangüínea de Marino me preocupava. Ele era candidato natural a um derrame ou um ataque do coração.

Ele continuou: “Depois meus tornozelos incham. Meus pés doem e tenho essas dores de cabeça terríveis. Tenho de parar de fumar, parar de tomar café, perder dezoito quilos, diminuir as chateações”.

“É, você tem de fazer tudo isso e não me parece que esteja fazendo”, eu disse com firmeza.

“É simples mudar minha vida toda. E quem é você para falar?”

“Eu não tenho pressão alta e parei de fumar há exatamente dois meses e cinco dias. E se perdesse dezoito quilos não estaria aqui.”

Ele contemplou o fogo.

"Olhe, por que a gente não combina uma coisa? Vamos nós dois suspender o café e começar a fazer exercícios", disse eu.

"Não consigo imaginar você fazendo ginástica aeróbica", disse ele com enfado.

"Vou jogar tênis. Você é que pode fazer aeróbica."

"Mato o primeiro que começar a levantar as coxas perto de mim."

"Assim não é possível, Marino."

Ele mudou de assunto, começando a perder a paciência. "Você tem uma cópia do fax de que me falou?"

Fui ao escritório e voltei com minha pasta. Abri-a e entreguei a ele o print da mensagem que Vander decifrara com o amplificador de imagens.

"Isto estava no papel em branco que encontramos na cama de Jennifer Deighton, não é?", perguntou.

"É."

"Até agora ainda não entendi por que havia na cama uma folha de papel em branco com um cristal em cima. O que aquilo estava fazendo lá?"

"Não sei. E sobre as mensagens na secretária eletrônica dela? Alguma novidade?"

"Ainda estamos ouvindo. Tem gente à beça para depor." Tirou um maço de Marlboro do bolso da camisa, suspirou com força e bateu com o maço em cima da mesinha. "Porra. Agora você vai me encher toda vez que eu acender um cigarro, não é?"

"Não, estou só olhando, mas não vou dizer uma só palavra."

"Você se lembra daquela sua entrevista na televisão educativa uns meses atrás?"

"Vagamente."

"Jennifer Deighton gravou a entrevista. A fita estava no vídeo, aí começamos a passar e você estava lá."

"O quê?", indaguei assombrada.

"Claro, naquele programa não tinha só você. Também tinha alguma coisa sobre uma escavação arqueológica e sobre um filme de Hollywood que rodaram aqui perto."

"E por que ela me gravaria?"

"Isso é uma outra coisa que também não se encaixa. E tem os telefonemas feitos do telefone dela — quando desligavam. Parece que a Deighton estava pensando em você antes de darem um jeito nela."

"O que mais você descobriu sobre ela?"

"Preciso fumar. Você quer sair?"

"Claro que não."

"Está ficando cada vez mais estranho. Examinando o escritório dela encontramos uma sentença de divórcio. Parece que ela se casou em 1961, divorciou-se dois anos depois e voltou a usar o nome Deighton. Aí mudou-se da Flórida para Richmond. O nome do ex-marido era Willie Travers, um desses naturebas — sabe, desses que falam de saúde total. Porra, não me lembro do nome."

"Medicina holística?"

"Isso. Ele ainda mora na Flórida, na praia de Fort Myers. Falei com ele por telefone. Foi uma lenha arrancar informação dele, mas acabei conseguindo alguma coisa. Disse que ele e a srta. Deighton continuaram amigos depois de separados, e que até continuavam se vendo."

"Ele veio até aqui?"

"Disse que ela ia visitá-lo na Flórida. Que se encontravam, como ele disse, para relembrar os velhos tempos. A última vez foi em novembro, lá pelo dia de Ação de Graças. Consegui também umas informaçõezinhas sobre o irmão e a irmã da Deighton. A irmã é bem mais moça, é casada e mora no Oeste. O irmão é o mais velho deles, anda pelos cinqüenta e poucos e é gerente de uma mercearia. Teve câncer na garganta há uns dois anos e ficou sem as cordas vocais."

"Espere aí."

"É. Você sabe como é que fica. A gente reconhece quando ouve. Não tem como o cara que telefonou para você na repartição ser John Deighton. Era alguém que tinha seus próprios motivos para estar interessado nas conclusões da autópsia de Jennifer Deighton. Sabia o bastante para dizer o nome correto. Sabia o bastante para localizar o cara em Colúmbia, na Carolina do Sul. Mas não estava a par dos verdadeiros problemas de saúde de John Deighton, não sabia que tinha que falar como se estivesse usando um sintetizador de voz."

"Travers sabe que a morte da ex-mulher foi um homicídio?"

"Eu disse que o médico-legista ainda estava fazendo os exames."

"E ele estava na Flórida quando ela morreu?"

"Diz que sim. O que eu queria mesmo saber é onde estava seu amigo Nicholas Grueman quando ela morreu."

"Ele nunca foi meu amigo. Como você vai fazer para abordá-lo?"

"Por ora não vou fazer nada. Com caras como o Grueman tem de ser de uma vez só. Que idade ele tem?"

"Sessenta e tantos."

"É um cara grande?"

Levantei-me para atiçar o fogo. "Não o vejo desde que estava na faculdade de direito. Naquele tempo era de normal para magro. A altura eu diria que era média."

Marino não disse nada.

"Jennifer Deighton pesava oitenta e um quilos. Parece que o assassino a estrangulou e depois carregou o corpo para o carro", refresquei sua memória.

"Está bem. Quer dizer que talvez alguém tenha ajudado Grueman. Você quer uma história bem maluca? Imagine o seguinte. Grueman era advogado de Ronnie Waddell, que não era nenhum raquítico. Talvez fosse até o caso de dizermos que ele não *é* nenhum raquítico. A impressão digital do Waddell foi encontrada na casa de Jennifer Deighton. Talvez Grueman tenha ido visitá-la e não tenha ido sozinho."

Contemplei o fogo.

"Aliás, não vi nada na casa de Jennifer Deighton de onde pudesse ter vindo a pluma que você encontrou. Você me pediu para procurar", acrescentou.

Nesse momento o *pager* dele soou. Ele o tirou do cinto e apertou os olhos para ver o mostrador.

"Porra", queixou-se, dirigindo-se à cozinha para usar o telefone.

"O que está acontecendo... *O quê?* Meu Deus. Você tem certeza?", ouvi-o dizer.

Ficou um momento calado e parecia muito nervoso quando disse: "Não se preocupe. Estou a cinco metros dela".

Marino passou um sinal vermelho na esquina de West Cary e Windsor Way e tomou o caminho que ia para leste. Os faróis estavam acesos e as luzes dos faróis de milha dançavam dentro do Ford LTD branco. O rádio estalava com os códigos dos usuários enquanto eu imaginava Susan enroscada na bergère com o roupão de belbutina enrolado no corpo para vencer um frio que não tinha relação com a temperatura da sala. Lembrei-me da expressão de seu rosto, alterando-se constantemente como nuvens, e de seus olhos que para mim não tinham segredos.

Eu estava tremendo e parecia não poder acalmar a respiração. Meu coração batia tão forte que parecia entalado na garganta. A polícia havia encontrado o automóvel de Susan numa travessa que dava na rua Strawberry. Ela estava no assento do motorista, morta. Ignorava-se o que estava fazendo naquela parte da cidade ou o que poderia ter motivado seu agressor.

"O que mais ela disse quando você falou com ela ontem à noite?", perguntou Marino.

Nada significativo me vinha ao pensamento.

"Estava nervosa. Alguma coisa a preocupava."

"O quê? Você tem algum palpite?"

"Não sei o que podia ser."

Minhas mãos tremiam, me atrapalhei com a maleta médica, cujo conteúdo mais uma vez verificava. Câmera, luvas e tudo o mais lá estavam. Lembrei que Susan dissera uma vez que, se alguém tentasse seqüestrá-la ou estuprá-la, teria de matá-la antes.

Houvera alguns fins de tarde nos quais ficávamos só nós duas, limpando o laboratório e arrumando os arquivos. Tínhamos tido muitas conversas pessoais sobre ser mulher e amar homens e sobre como seria ser mãe. Uma vez faláramos da morte e Susan confessara temê-la.

"Também não estou falando do inferno, do fogo e do enxofre de que meu pai fala nos sermões dele — disso não tenho medo. Só tenho medo de que isto aqui seja tudo", dissera terminantemente.

"Isto aqui não é tudo."

"Como você sabe?"

"Alguma coisa vai embora. Você olha a cara deles e pode ver. A energia saiu. O espírito não morreu. Só o corpo."

"Mas como você sabe?"

Tirando um pouco o pé do acelerador, Marino entrou na rua Strawberry. Espiei o espelho lateral. Outro carro de polícia vinha atrás de nós, com a luminária disparando feixes vermelhos e azuis. Passamos por restaurantes e por uma pequena mercearia. Nada estava aberto e os raros automóveis se afastavam para que passássemos. Perto do café da rua Strawberry, carros-patrulha e viaturas sem placa alinhavam-se ao longo da rua estreita; uma ambulância tapava a entrada de uma travessa. Dois caminhões da televisão haviam estacionado um pouco mais abaixo. Em torno do perímetro isolado por fitas amarelas moviam-se incansavelmente os repórteres. Marino estacionou e nossas portas se abriram simultaneamente. As câmeras se voltaram imediatamente para nós.

Fiquei atrás de Marino e deixei que ele me conduzisse no meio da multidão. Flashes batiam, os filmes rodavam e os microfones se erguiam. Os passos largos de Marino não se detiveram e ele não respondeu a nenhuma pergunta. Desviei o rosto. Tendo contornado a ambulância, passamos por baixo da fita. O velho Toyota bordô estava estacionado de frente no meio de um trecho estreito de paralelepípedos cobertos de neve escorregadia e suja. De um lado e de outro, feios muros de tijolos oprimiam a cena e tapavam os raios oblíquos do sol baixo. Os policiais estavam tirando fotogra-

164

fias, discutindo e olhando ao redor. Dos telhados e escadas de incêndio enferrujadas a água pingava lentamente. No ar úmido e agitado pairava um cheiro de lixo.

Quase não reparei que o jovem oficial de aparência latina que falava num rádio portátil era alguém que eu encontrara recentemente. Tom Lucero olhava para nós enquanto resmungava alguma coisa e desligava. Do lugar onde eu estava, tudo o que eu via pela porta aberta do Toyota eram um quadril e um braço esquerdo. Um calafrio percorreu meu corpo quando reconheci o casaco preto de lã, a aliança de ouro escovado e o relógio preto de plástico. O crachá vermelho de perita legista estava enfiado entre o pára-brisa e o painel.

"As placas são de Jason Story. Imagino que é do marido. Na bolsa tem a identidade dela. O nome na carteira de motorista é Susan Dawson Story, vinte e oito anos, branca, sexo feminino", disse Lucero a Marino.

"Dinheiro?"

"Onze dólares na carteira e uns cartões de crédito. Até agora nada que sugira roubo. Você pode reconhecê-la?"

Marino se inclinou para ver melhor. Os músculos de seu queixo incharam. "É. Reconheço. O carro foi encontrado assim?"

"Abrimos a porta do motorista. Só isso", disse Lucero, enfiando o rádio portátil no bolso.

"O motor estava desligado e as portas destrancadas?"

"Estavam. Como eu disse a você pelo telefone, Fritz reparou no carro quando estava numa patrulha de rotina. Por volta das três horas da tarde, mais ou menos, e reparou no crachá de perita no pára-brisa." Olhou para mim. "Se você for até o lado do passageiro e der uma olhada, vai ver sangue na região do ouvido direito. O cara fez um trabalho bem-feito."

Marino recuou e explorou a neve remexida. "Não parece que a gente vai ter muita sorte com as pegadas."

"Tem razão. Está derretendo que nem sorvete. Já estava quando a gente chegou."

"Cápsulas de bala?"

"Não."

"A família já sabe?"

"Ainda não. Pensei que você podia cuidar disso", disse Lucero.

"Descubra quem são os pais dela e onde moram, e não vaze para a imprensa antes de a família saber. Pelo amor de Deus." Marino voltou sua atenção para mim. "O que você quer fazer aqui?"

"Não quero tocar em nada dentro do carro", murmurei, vigiando os arredores enquanto apanhava a câmera. Estava alerta e pensava com clareza, mas minhas mãos não paravam de tremer. "Me dê um minuto para olhar e aí a gente a põe na maca."

"Vocês estão prontos para a remoção?", perguntou Marino a Lucero.

"Estamos."

Susan vestia jeans desbotado, calçava botinas cambaias de amarrar e seu casaco preto de lã estava abotoado até o queixo. Quando reparei na ponta do lenço vermelho de seda que aparecia em cima da gola, meu coração se apertou. Ela estava de óculos escuros recostada no banco do motorista como se, bem instalada, tivesse cochilado. Havia uma marca avermelhada na forração cinza-claro atrás de sua cabeça. Dei a volta para o outro lado do automóvel e vi o sangue que Lucero mencionara. Comecei a tirar fotografias, detive-me e me inclinei até o rosto dela, sentindo a fragrância desmaiada de uma água-de-colônia claramente masculina. Reparei que o cinto de segurança estava aberto.

Só depois da chegada dos patrulheiros e quando o corpo de Susan já estava na maca dentro da ambulância foi que toquei sua cabeça. Passei longos minutos procurando ferimentos de bala. Encontrei um na fronte direita e outro na parte de trás do pescoço, onde o cabelo acabava. Corri meus dedos enluvados por seu cabelo castanho, procurando mais sangue, mas não encontrei.

Marino subiu para a parte de trás da ambulância e me perguntou: "Quantas vezes ela foi atingida?".

"Encontrei duas entradas. Não encontrei saídas, mas pude sentir uma bala debaixo da pele que cobre o osso temporal esquerdo."

Ele olhou o relógio nervosamente. "Os Dawson moram aqui perto. Em Glenburnie."

"Que Dawson?" Tirei as luvas.

"Os pais dela. Tenho de avisá-los. Agora. Antes que algum boi-corneta vaze alguma coisa e o pessoal acabe sabendo do negócio pela porra do rádio ou da tv. Vou arranjar uma viatura para levar você para casa."

"Não. Vou com você. Acho que devo ir."

Quando partimos as luzes da rua estavam acendendo. Marino olhava fixo para a rua e seu rosto estava perigosamente rubro.

"Droga! Puta merda! Atiraram na cabeça dela. *Atiraram numa mulher grávida*", explodiu, socando o volante.

Olhei para fora da janela lateral e meus pensamentos estavam confusos, cheios de distorções e imagens fragmentadas.

Pigarreei. "Já encontraram o marido?"

"Em casa não respondem. Pode ser que ele esteja com os pais dela. Meu Deus. Detesto esse trabalho. Ah, Senhor. Não quero fazer isso. Puta feliz Natal. Bato na porta e você está fodido porque vou lhe contar um troço que vai arruinar sua vida."

"Você não arruinou a vida de ninguém."

"É, então se prepare, que vai começar."

Virou a esquina na Albermala. Na beira da calçada, sacos estufados com o lixo do Natal amontoavam-se junto às latas enormes. As janelas resplandeciam, algumas com as luzes policromas das árvores. Pelo passeio, um jovem puxava seu filho pequeno num trenó. Os dois sorriram e acenaram para nós. Glenburnie era o bairro das famílias de classe média, dos jovens profissionais liberais, solteiros, casados e gays. Nos meses quentes as pessoas se sentavam à porta e cozinhavam ao ar livre. Davam festas e cumprimentavam-se nas ruas.

A modesta casa dos Dawson era em estilo Tudor, confortável e arejada, e tinha na frente sempre-vivas caprichosamente aparadas. As luzes estavam acessas nas janelas de cima e de baixo, e no meio-fio havia uma caminhonete velha.

A campainha foi respondida por uma voz de mulher do outro lado da porta: "Quem é?".

"Sra. Dawson?"

"Sou eu."

"É o detetive Marino, do Departamento de Polícia de Richmond. Preciso falar com a senhora", disse ele em voz alta, mostrando a insígnia pelo olho mágico.

A fechadura rangeu e meu pulso disparou. Durante minhas várias residências médicas eu tinha visto pacientes gritarem de dor e pedindo que não os deixasse morrer. Eu os acalmava com mentiras, 'Você vai ficar bom', e eles morriam segurando minha mão. Eu dissera 'Meus sentimentos' a pessoas desesperadas em quartos sem ar onde até os capelães se sentiam perdidos. Nunca, porém, eu entregara a morte na porta de alguém no dia de Natal.

A única semelhança que encontrei entre a sra. Dawson e a filha foi a curva forte do queixo. A sra. Dawson tinha feições retas e cabelo branco curto. Não podia pesar mais de quarenta e cinco quilos e parecia um pássaro assustado. Quando Marino me apresentou, o pânico encheu seus olhos.

"O que aconteceu?", conseguiu dizer depois de algum tempo.

"Acho que tenho notícias bens ruins para a senhora, sra. Dawson. É sua filha Susan. Parece que foi assassinada", disse Marino.

De uma peça ao lado veio o ruído de pés pequenos e uma menininha apareceu na porta à nossa direita. Parou e nos fitou com grandes olhos azuis.

168

"Hailey, cadê o vovô?", tremeu a voz da sra. Dawson, cujo rosto havia ficado lívido.

"Lá em cima."

Hailey era uma garota miúda e esperta, de jeans e alpargatas de couro que pareciam novíssimas. Seu cabelo claro brilhava como ouro e ela usava óculos para corrigir um olho esquerdo preguiçoso. Calculei que teria no máximo oito anos.

"Diga a ele para descer, e você e Charlie ficam lá em cima até eu ir buscar vocês", disse a sra. Dawson.

A criança hesitou e permaneceu junto à porta, enfiando dois dedos na boca. Desconfiada, olhava para mim e Marino.

"Hailey, já."

Hailey partiu numa brusca explosão de energia.

Sentamo-nos na cozinha com a mãe de Susan. Suas costas não tocavam a cadeira. Ela não chorou enquanto o marido não chegou, minutos depois.

"Oh, Mack", disse com voz fraca. "*Oh, Mack.*" Começou a soluçar.

Ele pôs o braço em torno dela, puxando-a para si. Quando Marino explicou o que acontecera, o rosto dele empalideceu e ele apertou os lábios.

"É, eu sei onde é a rua Strawberry. Não sei por que ela iria lá. Que eu saiba, não é uma região onde ela normalmente fosse. Hoje não ia ter nada aberto. Não sei", disse o pai de Susan.

"O senhor sabe onde está o marido dela, Jason Story?", perguntou Marino.

"Está aqui."

"Aqui?" Marino olhou em torno.

"Está lá em cima, dormindo. Jason não está se sentindo bem."

"De quem são essas crianças?"

"São do Tom e da Marie. Tom é nosso filho. Estão de visita para as festas e saíram no começo da tarde. Foram até o litoral visitar uns amigos. Devem estar de volta a qualquer momento." Agarrou a mão da mulher. "Millie, esse pessoal tem muita coisa que perguntar. É melhor você chamar o Jason."

"Vamos fazer o seguinte. Prefiro falar com ele sozinho um minuto. Quem sabe a senhora não me leva até onde ele está?", disse Marino.

A sra. Dawson balançou a cabeça, escondendo o rosto nas mãos.

"É melhor você ver o Charlie e a Hailey. Veja se consegue telefonar para sua irmã. Pode ser que ela venha até aqui", disse-lhe o marido.

Os olhos, de um azul pálido, seguiram a mulher e Marino enquanto saíam da cozinha.

O pai de Susan era alto e de boa ossatura, e seu cabelo castanho-escuro era abundante e com poucos fios brancos. Seus gestos eram comedidos, suas emoções contidas. Susan puxara a ele na aparência e quiçá no temperamento.

"O carro dela é velho. Ela não tinha nada de valor para ser roubado e sei que nunca ia se envolver... com drogas e essas coisas." Estudou meu rosto.

"Não sabemos por que aconteceu, reverendo Dawson."

"Ela estava grávida. Como alguém pôde?", disse ele, com as palavras presas na garganta.

"Não sei. Não sei como", respondi.

Tossiu. "Ela não possuía arma."

Por um instante não entendi o que ele queria dizer. Depois compreendi e tranquilizei-o.

"Não. A polícia não encontrou nenhuma arma. Não há indícios de que ela tenha feito isso a si mesma."

"A polícia? A polícia não são vocês?"

"Não. Eu sou a médica-legista chefe, Kay Scarpetta."

Ele me contemplou com estupor.

"Eu era a chefe de sua filha."

"Oh. Claro. Desculpe."

"Não sei como consolá-lo. Eu mesma ainda não comecei a pensar no assunto. Mas vou fazer o possível para descobrir o que aconteceu. Quero que o senhor saiba disso", disse eu com dificuldade.

"Susan falava na senhora. Ela sempre quis ser médica." Desviou o olhar, retendo as lágrimas.

"Estive com ela ontem à noite. Rapidamente, na casa dela", hesitei, relutando em tocar em pontos delicados da vida deles. "Susan parecia preocupada. E ultimamente estava diferente no trabalho."

Ele engoliu em seco, com os dedos entrelaçados com força em cima da mesa. Os nós estavam brancos.

"Temos de orar. A senhora quer orar comigo, dra. Scarpetta?" Estendeu a mão. "Por favor."

Quando seus dedos envolveram firmemente os meus não pude deixar de pensar na evidente desatenção de Susan para com o pai e em sua desconfiança quanto a tudo o que ele representava. Também eu sentia temor dos fundamentalistas. Senti-me angustiada fechando os olhos e dando a mão ao reverendo Mack Dawson enquanto ele agradecia a Deus uma misericórdia cuja prova eu não conseguia enxergar e invocava promessas que Deus já não tinha como cumprir. Abrindo os olhos, recolhi a mão. Seguiu-se um certo mal-estar, e temi que o pai de Susan tivesse adivinhado meu ceticismo e que ele fosse questionar minhas crenças. Contudo, o estado de minha alma não era o objeto de seus pensamentos.

Uma voz alta, um protesto abafado que não consegui entender, veio do andar de cima. Uma cadeira raspou o chão. O telefone tocou e tocou e a voz subiu novamente num grito primal de raiva e dor. Dawson fechou os olhos. Resmungou algo que me pareceu meio estranho. Achei que havia dito: "Fique em seu quarto".

"Jason esteve aqui o tempo todo", disse ele. Pude ver as artérias pulsando em sua fronte. "Sei que ele pode falar por si mesmo. Mas só queria que a senhora soubesse disso por mim."

"O senhor falou que ele não estava se sentindo bem."

"Acordou com um resfriado, um princípio de resfriado. Susan tomou sua temperatura depois do almoço e disse para ele ficar na cama. Ele nunca seria capaz de agredir... Bom." Tossiu novamente. "Sei que a polícia tem de perguntar, tem de considerar situações domésticas. Mas o caso aqui não é esse."

"Reverendo Dawson, a que horas Susan saiu de casa hoje e aonde ela disse que ia?"

"Saiu depois do almoço, depois que Jason foi para a cama. Acho que entre uma e meia e duas. Disse que ia à casa de uma amiga."

"Que amiga?"

Fitou-me atentamente. "Uma amiga do colégio. Dianne Lee."

"E onde Dianne mora?"

"Em Northside, perto do seminário."

"O carro de Susan foi encontrado na rua Strawberry, não em Northside."

"Acho que se alguém... Ela podia ter ido parar em qualquer lugar."

"Seria bom saber se ela chegou a ir à casa de Dianne, e de quem foi a idéia da visita."

Levantou-se e começou a abrir as gavetas da cozinha. Tentou três vezes até encontrar o catálogo telefônico. Suas mãos tremiam enquanto virava as páginas e discava o número. Pigarreando várias vezes, pediu para falar com Dianne.

"Sei. O quê?" Escutou um momento. "Não, não." Sua voz tremeu. "As coisas não vão bem."

Sentei em silêncio enquanto ele explicava e imaginei-o muitos anos antes orando e falando ao telefone quando enfrentara a morte da outra filha, Judy. Ao voltar à mesa confirmou meus temores. Susan não visitara a amiga naquela tarde nem houvera plano algum de visita. A amiga estava fora.

"Está com a família do marido na Carolina do Norte. Há vários dias que está lá. Por que Susan mentiria? Não tinha razão para fazê-lo. Eu sempre disse a ela que não mentisse em hipótese alguma", disse o pai.

"Com certeza ela não queria que soubessem aonde ia ou quem ia ver. Sei que isso faz com que surjam especulações desagradáveis, mas vamos ter de enfrentá-las."

Ele contemplou as mãos.

"Ela e Jason estavam bem?"

"Não sei." Lutou para recuperar a compostura. "Santo Deus, outra vez, não." De novo sussurrou curiosamente: "Vá para o quarto. Por favor". Fitou-me em seguida com olhos injetados. "Susan tinha uma irmã gêmea. Judy morreu quando elas estavam no colégio."

"Eu sei, num desastre de automóvel. Susan me contou. Lamento muito."

"Ela nunca se recuperou. Pôs a culpa em Deus. Pôs a culpa em mim."

"Não tive essa impressão. Se ela culpava alguém, parece que era uma menina chamada Doreen."

Dawson puxou um lenço e silenciosamente assoou o nariz. "Quem?", perguntou.

"A menina da escola que diziam que era bruxa."

Ele balançou a cabeça.

"Ela teria posto um feitiço na Judy." Era inútil, todavia, explicar mais. Vi que Dawson não sabia do que eu estava falando. Ambos nos voltamos quando Hailey entrou na cozinha. Segurava uma luva de beisebol, e seus olhos mostravam que estava atemorizada.

"O que você tem aí, querida?", indaguei, tentando sorrir.

Ela se aproximou de mim. Senti cheiro de couro novo. A luva estava amarrada com cordão e tinha na palma uma bola, como uma pérola grande dentro de uma ostra.

"Tia Susan me deu. Precisa amaciar. Tenho de botar debaixo do colchão. Tia Susan falou que tem de ficar uma semana", disse com uma voz débil.

O avô pegou-a no colo. Mergulhou o nariz em seu cabelo, segurando-a bem. "Preciso que você vá um pouquinho para o quarto, meu bem. Você faz isso para mim para eu poder cuidar de umas coisas aqui? Um pouquinho só?"

Ela balançou a cabeça, sem tirar os olhos de mim.

"Que é que vovó e Charlie estão fazendo?"

"Não sei." Escorregou do colo avô e, relutantemente, nos deixou.

"O senhor já disse isso antes", disse eu.

Ele pareceu perdido.

"O senhor disse a ela para ir para o quarto. Eu ouvi o senhor dizer isso agora há pouco, murmurar um negócio sobre ir para o quarto. Com quem o senhor estava falando?"

Ele baixou os olhos. "Criança é egoísmo. O egoísmo sente intensamente, chora, não consegue controlar as emoções. Às vezes é melhor mandar o egoísmo para o quarto, como eu fiz com a Hailey agora há pouco. Para ele sossegar. Um truque que aprendi. Aprendi quando era menino, tinha de aprender; meu pai não reagia bem quando eu chorava."

"Chorar não tem nada de mais, reverendo Dawson."

Seus olhos se encheram de lágrimas. Ouvi os passos de Marino na escada. Ele logo entrou na cozinha e Dawson, angustiado, murmurou a frase de novo.

Marino olhou-o desconcertado. "Acho que seu filho chegou."

O pai de Susan começou a chorar descontroladamente enquanto as portas de um automóvel batiam na escuridão do inverno e ouviram-se risadas na entrada da casa.

O jantar de Natal foi para o lixo e passei a noite andando pela casa e falando ao telefone enquanto Lucy permanecia no escritório com a porta fechada. Providências tinham de ser tomadas. O homicídio de Susan provocara uma crise na repartição. O caso dela tinha de ser sigiloso, e os fotógrafos mantidos longe de quem a houvesse conhecido. A polícia tinha de examinar sua sala e seu armário. Queria interrogar membros da minha equipe.

"Não posso ir até lá", explicou-me ao telefone Fielding, meu subchefe.

"Compreendo", disse eu, com um nó na garganta. "Não espero nem quero que ninguém vá até lá."

"E você?"

"Eu tenho de ir."

"Meu Deus. Não acredito que isso tenha acontecido. Não acredito."

O dr. Wright, meu subchefe em Norfolk, gentilmente concordou em vir a Richmond na manhã seguinte. Como era domingo, ninguém mais estava no edifício, salvo Vander, que viera ajudar com a Luma-Lite. Se eu estivesse emocionalmente capaz de fazer a autópsia de Susan, teria recusado. A pior coisa que eu podia lhe fazer era correr o risco de que a defesa contestasse a objetividade e a opinião de um perito que também fosse seu chefe. Assim, sentei-me a uma escrivaninha no necrotério enquanto Wright trabalhava. De vez em quando, enquanto olhava a parede de cimento, eu ouvia um comentário qualquer que ele havia me dirigido, junto com o tilintar dos instrumentos de metal e da água que corria. Não toquei em nenhum documento nem etiquetei um tubo que fosse. Não me virei para olhar.

Uma vez perguntei: "Você sentiu algum cheiro nela ou na roupa? De água-de-colônia?."

Ele parou o que estava fazendo e ouvi que dava vários passos. "Sim. Exatamente em torno da gola do casaco e no lenço."

"Você acha que parece colônia de homem?"

"Humm. Acho que sim. É, eu diria que é uma fragrância masculina. Quem sabe o marido usa água-de-colônia?"

Wright estava quase em idade de se aposentar; era um homem barrigudinho e calvo e tinha sotaque da Virgínia Ocidental. Era um patologista legal muito competente e sabia exatamente o que estava vendo.

"Boa pergunta", eu disse. "Vou pedir ao Marino para verificar. Mas o marido ontem estava doente e foi para a cama depois do almoço. Isso não quer dizer que ele não tivesse posto a colônia. Não quer dizer que o pai ou o irmão não estivessem usando a água-de-colônia, que passou para a gola dela quando a beijaram."

"Parece pequeno calibre. Não há orifícios de saída."
Fechei os olhos e escutei.

"O ferimento da fronte direita tem quatro décimos de centímetro com um centímetro de fumaça — um padrão incompleto. Poucos pontinhos e alguma pólvora, mas a maior parte deve ter se perdido no cabelo. Tem um pouco de pólvora no músculo temporal. Muito pouco em ossos ou cartilagens".

"E a trajetória?", perguntei.

"A bala entrou pela face posterior do lóbulo frontal direito, atravessou a anterior, passou pelos gânglios basais, atingiu o osso temporal esquerdo e ficou presa no músculo debaixo da pele. É uma bala simples de chumbo, humm, revestida de cobre mas não encapsulada."

"E se fragmentou?", indaguei.

"Não. Agora temos esse segundo ferimento na nuca. Preto, margem queimada, com a marca do cano. Uma pequena laceração com mais ou menos dois décimos de centímetro nas bordas. Muita pólvora nos músculos occipitais."

"Contato direto?"

"É. Parece que ele apertou forte o cano no pescoço. A bala entrou na junção do orifício magno com o C-1 e pegou a junção cervical-medular. Subiu até a articulação entre o frontal e o parietal."

"Que ângulo foi?", perguntei.

"Bem inclinado para cima. Eu diria que ela estava sentada no carro quando recebeu esse ferimento, devia estar caída para a frente ou estava com a cabeça abaixada."

"Ela não foi encontrada assim. Estava encostada no banco."

"Então acho que ele a arrumou desse jeito", comentou Wright. "Depois que atirou. E eu diria que esse tiro que atravessou a articulação foi o último. Para mim ela já estava sem reação, com certeza caída, quando levou o segundo tiro."

De vez em quando eu podia agüentar, como se não nos referíssemos a alguém que eu conhecera. Depois sentia um tremor e as lágrimas acabavam por arrebentar. Duas vezes tive de sair para o frio do estacionamento. Quando ele chegou ao feto de dez semanas, uma menina, fugi para minha sala. De acordo com a lei da Virgínia, o nascituro não era pessoa e assim não podia ser morto, porque é impossível matar o que não é pessoa.

"Duas pelo preço de uma", comentou amargamente Marino, mais tarde, ao telefone.

"Eu sei", respondi-lhe, tirando um vidro de aspirina do bolso.

"No tribunal ninguém vai dizer à merda dos jurados que Susan estava grávida. Não entra no caso, não faz diferença ele ter matado uma mulher grávida."

"Eu sei", repeti. "O Wright está quase terminando. No exame externo não apareceu nada importante. Não se pode falar em pista, nada que tenha chamado a atenção. E do seu lado, o que há?"

"Está claro que a Susan estava com algum problema."

"Problemas com o marido?"

"Segundo ele, o problema dela era com você. Disse que você estava sacaneando, telefonando muito para ela em casa, ameaçando-a. E que às vezes ela vinha do trabalho meio pirada, como se estivesse se borrando de medo de alguma coisa."

"Susan e eu não tínhamos problema nenhum." Tomei três aspirinas com um gole de café frio.

"Só estou falando para você o que o cara disse. Outra coisa é o seguinte — acho que você vai achar isso interessante: parece que estamos com outra pluma. Não estou dizendo que o caso da Deighton tenha alguma relação com este, doutora, ou que eu pense assim. Mas, porra. Pode ser que a gente esteja lidando com algum pinta-brava que use luvas acolchoadas com plumas, ou uma jaqueta. Não sei. Não é comum. A única outra vez que encontrei plumas foi quando o elemento entrou numa casa quebrando o vidro e cortou a jaqueta num caco."

Minha cabeça doeu tanto que senti náuseas.

"A que achamos no carro da Susan é bem pequenininha — um pedacinho de pluma branca", prosseguiu. "Estava presa na forração da porta do passageiro. Do lado de dentro, perto do chão, uns centímetros abaixo do descanso do braço."

"Você pode me passar isso?"

"Posso. O que você vai fazer?"

"Chamar o Benton."

"Droga, já tentei. Parece que ele e a mulher viajaram."

"Preciso perguntar a ele se Minor Downey pode nos ajudar."

"Isso é gente ou amaciante de tecido?"

"Minor Downey é um perito em pêlos e fibras dos laboratórios do FBI. A especialidade dele é análise de penas."

"E o nome dele é mesmo Downey?" Marino estava incrédulo.*

"É sim."

(*) Em inglês, *down* significa "pluma". (N. T.)

8

O telefone tocou por muito tempo na Seção de Ciências do Comportamento do FBI, instalada no subsolo da Academia, em Quantico. Eu podia imaginar seus corredores frios e confusos e suas salas consteladas de lembranças de guerreiros refinados como Benton Wesley, que, segundo tinham me dito, fora esquiar.

"Na verdade no momento estou sozinho aqui", disse o afável agente que atendeu o telefone.

"Aqui fala a dra. Kay Scarpetta e tenho urgência em encontrá-lo."

Benton Wesley me telefonou quase imediatamente.

"Benton, onde você está?", perguntei erguendo a voz. Havia uma estática terrível.

"No meu carro. Connie e eu passamos o Natal com a família dela em Charlottesville. Estamos um pouco mais a oeste, a caminho de Hot Springs. Soube do que aconteceu com Susan Story. Meu Deus, que horror. Ia telefonar para você à noite."

"Sua voz está sumindo. Quase não posso ouvir você."

"Espere um pouco."

Esperei impacientemente durante um longo minuto. Aí ele voltou.

"Agora está melhor. Estamos numa região baixa. Escute, o que você quer comigo?"

"Preciso da ajuda do FBI na análise de umas penas."

"Não tem problema. Vou ligar para o Downey."

"Preciso falar com você", disse eu com grande relutância, pois sabia que o estava envolvendo. "Acho que não dá para esperar."

"Agüenta um pouco."

Daquela vez a pausa não se devia à estática. Ele estava conversando com a mulher.

"Você sabe esquiar?", voltou a voz.

"Mais ou menos."

"Connie e eu estamos indo passar uns dias no Homestead. A gente podia conversar lá. Você pode se afastar uns dias?"

"Vou mover céus e terras. Lucy vai comigo."

"Ótimo. Ela e Connie podem dar umas voltas enquanto a gente conversa. Vou reservar um quarto para vocês quando a gente chegar. Você pode trazer algum material para eu dar uma olhada?"

"Levo."

"Inclusive tudo o que você tiver sobre o caso da Robyn Naismith. Vamos cobrir tudo o que for possível."

"Obrigada, Benton. E agradeça à Connie, por favor", disse eu, agradecida.

Decidi sair imediatamente da repartição, sem maiores explicações.

"Vai ser bom para você", disse Rose, anotando o número do Homestead. Ela não sabia que minha intenção não era descansar numa estação de férias cinco estrelas. Quando lhe pedi que informasse Marino onde eu estava, para que ele pudesse entrar imediatamente em contato comigo se houvesse novidades no caso de Susan, seus olhos por um instante brilharam de lágrimas.

"Por favor, não diga para mais ninguém onde eu estou", acrescentei.

"Nos últimos vinte minutos três repórteres ligaram. Inclusive o *Washington Post*."

"Agora não vou discutir o caso de Susan. Diga a eles o de sempre, que estamos esperando os resultados do laboratório. Diga só que estou fora da cidade e que não dá para falar comigo."

Dirigindo rumo ao leste pelas montanhas, eu era assaltada por imagens. Vi Susan com o uniforme folgado e os rostos da mãe e do pai quando Marino lhes contara que a filha havia morrido.

"Você está se sentindo bem?", perguntou Lucy. Desde que saíramos de casa ela me olhava a cada minuto.

"Só estou preocupada", respondi, concentrando-me na estrada. "Você vai adorar esquiar. Acho que vai ser boa nisso."

Ela olhava em silêncio pela janela. O céu estava com a cor de jeans desbotado e as montanhas levantavam-se ao longe salpicadas de neve.

"Desculpe. Parece que toda vez que você vem me visitar acontece alguma coisa e não posso lhe dar muita atenção", acrescentei.

"Não preciso de muita atenção."

"Um dia você vai entender."

"Pode ser que eu também seja assim com meu trabalho. Aliás, pode ser que tenha aprendido com você. Com certeza também vou ser bem-sucedida como você."

Meu espírito estava pesado como chumbo. Ainda bem que eu estava usando óculos escuros. Não queria que Lucy visse meus olhos.

"Sei que você gosta de mim. Isso é que é importante. Sei que minha mãe não gosta de mim", disse minha sobrinha.

"Dorothy gosta de você tanto quanto pode gostar de alguém."

"Absolutamente certo. Tanto quanto pode, o que não é muito, porque não sou homem. Ela só gosta de homem."

"Não, Lucy. Na verdade sua mãe não gosta de homem. Os homens são um sintoma de sua busca obsessiva de alguém que a faça feliz. Ela não entende que tem de se achar bacana primeiro."

"A única coisa 'baca' no caso é que ela sempre arranja babacas."

"É, a média dela não tem sido boa."

"Não vou viver assim. Não quero ser como ela."

"Você não é como ela."

"Li no folheto que aonde a gente vai tem tiro ao alvo."

"Tem de tudo lá."

"Você trouxe algum revólver?"

"No tiro ao alvo você não atira com revólver, Lucy."

"Se você for de Miami, atira."

"Se você não parar de bocejar eu também começo."

"Por que você não trouxe uma arma?", insistiu.

O Ruger estava na mala, mas eu não pretendia contar-lhe.

"Por que você está tão preocupada com minha arma?", perguntei.

"Quero ser boa nisso. Até acertar no doze do relógio sempre que quiser", disse ela, sonolenta.

Quando ela enrolou a jaqueta para fazer um travesseiro, meu coração doeu. Deitou-se a meu lado, com a cabeça junto de minha coxa. Ela não sabia como era forte minha tentação de mandá-la imediatamente de volta para Miami. Mas pude sentir que ela havia percebido o meu medo.

O Homestead ficava no meio de quinze mil hectares de florestas e cursos de água nas montanhas Allegheny, e o prédio principal do hotel era de tijolos vermelho-escuros com uma colunata branca. A cúpula branca exibia em cada um dos quatro lados outros tantos relógios sempre sincronizados que podiam ser vistos a quilômetros de distância, e as quadras de tênis e campos de golfe estavam brancos de neve.

"Você está com sorte. As condições para o esqui vão ser ótimas", disse eu a Lucy enquanto homens airosos em seus uniformes cinzentos vinham em nossa direção.

Benton Wesley cumprira com o prometido, e encontramos uma reserva à nossa espera quando chegamos ao balcão da recepção. Ele reservara um quarto duplo com portas de vidro que se abriam para uma sacada que, por sua vez, dava para o cassino, e havia flores dele e de Connie sobre uma mesa. "Encontrem-nos nas pistas. Marquei uma aula para Lucy às três e meia", dizia o cartão.

"Temos de correr", eu disse a Lucy enquanto abríamos as malas. "Sua primeira aula de esqui vai ser em exatamente quarenta minutos. Experimente esta aqui." Atirei-lhe um par de calças de esqui vermelhas, e em seguida o blusão, as meias, as mitenes e a suéter, que voaram pelo ar e aterrissaram na cama dela. "Não se esqueça da mochila. O resto a gente arranja depois."

"Não tenho óculos de esqui. Vou ficar ofuscada", disse ela, enfiando pela cabeça uma suéter azul-clara de gola alta.

"Você pode usar meus óculos. De todo modo o sol já vai começar a cair."

Depois de tomar o bondinho que levava às pistas, alugar o equipamento para Lucy e confiá-la ao instrutor, que ficava junto ao teleférico, eram três e vinte e nove. Os esquiadores pareciam pontos brilhantes de cor descendo morro abaixo, e só quando chegavam perto se transformavam em pessoas. Inclinei-me para a frente em minhas botas, os esquis firmados na pista, e, os olhos protegidos pelas mãos, explorei os cabos e os lifts. O sol se aproximava do topo das árvores e a neve faiscava debaixo de seus raios, mas as sombras iam se espalhando e a temperatura caía rapidamente.

Só reparei naquele casal por causa da graça de suas evoluções paralelas, os bastões levantados como plumas e a neve adejando pela pista enquanto eles se elevavam e giravam como pássaros. Reconheci a cabeleira prateada de Benton Wesley e ergui a mão. Ele se virou para Connie, gritou algo que não pude ouvir, arrancou e deslizou morro abaixo como uma lâmina, com os esquis tão juntos que duvido que uma folha de papel pudesse passar entre eles.

Quando ele se deteve em meio a um redemoinho de neve e puxou os óculos para trás, ocorreu-me subitamente que, ainda que não o conhecesse, eu teria ficado olhando para ele. A malha de esqui preta envolvia pernas musculosas que eu jamais desconfiara estivessem sob as calças de seus ternos conservadores, e a jaqueta que usava me lembrava o pôr-do-sol em Key West. O rosto e os olhos estavam brilhantes de frio, tornando seus traços marcantes mais atraentes que temíveis. Connie parou naturalmente ao lado dele.

"Que bom você estar aqui", disse Wesley. Eu não conseguia vê-lo ou ouvir sua voz sem me lembrar de Mark. Os dois tinham sido colegas e um era o melhor amigo do outro. Podiam ter passado por irmãos.

"E a Lucy?", indagou Connie.

"Ali, dando duro", apontei.

"Espero que você não tenha se incomodado por eu marcar a aula para ela."

"Incomodado? Tenho é que agradecer a você por sua atenção. Ela está adorando."

"Acho que vou ficar aqui e ficar vendo um pouco. Depois vou querer beber algo quente e acho que Lucy também vai querer. Ben, parece que você ainda não está satisfeito", disse Connie.

Wesley sugeriu: "Quer dar uma esquiada?".

Enquanto estávamos na fila, trocamos idéias sobre assuntos frívolos, e nos calamos quando o lift girou e pudemos sentar. Wesley baixou a barra e o cabo nos puxou lentamente para o cume da montanha. O ar estava embriagador e deliciosamente limpo, cheio de sons suaves de esquis deslizando e chocando-se pesadamente com a neve compacta. A neve das máquinas de neve rolava feito fumaça através das árvores, entre as vertentes.

"Falei com Downey. Assim que você chegar ao FBI ele a receberá", disse ele.

"Até que enfim uma boa notícia. Que foi que lhe contaram, Benton?"

"Marino e eu tivemos várias conversas. Parece que vocês estão com vários casos ligados por uma coincidência cronológica curiosa, embora não existam provas de que eles têm alguma relação."

"Acho que é mais que coincidência. Você sabe, a impressão digital de Ronnie Waddell apareceu na casa de Jennifer Deighton."

Ele contemplou um canteiro de sempre-vivas iluminado pelo sol poente. "Sei. Como eu disse ao Marino, espero que haja uma explicação lógica para a impressão digital de Waddell ter aparecido lá."

"A explicação lógica pode muito bem ser que ele tenha estado na casa alguma vez."

"Nesse caso, Kay, estamos lidando com uma situação tão estranha que não consigo entender. Um condenado do corredor da morte solto nas ruas e matando de novo. Teríamos de admitir que outra pessoa tomou o lugar dele na cadeira elétrica na noite de 13 de dezembro. Duvido que houvesse muitos voluntários."

"É, seria improvável."

"O que você sabe da história criminal do Waddell?"

"Muito pouco."

"Eu o interroguei há muitos anos, em Mecklemburg."

Olhei para ele com interesse.

"Para começar, saiba que ele não ajudou muito, e não quis discutir o assassinato da Robyn Naismith. Alegou que, se a tinha matado, não se lembrava. Não que isso seja incomum. A maioria dos criminosos violentos que interroguei diz que não se lembra bem ou nega que cometeu o crime. Antes de você chegar pedi um fax do protocolo de avaliação do Waddell. Depois do jantar vamos vê-lo."

"Benton, já estou contente por ter vindo."

Nossos ombros mal se tocavam e ele tinha os olhos fixos na distância. Quanto mais subíamos, mais íngreme se tornava o declive a nossos pés. Aí ele disse: "Como você está, Kay?".

"Melhor. Mas ainda há momentos ruins."

"Eu sei. Vai haver sempre. Mas espero que cada vez menos. Vai chegar um dia em que você não vai se sentir assim."

"É. Tem dias em que não sinto nada."

"Já temos uma boa pista sobre o grupo responsável. Achamos que sabemos quem pôs a bomba."

Levantamos as pontas dos esquis e nos inclinamos para a frente enquanto o lift nos largava como filhotes de pássaros empurrados do ninho. Minhas pernas estavam duras e frias por causa da subida, e no gelo as trilhas à sombra eram traiçoeiras. Os longos esquis brancos de Wesley desapareciam na neve e ao mesmo tempo refletiam a luz. Ele desceu o declive dançando em nuvens esplêndidas de pó de diamante, e parando de vez em quando para olhar para trás. Eu acenava para ele levantando um pouco o bastão enquanto dava lânguidas voltas paralelas e flutuava sobre todos aqueles magnatas. No meio do caminho já estava mais ágil e quente, e meus pensamentos voavam em liberdade.

Quando escureceu e voltei para o quarto, verifiquei que Marino havia deixado uma mensagem dizendo que estaria no departamento até cinco e meia e pedindo que eu telefonasse assim que pudesse.

"O que houve?", falei quando ele atendeu.

"Nada que possa fazer você dormir melhor. Para começo de conversa, Jason Story anda metendo o pau em você com todo mundo — inclusive com os repórteres."

"Ele tem de soltar a raiva de algum modo", comentei, e meu estado de espírito voltou a ficar sombrio.

"Bom, o que ele está fazendo não é boa coisa, mas também não é nosso pior problema. Não estamos conseguindo encontrar as dez fichas com as digitais do Waddell."

"Em *nenhum* lugar?"

"Pois é. Verificamos os arquivos do Departamento de Polícia de Richmond, da Polícia Estadual e do FBI. Quer dizer, todas as jurisdições que deveriam tê-las. Não havia ficha nenhuma. Aí falei com o Donahue na penitenciária para ver se ele dava um jeito de encontrar objetos pessoais do Waddell, como livros, cartas, escova de cabelos, escova de dentes — tudo o que pudesse ser uma fonte de impressões digitais. E sabe o quê? Donahue disse que as únicas coisas que a mãe do Waddell quis foram o relógio e o anel. Todo o resto foi destruído pelo Departamento de Correção."

Sentei-me pesadamente na beira da cama.

"E o melhor guardei para o fim, doutora. A Seção de Armas de Fogo deu uma dentro e você não vai acreditar.

As balas encontradas no Eddie Heath e na Susan Story eram da mesma arma, um 22."

"Meu Deus."

Embaixo, no clube Homestead, uma orquestra tocava jazz, mas a platéia era pequena e a música não era tão alta que impedisse a conversa. Connie levara Lucy ao cinema, deixando Wesley e eu sentados a uma mesa num canto deserto da pista de dança. Ambos bebíamos conhaque. Ele não parecia fisicamente tão cansado quanto eu, mas a tensão voltara a seu rosto.

Virando-se para trás, apanhou outra vela de uma mesa vazia e juntou-a a duas outras que pedira ao garçom. A luz era irregular mas adequada, e, embora não estivéssemos chamando muita atenção, fomos objeto de alguns olhares. Achei que era um lugar estranho para trabalhar, mas o vestíbulo e o salão de jantar eram muito expostos e Wesley era muito circunspecto para propor que nos encontrássemos em seu quarto ou no meu.

"Temos vários elementos conflitantes. Mas o comportamento humano não é algo rígido. Waddell passou dez anos na prisão. Não sabemos em que ele pode ter mudado. O assassinato de Eddie Heath para mim é um homicídio, o de Susan Story parece ser uma execução, um atentado", disse ele.

"Como se fossem dois criminosos diferentes", disse eu, brincando com o conhaque.

Inclinou-se para a frente, folheando preguiçosamente a pasta com o caso de Robyn Naismith: "Interessante", disse, sem levantar os olhos. "Você ouve tanta coisa sobre o *modus operandi*, a assinatura do criminoso. Ele sempre procura um certo tipo de vítima ou escolhe um certo tipo de lugar, ou prefere usar faca, e assim por diante. Mas na verdade nem sempre é assim. Nem o motivo do crime é sempre claro. Eu disse que o homicídio de Susan Story, *à primeira vista*, não parecia ter motivo sexual. Mas, quanto mais penso nele, mais penso que tem um componente sexual. Acho que esse assassino é perfuracionista."

"Robyn Naismith foi esfaqueada inúmeras vezes."

"Pois é. Eu diria que o que foi feito com ela é como um exemplo de manual. Não houve prova de estupro — o que não quer dizer que ele não tenha ocorrido. Mas não havia esperma. A introdução repetida da faca no abdome, nas nádegas e nos seios foi um substituto da penetração peniana. Caso óbvio de perfuracionismo. Morder já é menos óbvio, acho que não tem relação nenhuma com os componentes orais do ato sexual, mas é mais uma vez um substituto da penetração peniana. Os dentes entrando na carne, o canibalismo, como John Joubert fez com os meninos entregadores de jornal que assassinou em Nebraska. Finalmente temos as balas. Você não associaria balas e penetração, a menos que pensasse sobre isso um pouquinho. Aí a dinâmica, em alguns casos, fica clara. Uma coisa que penetra a carne. Era o caso do filho de Sam."

"Não há prova disso no caso da morte de Jennifer Deighton."

"É verdade. É o que eu estava dizendo. Nem sempre o padrão é claro. Aqui, por exemplo, não estamos falando de um padrão claro, mas há um elemento comum nos assassinatos de Eddie Heath, Jennifer Deighton e Susan Story. Eu diria que são crimes organizados."

"Com Jennifer Deighton, não tão organizado. Parece que o assassino quis fingir que se tratava de suicídio e não conseguiu. Ou talvez ele não tenha desejado matá-la e foi longe demais com a gravata", assinalei.

"A morte dela antes de ser posta no carro provavelmente não estava no programa", concordou Wesley. "Mas a verdade é que parecia haver um plano. E a mangueira presa no cano de descarga foi cortada com um instrumento afiado que nunca foi encontrado. Ou o assassino trouxe seu próprio instrumento ou arma, ou apanhou e usou qualquer coisa que encontrou na casa. Esse é um comportamento organizado. Mas antes de desenvolvermos demais nossas teorias, deixe-me dizer-lhe que não temos nenhuma bala calibre 22 ou outro indício que ligue o homicídio de Jennifer Deighton ao do jovem Heath e ao de Susan."

"Acho que temos, Benton. A impressão digital de Ronnie Waddell apareceu numa cadeira da sala de visitas de Jennifer Deighton."

"Não sabemos se foi Ronnie Waddell que espetou os outros dois."

"O corpo de Eddie Heath estava numa posição que lembrava o caso de Robyn Naismith. O menino foi agredido na noite em que Ronnie Waddell ia ser executado. Você não acha que existe uma ligação esquisita?"

"Vamos dizer o seguinte: não quero admitir essa hipótese."

"Nem eu nem você queremos. Qual é o seu palpite, Benton?"

Com as linhas nítidas do lado esquerdo de seu queixo e os ossos de sua face iluminados pelas velas, ele pediu mais conhaque a uma garçonete.

"Meu palpite? Bom. Tenho um palpite muito desagradável sobre isso tudo. Acho que Ronnie Waddell é o denominador comum, mas não sei o que isso significa. Encontraram uma impressão digital dele no local de um crime, mas não conseguimos encontrar a ficha com suas dez impressões digitais ou nenhuma outra coisa que forneça uma identificação positiva. Tampouco tiraram suas impressões digitais no necrotério, e a pessoa que supostamente esqueceu de fazê-lo acabou sendo assassinada com a mesma arma usada contra Eddie Heath. Parece que o advogado de Waddell, Nick Grueman, conhecia Jennifer Deighton; parece mesmo que ela passou um fax para Grueman dias antes de ser assassinada. Finalmente é verdade que há uma semelhança sutil e peculiar entre as mortes de Eddie Heath e Robyn Naismith. Francamente, não posso deixar de especular se a agressão a Heath não teria tido, por alguma razão, uma intenção simbólica."

Ele esperou que as bebidas fossem servidas, depois abriu um envelope de papel pardo que estava anexado à pasta do caso de Robyn Naismith. Aquele pequeno gesto me deu uma idéia que até então não me ocorrera.

"Eu devia ter pegado as fotografias dela no arquivo", eu disse.

Wesley virou-se para mim enquanto punha os óculos.

"Em casos antigos como esse, os registros em papel foram reduzidos a microfilme e as cópias dos microfilmes estão na pasta que você recebeu. Os documentos originais foram destruídos, mas costumamos guardar as fotografias originais. Elas vão para o arquivo."

"O arquivo é o quê? Uma sala no seu edifício?"

"Não, Benton. Um depósito perto da biblioteca estadual — o mesmo depósito onde o Instituto Médico Legal guarda as provas dos casos antigos."

"Vander ainda não encontrou a fotografia da impressão digital marcada a sangue que Waddell deixou na casa de Robyn Naismith?"

"Não", disse eu, e nossos olhos se encontraram. Sabíamos ambos que Vander jamais a encontraria.

"Meu Deus, quem conseguiu as fotografias da Robyn Naismith para você?", disse ele.

"Meu administrador, Ben Stevens. Ele foi ao arquivo uma ou duas semanas antes da execução do Waddell."

"Por quê?"

"Nos estágios finais do processo de apelação há sempre muitas perguntas, e gosto de ter acesso rápido ao caso ou casos envolvidos. Então é de rotina essa visita ao arquivo. O que é um pouco diferente neste caso é que não tive de pedir ao Stevens para apanhar as fotografias no arquivo. Ele se ofereceu."

"E isso não é normal?"

"Pensando bem, acho que não."

"Quer dizer que seu administrador pode ter se oferecido porque estava interessado na pasta do Waddell — ou melhor, na fotografia da digital marcada a sangue que devia estar lá dentro."

"Tudo o que posso dizer com certeza é que, se Stevens quisesse mexer em alguma pasta do arquivo, só poderia

190

fazê-lo se tivesse algum motivo oficial para ir até lá. Se, por exemplo, eu ficasse sabendo que ele tinha estado no arquivo sem que nenhum perito tivesse pedido, a coisa ia parecer estranha."

Prossegui, contando a Wesley a quebra da segurança no computador de minha repartição, explicando-lhe que os dois terminais envolvidos tinham sido o meu e o do Stevens. Enquanto eu falava, Wesley tomava notas. Levantou os olhos para mim quando me calei.

"Não parece que eles tenham encontrado o que estavam procurando."

"Acho que não."

"Isso nos leva à questão óbvia. O que eles estavam procurando?"

Sorvi lentamente o conhaque. À luz das velas, era como âmbar líquido, e cada gole queimava deliciosamente ao descer.

"Talvez alguma coisa relativa à morte de Eddie Heath. Eu estava pesquisando outros casos em que as vítimas pudessem ter marcas de dentes ou lesões canibalísticas, e tinha um arquivo em meu diretório. Fora isso, não posso imaginar o que alguém pudesse estar procurando."

"Você mantém memorandos intradepartamentais no diretório?"

"Em termos de processador de textos, um subdiretório."

"E é a mesma senha que dá acesso a esses documentos?"

"É."

"E no processador de textos você também guarda relatórios de autópsias e outros documentos relativos aos casos?"

"É, guardo. Só que quando meu diretório foi invadido não havia nada importante arquivado, que eu me lembre."

"Mas quem entrou não sabia necessariamente disso."

"Claro que não."

"E o relatório da autópsia de Ronnie Waddell, Kay? Quando entraram em seu diretório, o relatório estava no computador?"

"Devia estar. A violação foi na tarde de quinta-feira, 16 de dezembro, quando eu estava autopsiando Eddie Heath e Susan estava em cima, em minha sala, supostamente descansando no divã depois de derramar o formol."

"Intrigante." Ele franziu a testa. "Admitindo que tenha sido Susan quem entrou no diretório, por que ela estaria interessada no relatório da autópsia do Waddell — se realmente o caso é esse? Ela estava *presente* durante a autópsia. O que ela podia ler no relatório que já não soubesse?"

"Não me ocorre nada."

"Bom, deixe-me dizer isso de outro modo. O que, na autópsia, ela não sabia mesmo tendo estado presente na noite em que o corpo dele foi levado para o necrotério? Ou quem sabe seria o caso dizer: na noite em que *um corpo* foi levado para o necrotério, já que não temos certeza de que o indivíduo fosse o Waddell", acrescentou, muito sério.

"Ela não teria acesso aos laudos de laboratório. Mas o trabalho de laboratório ainda não estava pronto quando entraram em meu diretório. As análises toxicológica e do HIV, por exemplo, demoram semanas."

"E Susan sabia disso?"

"Claro."

"E seu administrador também?"

"Também."

"Deve haver outra coisa."

Havia, mas quando me lembrei dela não percebi sua importância. "Waddell — ou fosse quem fosse aquele preso — tinha um envelope no bolso de trás da calça que queria que fosse enterrado com ele. Fielding só ia abrir aquele envelope quando subisse com a papelada depois da autópsia."

"Quer dizer que Susan não tinha como saber qual era o conteúdo do envelope enquanto estava no necrotério naquela noite?", perguntou Wesley, atento.

"É isso mesmo. Não tinha."

"E havia alguma coisa importante no envelope?"

"Só vários recibos de restaurante e de pedágio."

Wesley franziu a testa:

"Recibos", repetiu. "Que diabo ele estava fazendo com recibos? Você está com eles aí?"

"Estão na pasta." Apanhei as fotocópias. "Todos têm a mesma data, 13 de novembro."

"O que deve corresponder mais ou menos à época em que Waddell foi transferido de Mecklemburg para Richmond."

"Isso mesmo. Ele foi transferido quinze dias antes da execução."

"Temos de examinar os códigos desses recibos, ver de onde são. Pode ser importante. Muito importante, à luz do que estamos imaginando."

"Que Waddell está vivo?"

"É. Que de alguma maneira foi feita uma troca e ele foi solto. Talvez o homem que morreu na cadeira elétrica quisesse estar com esses recibos no bolso porque estava tentando dizer alguma coisa."

"E onde ele teria arranjado esses recibos?"

"Talvez durante o transporte de Mecklemburg para Richmond, que seria o momento ideal para algum truque. Pode ser que tenham transportado dois homens. Waddell e algum outro."

"Você está imaginando que eles pararam para comer?"

"Os guardas não devem parar para nada quando estão transportando presos do corredor da morte. Mas, se havia alguma combinação, tudo pode ter acontecido. Quem sabe não pararam para comprar comida para a viagem e foi aí que soltaram o Waddell. O outro preso foi levado para Richmond e posto na cela do Waddell. Pense nisso. Como os guardas ou qualquer outra pessoa da rua Spring teriam algum jeito de saber que o preso que tinha vindo não era o Waddell?"

"Ele podia dizer que não era, mas ninguém ia acreditar."

"Acho que não iam acreditar."

"E a mãe de Waddell?", perguntei. "Dizem que ela o visitou umas horas antes da execução. Com certeza ia saber se o preso era ou não o filho dela."

"Temos de verificar se a visita ocorreu mesmo. Mas, tenha ou não ocorrido, a sra. Waddell tinha interesse na troca. Não imagino que ela quisesse que o filho morresse."

"Então você está convencido de que executaram o homem errado", disse eu com relutância, pois naquele momento havia poucas teorias que eu quisesse tanto invalidar.

A resposta dele foi abrir o envelope com as fotografias de Robyn Naismith e retirar um maço grosso de fotos coloridas que continuariam me horrorizando por mais que eu olhasse para elas. Wesley percorreu lentamente a história ilustrada daquela morte terrível. Depois disse: "Quando consideramos estes três últimos homicídios, vemos que eles não correspondem ao perfil de Waddell".

"O que você está querendo dizer, Benton? Que depois de dez anos na prisão a personalidade dele mudou?"

"Só o que eu posso lhe dizer é que já ouvi falar de criminosos organizados que se desorganizam, perdem a cabeça. Começam a cometer erros. Bundy, por exemplo. No fim ficou frenético. Mas o contrário geralmente não se vê, um indivíduo desorganizado, uma pessoa psicótica passar a ser metódica, racional — tornar-se organizada."

Quando aludia aos Bundys e aos Filhos de Sam deste mundo, Wesley o fazia teoricamente, impessoalmente, como se suas análises e teorias se fundassem em fontes secundárias. Não se vangloriava. Não citava nomes nem assumia o papel de quem tivesse conhecido pessoalmente aqueles criminosos. Sua conduta era, assim, deliberadamente enganadora.

Na verdade, ele tinha passado longas horas na intimidade de tipos como Theodore Bundy, David Berkowitz, Sirhan Sirhan, Richard Speck e Charles Manson, bem com de outros buracos negros menos conhecidos que tinham sugado luz do planeta Terra. Lembrei-me de uma vez em que Marino me contara que às vezes, ao voltar de algumas dessas peregrinações às penitenciárias de segurança máxima, Wesley parecia pálido e exausto. Ficava quase fisicamente abalado por absorver o veneno daqueles homens e suportar o apego que eles inevitavelmente desenvolviam em relação a ele. Alguns dos piores sádicos da história recente lhe escreviam cartas, lhe enviavam cartões de Natal e lhe perguntavam pela família. Natural que Wesley desse a impressão de suportar uma pesada carga e ficasse tanto tempo em silêncio. Para obter informações, fazia o que nenhum de nós quer fazer. Deixava que o monstro se ligasse a ele.

"Foi constatado que Waddell era psicopata?", indaguei.

"Foi constatado que ele estava em seu juízo perfeito quando assassinou Robyn Naismith." Wesley puxou uma fotografia e deslizou-a sobre a mesa até mim. "Mas, francamente, não acho que estivesse."

Aquela era a fotografia que eu guardara mais nitidamente na memória e, enquanto a examinava, não conseguia imaginar uma alma desprevenida dando de cara com uma cena daquelas.

A sala de visitas de Robyn Naismith não tinha muita mobília, só diversas cadeiras com almofadas verde-escuras e um sofá de couro cor de chocolate. No meio do assoalho de tacos havia um tapetinho Bakhara e o revestimento de madeira das paredes tinha veios imitando cerejeira ou mogno. Uma televisão grande ficava encostada à parede do fundo, bem em frente à porta de entrada, propiciando a quem entrasse ampla visão frontal da arte horrível de Ronnie Joe Waddell.

O que a amiga de Robyn vira no instante em que destrancara e abrira a porta chamando por Robyn fora um corpo nu sentado no chão, com as costas apoiadas na televisão e tanto sangue seco escorrido e espalhado sobre a pele que a natureza exata das lesões só pôde ser determinada mais tarde, no necrotério. Na fotografia, o sangue coagulado em poças em torno das nádegas de Robyn parecia alcatrão pintado de vermelho, e havia várias toalhas ensangüentadas espalhadas por perto. A arma nunca foi encontrada, embora a polícia houvesse descoberto que num conjunto existente na cozinha faltava uma faca de carne, alemã, de aço inoxidável, e que as características da lâmina dessa faca se ajustavam aos ferimentos.

Tendo aberto a pasta referente a Eddie Heath, Wesley tirou um diagrama desenhado no local pelo policial do condado de Henrico que descobrira o menino gravemente ferido atrás da mercearia vazia. Pôs o diagrama junto à fotografia de Robyn Naismith e ficamos um instante em silêncio, olhando para as duas imagens, comparando-as. As semelhanças eram mais pronunciadas do que eu imaginara, as posições dos corpos eram praticamente idênticas, desde as mãos ao lado do corpo até a roupa mal empilhada entre os pés descalços.

"Tenho de admitir que é impressionante", observou Wesley. "Parece que a cena de Eddie Heath é uma cópia dessa."

Tocou a fotografia de Robyn Naismith. "Os corpos posicionados como bonecas de pano, apoiados contra objetos cúbicos. Uma tv grande. Um contêiner marrom."

Espalhou outras fotografias pela mesa, como cartas de baralho, e tirou uma do conjunto. Era um close do corpo no necrotério, com as marcas circulares desiguais de mordidas humanas no seio esquerdo e na parte interior da coxa esquerda.

"Novamente uma semelhança notável", disse ele. "As marcas de mordida nestes dois pontos correspondem exatamente às regiões em que faltava tecido no ombro e na coxa de Eddie Heath. Em outras palavras", disse, tirando os óculos e olhando para mim, "Eddie Heath provavelmente foi mordido e a carne retirada para não deixar provas."

"Então o assassino pelo menos conhece um pouco de medicina legal."

"Quase todo criminoso que passou algum tempo na prisão conhece medicina legal. Se Waddell não sabia nada sobre identificação de mordidas quando assassinou Robyn Naismith, a esta altura já saberia."

"Você está falando de novo como se fosse ele o assassino. Agora há pouco você disse que o perfil não era o dele."

"Dez anos atrás, não seria. Isso é o que estou dizendo."

"Você está com o protocolo de avaliação dele. Podemos falar a respeito?"

"Claro."

O protocolo era na verdade um questionário do FBI, de quarenta páginas, preenchido durante entrevistas feitas na prisão com criminosos violentos.

"Dê uma olhada você mesma. Quero saber o que você acha sem ser influenciada por mim", disse Wesley, pondo o protocolo de Waddell à minha frente.

As entrevistas de Wesley com Ronnie Joe Waddell tinham sido realizadas seis anos antes, no corredor da morte do condado de Mecklemburg. O protocolo começava com os dados descritivos usuais. A atitude, o estado emocional, os maneirismos e o estilo de conversação de Waddell mostravam-no agitado e confuso. Depois, quando Wesley lhe deu a oportunidade de formular perguntas, só fez uma: "Vi uns floquinhos brancos quando passei pela janela. Está nevando ou são cinzas do incinerador?".

Reparei que o protocolo era datado de agosto.

As perguntas sobre como o assassinato poderia ter sido evitado a nada haviam conduzido. Waddell teria matado sua vítima num local movimentado? Teria matado se houvesse testemunhas? Alguma coisa seria capaz de impedi-lo de matar? Na opinião dele a pena de morte era um dissuasor? Waddell disse que não conseguia se lembrar de ter matado "a mulher da televisão". Não sabia o que teria sido capaz de impedi-lo de cometer um ato do qual não se recordava. Sua única lembrança era de estar "grudento". Disse que era como ter acordado de um sonho erótico. A viscosidade experimentada por Ronnie Waddell não era a do esperma. Era a do sangue de Robyn Naismith.

"Os problemas dele parecem simples. Dores de cabeça, timidez extrema, fantasias acentuadas e o fato de ter deixado a casa dos pais aos dezenove anos de idade. Não vejo nada aqui que pudéssemos considerar o sinal de alarme habitual. Não há crueldade contra animais, atividades incendiárias, agressões etc."., pensei em voz alta.

"Continue."

Explorei diversas outras páginas. "Drogas e álcool", disse eu.

"Se não tivesse sido preso, ia morrer como drogado ou levar um tiro na rua. E o que é interessante é que ele só começou a abusar dessas substâncias no início da idade adulta. Lembro que Waddell me disse que até sair de casa e completar vinte anos nunca tinha provado álcool."

"Ele se criou numa fazenda?"

"Em Suffolk. Uma fazenda bem grande onde se plantavam amendoim, milho e soja. A família dele toda morava lá e trabalhava para os proprietários. Eram quatro filhos e Ronnie Joe era o mais moço. A mãe era muito religiosa e levava as crianças à igreja todos os domingos. Nada de álcool, nem de palavrão, nem de cigarros. Ele era muito protegido. Na verdade Ronnie nunca tinha saído da fazenda até o pai morrer, aí ele teve de sair. Tomou o ônibus para Richmond e não teve dificuldade para encontrar trabalho, por causa de sua força física. Quebrar asfalto com britadeira, carregar carga pesada, essas coisas. Minha teoria é que, diante da tentação, não pôde resistir. Primeiro a cerveja e o vinho, depois a maconha. Passado um ano já estava na cocaína e na heroína, comprando, vendendo e roubando o que podia. Quando lhe perguntei quantos crimes tinha cometido sem ser preso, disse que perdera a conta. Disse que roubava, arrombava automóveis — em outras palavras, crimes contra o patrimônio. Aí arrombou a casa de Robyn Naismith e ela teve o azar de chegar em casa quando ele estava lá."

"Benton, ele não era descrito como violento."

"É. Nunca teve o perfil do criminoso violento típico. A defesa alegou insanidade temporária devida às drogas e ao álcool. Para falar a verdade, acho que o caso era esse mesmo. Pouco antes de matar Robyn Naismith ele tinha começado a tomar PCP. É bem possível que, ao encontrar Robyn, Waddell estivesse completamente louco e depois pouco ou nada recordasse do que tinha feito a ela."

"Você se lembra do que ele roubou, se é que roubou alguma coisa? Não sei se havia prova clara de que quando arrombou a casa ele tinha a intenção de roubar."

"O lugar foi saqueado. Sabemos que faltavam jóias. O armarinho de remédios e a carteira dela estavam vazios. É difícil saber o que mais foi roubado, porque ela morava sozinha."

"Não mantinha nenhum relacionamento significativo?"

"Um ponto fascinante." Wesley olhou para um casal de velhos que dançava ao som de um saxofone rouco numa espécie de torpor. "Foram encontradas marcas de esperma no lençol e na colcha. A marca do lençol tinha de ser recente, salvo se Robyn não trocasse a roupa de cama com freqüência, e sabemos que o Waddell não era a origem das marcas. Não combinavam com seu tipo de sangue."

"Ninguém que a conhecesse mencionou algum amante?"

"Ninguém. Claro que havia interesse em saber quem era a pessoa e, como ele nunca entrou em contato com a polícia, houve a supeita de que ela tivesse um caso com um homem casado, colega ou contato."

"Talvez tivesse. Mas não era ele o assassino."

"Não. O assassino foi Ronnie Joe Waddell. Vamos dar uma olhada."

Abri a pasta de Waddell e mostrei a Wesley as fotografias do prisioneiro executado que autopsiara na noite de 13 de dezembro.

"Você pode dizer se esse é o homem que você entrevistou há seis anos?"

Impassível, Wesley estudou as fotografias uma por uma. Olhou os closes da frente e de trás da cabeça e passou os olhos por fotos do tronco e das mãos. Desprendeu um retrato três por quatro do protocolo de avaliação de Waddell e. enquanto eu observava, começou a fazer comparações.

"Há uma certa semelhança", disse eu.

"É o máximo que se pode dizer. A fotografia três por quatro tem dez anos. Waddell tinha barba e bigode e era musculoso, mas esbelto. O rosto era magro. Esse cara" — apontou para uma das fotografias do necrotério — "está barbeado e é muito mais gordo. O rosto é muito mais chato. Baseado nessas fotografias não posso afirmar que seja o mesmo homem."

Tampouco eu podia dizê-lo. Podia, porém, pensar em velhas fotografias minhas que ninguém teria reconhecido.

"Você tem alguma sugestão sobre como resolver esse problema?", perguntei a Wesley.

"Vou tentar algumas coisas. Seu velho amigo Nick Grueman tem alguma coisa a ver com o caso, e estive pensando na melhor maneira de lidar com ele sem mostrar nosso jogo. Se eu ou Marino falarmos com ele, ele vai saber imediatamente que há alguma coisa", disse, empilhando as fotografias e batendo-as contra a mesa, tentando endireitá-las.

Percebi aonde íamos chegar e tentei interrompê-lo, mas Wesley não deixou.

"Marino me falou de suas dificuldades com Grueman, que ele telefona e fica encurralando você. E depois, é claro, tem também o passado, o tempo em que você estava na Universidade de Georgetown. Talvez você devesse falar com ele."

"Não quero falar com ele, Benton."

"Quem sabe ele tem fotografias de Waddell, cartas, outros documentos. Alguma coisa com as impressões digitais do Waddell. Ou talvez, ao longo da conversa, ele diga alguma coisa que possa ser interessante. O ponto é que, se você quiser, pode procurá-lo por conta de suas atividades normais, e nós não. E de todo jeito você vai ao distrito de Colúmbia ver Downey."

"Não."

"É só uma idéia." Olhou para outro lado e pediu a conta à garçonete. "Quanto tempo Lucy vai ficar com você?"

"Só tem que voltar para o colégio no dia 17 de janeiro."

"Estou lembrado de que ela é muito boa com computadores."

"Para lá de boa."

Wesley sorriu de leve. "É o que me disse o Marino. Disse que ela acha que pode ajudar com o SIDA."

"Tenho certeza de que ela gostaria de tentar." De repente senti-me de novo protetora — e dilacerada. Queria mandá-la de volta para Miami e ao mesmo tempo não queria.

"Talvez você não esteja lembrada, mas Michele trabalha no Departamento de Serviços de Justiça Criminal, que assiste a Polícia Estadual no uso do SIDA", disse Wesley.

"Imagino que no momento isso deva lhe causar alguma preocupação." Terminei minha bebida.

"Não há um dia de minha vida em que eu não me preocupe", disse ele.

Na manhã seguinte começou a cair uma neve ligeira enquanto Lucy e eu vestíamos uniformes de esqui que poderiam ser vistos a quilômetros de distância.

"Pareço um daqueles cones de sinalização", disse ela, fitando seu reflexo laranja flamejante no espelho.

"É verdade. Se você se perder em alguma trilha não vai ser difícil encontrar." Engoli as vitaminas e duas aspirinas com água mineral do minibar.

Minha sobrinha considerou meu traje quase tão elétrico quanto o dela, e sacudiu a cabeça. "Para alguém tão conservadora, nos esportes você se veste como um pavão de néon."

"Procuro não ser careta o tempo todo. Está com fome?"

"Morrendo."

"Benton vai nos encontrar no refeitório às oito e meia. Podemos descer, se você não quiser esperar."

"Estou pronta. Connie não vai comer com a gente?"

"A gente vai se encontrar com ela na pista. Benton primeiro quer falar a respeito de trabalho."

"Acho que ela vai ficar chateada de ser deixada de fora. Sempre que ele fala com alguém, parece que ela não é convidada."

Fechei a porta do quarto e fomos indo pelo corredor silencioso.

"Acho que Connie não gosta de se envolver. Conhecer cada pormenor do trabalho do marido seria uma carga para ela", disse eu em voz baixa.

"E para compensar ele conversa com você."

"Sobre os casos, conversa."

"Sobre o trabalho. E o trabalho é o mais importante para vocês."

"O trabalho certamente domina nossas vidas."

"Você e o sr. Wesley estão querendo ter um caso?"

"Já estamos quase tomando café da manhã juntos", sorri.

O bufê do Homestead era um portento. Havia mesas compridas cobertas por toalhas, repletas de toucinho e presunto defumados da Virgínia, todas as receitas imagináveis de ovo, além de doces, pães e bolos. Lucy não parecia tentada, dirigindo-se diretamente para os cereais e frutas frescas. Obrigada a me comportar por causa do exemplo dela e de meu recente sermão a Marino sobre sua saúde, evitei tudo o que queria, inclusive o café.

"As pessoas estão olhando pra você, tia Kay", disse Lucy entre dentes.

Imaginei que a atenção era resultado de nossa vestimenta vibrante, até que abri o *Washington Post* daquela manhã e tive a surpresa de me descobrir na primeira página. O título dizia: "ASSASSINATO NO NECROTÉRIO", e a notícia era uma longa descrição do homicídio de Susan, acompanhada de uma fotografia colocada num lugar preeminente, na qual eu aparecia chegando ao local do crime, aparentemente muito nervosa. Ficava claro que a principal fonte do repórter fora o transtornado marido de Susan, Jason, cujo depoimento pintava um quadro em que, menos de uma semana antes de morrer violentamente, sua mulher tinha deixado o emprego em circunstâncias singulares, senão suspeitas.

202

Afirmava-se, por exemplo, que havia pouco Susan tinha se indisposto comigo quando eu quisera arrolá-la como testemunha no caso de um jovenzinho assassinado, embora ela não tivesse estado presente à autópsia. Quando Susan adoecera e não fora trabalhar "devido a um derramamento de formol", eu telefonara para sua casa com tanta freqüência que ela havia ficado com medo de atender o telefone. Depois eu "aparecera em sua porta na véspera do assassinato" com um vaso de flores e vagas ofertas de favores.

O marido de Susan era citado: "Cheguei a minha casa depois das compras de Natal e encontrei a médica-legista chefe na minha sala de visitas. Ela [a dra. Scarpetta] despediu-se imediatamente e assim que a porta se fechou Susan começou a chorar. Estava apavorada com algo, mas não me disse o que era".

Por mais que achasse desconcertante a afronta pública de Jason, pior era a revelação das transações financeiras recentes de Susan. Supunha-se que, duas semanas antes de morrer, ela havia saldado mais de três mil dólares de dívidas com cartões de crédito, depois de depositar três mil e quinhentos dólares em sua conta corrente. A bonança súbita não podia ser explicada. No outono seu marido perdera o emprego de vendedor e Susan ganhava menos de vinte mil dólares por ano.

"O sr. Wesley está aqui", disse Lucy, tirando o jornal de minha mão.

Wesley vestia calças pretas de esqui e suéter preto de gola alta e levava no braço uma jaqueta de um vermelho-vivo. Pela expressão de seu rosto e por seu queixo contraído, percebi que estava a par das notícias.

"O *Post* tentou falar com você?" Puxou uma cadeira. "Não posso acreditar que tenham publicado esse negócio sem dar a você a oportunidade de fazer algum comentário."

"Ontem, quando eu estava saindo da repartição, um repórter do *Post* telefonou. Queria me perguntar sobre o homicídio de Susan e preferi não falar com ele. Com certeza aquela era a minha oportunidade."

"Quer dizer que você não sabia de nada, não foi avisada desse golpe?"

"Estava por fora até pegar o jornal."

"Está em todos os noticiários, Kay." Seus olhos encontraram os meus. "Ouvi na televisão, de manhã. Marino telefonou. A imprensa de Richmond está deitando e rolando. O que se diz é que o assassinato de Susan pode estar ligado ao escritório do médico-legista — que você pode estar envolvida e por isso saiu da cidade às pressas."

"Isso é uma maluquice."

"Quanto do artigo é verdade?", perguntou ele.

"Os fatos foram completamente distorcidos. Quando Susan não apareceu para trabalhar, telefonei para a casa dela. Queria certificar-me de que estava bem e precisava saber se ela se lembrava de ter tirado as impressões digitais do Waddell no necrotério. Fui vê-la na véspera de Natal para dar-lhe um presente e as flores. Quanto à minha promessa de favores, imagino que foi quando ela me disse que estava se demitindo e eu disse a ela que se precisasse de referências ou se houvesse alguma coisa que eu pudesse fazer por ela, estaria às ordens."

"E esse negócio de ela não querer ser testemunha no caso de Eddie Heath?"

"Isso foi na tarde em que ela quebrou vários vidros de formol e foi se refugiar em minha sala. É rotina arrolar os assistentes de autópsias como testemunha quando eles assistem as autópsias. Nesse caso, Susan só esteve presente no exame externo e foi taxativa em não querer seu nome no relatório da autópsia de Eddie Heath. Achei o pedido e o comportamento dela esquisitíssimos, mas não houve nenhum confronto."

"Por esse artigo, parece que você a estava subornando. Era isso o que eu haveria de pensar, se lesse a matéria e não soubesse de nada", disse Lucy.

"Eu não a estava subornando, mas parece que alguém estava."

"Agora tudo está fazendo um pouco mais de sentido. Se essa parte sobre a situação financeira dela é verdade, então Susan recebeu uma bolada de dinheiro, o que quer dizer que deve ter feito um serviço para alguém. Na mesma época alguém invadiu seu computador e a personalidade de Susan mudou. Ficou nervosa e imprevisível. Evitou você o mais que pôde. Acho que ela não conseguia encarar você, Kay, porque sabia que estava traindo você", disse Wesley.

Concordei com a cabeça, lutando para manter a compostura. Susan havia se metido em alguma confusão e não soubera como sair, e me ocorreu que aquela podia ser a verdadeira razão pela qual ela fugira da autópsia de Eddie Heath e, depois, da de Jennifer Deighton. Suas explosões emocionais nada tinham a ver com bruxaria ou com a tontura que sentira depois de exposta às emanações de formol. Ela estava entrando em pânico. Não queria ser testemunha em nenhum dos dois casos.

Quando expus minha teoria, Wesley disse: "Interessante. Se você perguntar que coisa de valor Susan tinha para vender, a resposta é que ela tinha informação. E com certeza a pessoa que ela ia encontrar no dia de Natal era a pessoa que estava comprando essa informação".

"Que informação podia ser tão importante a ponto de alguém pagar milhares de dólares por ela e depois matar uma mulher grávida?", indagou Lucy em tom áspero.

Não sabíamos, mas tínhamos um palpite. O denominador comum, mais uma vez, parecia ser Ronnie Joe Waddell.

Não havia sido por esquecimento que Susan deixara de colher as impressões digitais de Waddell ou de fosse quem fosse o executado. Ela não as colhera deliberadamente.

"É o que parece", concordou Wesley. "Alguma outra pessoa pediu a ela para convenientemente esquecer de tirar as digitais. Ou para perder as fichas, caso você ou outro membro da equipe as tirasse."

Pensei em Ben Stevens. Filho da mãe.

"E isso nos leva de volta ao que você e eu concluímos ontem à noite, Kay", prosseguiu Wesley. "Temos de voltar à noite em que se supõe que Waddell foi executado e determinar quem estava amarrado na cadeira. E um lugar para começar é o SIDA. O que queremos saber é se mexeram em algum registro e quem mexeu."

Depois, dirigindo-se a Lucy: "Já tenho tudo arrumado para você verificar as fitas diárias, se você concordar".

"Concordo", disse Lucy. "Quando você quer que eu comece?"

"Pode começar quando quiser, porque o primeiro passo só envolve o telefone. Você precisa telefonar a Michele. Ela é analista de sistemas no Departamento de Serviços de Justiça Criminal e trabalha para as chefias da Polícia Estadual. Está envolvida com o SIDA e vai dar a você os pormenores de como tudo funciona. E aí vai montar as fitas diárias, para que você tenha acesso a elas."

"Ela não se incomoda de eu fazer isso?", perguntou Lucy, cautelosa.

"Ao contrário. Adora. As fitas diárias são só elementos de auditoria, um registro das mudanças feitas no banco de dados do SIDA. Em outras palavras, não podem ser lidas. Acho que Michele chamava isso 'depósito hex'; não sei se significa alguma coisa para você."

"Hexadecimal, ou base 16. Em outras palavras, criptogramas. Quer dizer que tenho de decifrar os dados e procurar tudo o que se refira aos números de identificação dos registros em que vocês estão interessados."

"Você pode fazer isso?", indagou Wesley.

"Se tiver uma idéia do código e do sistema de registro. Por que a analista que você conhece não faz isso ela mesma?"

"Queremos ser o mais discretos possível. Se Michele de repente largasse o trabalho dela e começasse a explorar as fitas diárias dez horas por dia ia chamar atenção. Você pode trabalhar sem ser vista, lá na casa de sua tia, discando para uma linha especial."

"Contanto que quando Lucy discar não seja possível descobrir que foi lá de casa", disse eu.

"Não será", disse Wesley.

206

"E ninguém poderá perceber que alguém de fora está discando para o computador da Polícia Estadual e tendo acesso às fitas?", perguntei.

"Michele diz que pode dar um jeito para não haver problema."

Wesley abriu o zíper de um bolso de sua jaqueta de esqui e tirou um cartão, que entregou a Lucy.

"Aqui estão os números dos telefones dela, do trabalho e de casa."

"Como você sabe que posso confiar nela? Se o sistema foi invadido, como você sabe que ela não está envolvida?", perguntou Lucy.

"Michele nunca foi boa em mentira. Desde pequena olhava para os pés e ficava mais vermelha que um pimentão."

"Você conheceu ela quando era pequena?" Lucy parecia desconcertada.

"Até antes. É minha filha mais velha."

9

Depois de muita discussão, chegamos ao que parecia ser um plano razoável. Lucy ficaria em Homestead com os Wesley até quarta-feira, deixando-me um breve período para enfrentar meus problemas sem me preocupar com seu bem-estar. Depois do café parti sob uma neve mansa, que se transformara em chuva quando cheguei a Richmond.

No fim da tarde estive na repartição e nos laboratórios. Conversei com Fielding e com diversos legistas e evitei Ben Stevens. Não retornei a ligação de nenhum repórter e ignorei o correio eletrônico, pois, se o secretário de Saúde tivesse me mandado uma mensagem, não queria saber o que ela dizia. Às quatro e meia estava enchendo o tanque com gasolina num posto Exxon da avenida Grove quando um Ford LTD branco parou atrás de mim. Vi Marino descer, ajeitar as calças e dirigir-se ao banheiro dos homens. Quando voltou, pouco tempo depois, olhou disfarçadamente em torno como se estivesse preocupado que alguém pudesse ter observado sua visita ao sanitário. Depois veio falar comigo.

"Quando ia passando vi você", disse, enfiando as mãos nos bolsos do blazer azul.

"Cadê seu casaco?" Comecei a limpar o pára-brisa da frente.

Deu de ombros no ar frio e cortante. "Está no carro. Me atrapalha. Se você não está pensando em acabar com esses boatos, é melhor começar a pensar."

Irritada, guardei o limpa pára-brisa na embalagem. "E o que você sugere, Marino? Que eu chame o Jason Story e diga a ele que sinto muito que a mulher e a filha dele tenham morrido, mas que agradeceria se ele despejasse sua mágoa e sua raiva em outro lugar?"

"Doutora, ele está culpando você."

"Depois de ler no *Post* o que ele disse, acho que muita gente está me culpando. Ele conseguiu me pintar como uma maquiavélica filha da mãe."

"Você está com fome?"

"Não."

"Mas parece."

Olhei-o como se ele tivesse enlouquecido.

"E, quando acho que alguma coisa está parecendo isso ou aquilo, meu dever é investigar. Vou então lhe dar uma opção, doutora. Posso apanhar uns biscoitinhos e uns refrigerantes ali nas máquinas e podemos ficar aqui congelando a bunda e respirando fumaça enquanto impedimos outros pobres-diabos de usar as bombas de auto-serviço, ou podemos dar um pulo no Phil's. Para mim qualquer coisa está bom."

Dez minutos depois estávamos sentados num reservado de canto correndo os olhos por um cardápio com ilustrações espalhafatosas que oferecia de tudo, desde espaguete até peixe frito. Marino estava de frente para a porta escura e eu gozava de uma visão perfeita dos banheiros. Ele, como a maioria das pessoas em torno de nós, fumava, e eu me lembrava de como é duro parar. Na verdade, consideradas as circunstâncias, ele não poderia ter escolhido um restaurante melhor. O Philip's Continental Lounge era um velho estabelecimento de bairro onde fregueses que tinham se conhecido a vida inteira continuavam a se encontrar regularmente para uma refeição suculenta e uma garrafa de cerveja. O cliente típico era bem-humorado e gregário e não me reconheceria nem prestaria atenção em mim salvo se minha fotografia aparecesse regularmente na seção esportiva do jornal.

"É o seguinte", disse Marino, fechando o cardápio. "Jason Story acredita que Susan ainda estaria viva se tivesse outro emprego. E provavelmente está certo. Além do mais, ele é um fracassado — um desses fodidos egocêntricos que acreditam que tudo é culpa dos outros. A verdade é que provavelmente o maior culpado pela morte de Susan é ele mesmo."

"Você está sugerindo que *ele* a matou?"

A garçonete apareceu e fizemos o pedido. Frango grelhado e arroz para Marino e cachorro-quente kosher com pimenta para mim, mais dois refrigerantes diet.

"Não estou sugerindo que Jason tenha matado a mulher, mas por causa dele ela se envolveu com o negócio que precipitou o homicídio. Pagar as contas era responsabilidade da Susan, e ela estava sofrendo uma grande pressão financeira", disse Marino gravemente.

"Não é de espantar. O marido tinha perdido o emprego."

"É uma pena que ele não tenha perdido o gosto por dinheiro. Estamos falando de camisas pólo, calças da Britches de Georgetown e gravatas de seda. Umas duas semanas depois de ser despedido, o pinta sai de casa, compra setecentos dólares de equipamento de esqui e se manda para passar o fim de semana em Wintergreen. Antes disso foi uma jaqueta de couro de duzentos dólares e uma bicicleta de quatrocentos dólares. Quer dizer, a Susan ficava no necrotério trabalhando como um camelo para chegar em casa e dar de cara com umas contas que engoliam o salário dela brincando."

"Eu não sabia", disse eu, penalizada por uma visão súbita de Susan sentada à escrivaninha. Seu ritual diário era passar a hora do almoço em sua sala, e às vezes eu me reunia lá com ela para conversar. Lembrei-me de seus salgadinhos de milho e das etiquetas de oferta dos refrigerantes. Não penso que ela jamais tenha comido ou bebido alguma coisa que não tivesse sido trazida de casa.

"Os hábitos de consumo do Jason levam a essa merda que ele está fazendo com você. Está esculhambando você porque você é uma médica-advogada-cacique que dirige um Mercedes e tem uma casa enorme em Windsor Farms. Acho que o babaca acredita que, se de algum modo culpar você pelo que aconteceu com a mulher, pode arranjar uma indenização", continuou Marino.

"Pode tentar até se arrebentar."

"E vai tentar."

Nossos refrigerantes chegaram, e mudei de assunto.

"Vou me encontrar com o Downey amanhã de manhã."

Os olhos de Marino se desviaram para o televisor no alto do bar.

"Lucy está começando com o SIDA. E tenho também de fazer alguma coisa quanto a Ben Stevens."

"O que você devia fazer era se livrar dele."

"Você faz alguma idéia de como é difícil demitir um servidor público?"

"Dizem que é mais fácil demitir Jesus Cristo. Só se for um servidor comissionado, como você. Mas tem de haver um jeito de pôr um filho da puta para fora."

"Você falou com ele?"

"Falei. Segundo ele, você é arrogante, ambiciosa e esquisita. Um pé-no-saco para se trabalhar."

"Ele disse isso mesmo?", perguntei, incrédula.

"O papo foi esse."

"Espero que alguém esteja verificando as contas dele. Gostaria de saber se fez algum depósito grande ultimamente. Susan não entrou nessa sozinha."

"Também acho. Acho que o Stevens sabe de muita coisa e está fazendo de tudo para esconder. Por falar nisso, verifiquei o banco da Susan. Um dos caixas se lembra de que ela depositou os três mil e quinhentos dólares em dinheiro. Notas de vinte, cinqüenta e cem dólares, que levava na bolsa."

"O que o Stevens disse a respeito de Susan?"

"Anda dizendo que na verdade não a conhecia, mas que tinha a impressão de que havia um problema entre ela e você. Em outras palavras, está reforçando o que saiu nos jornais."

211

Nossa comida chegou, e eu estava tão irritada que mal consegui engolir.

"E o Fielding? Também acha horrível trabalhar comigo?"

Marino desviou novamente o olhar. "Diz que você é muito elétrica e que ainda não entendeu bem você."

"Não o contratei para me entender e, comparada com ele, claro que sou elétrica. Há muito tempo Fielding está desencantado com a medicina legal. Gasta a maior parte de sua energia no ginásio."

Marino encontrou meus olhos. "Doutora, você é elétrica comparada com *qualquer um*, e a maioria das pessoas não entende você. Você não é uma pessoa que se mostra muito. Chega mesmo a parecer uma pessoa sem sentimentos. É tão fechada que, para quem não conhece, parece às vezes que não sente nada. Os outros tiras, os advogados, esse pessoal todo me pergunta a seu respeito. Querem saber como você é na verdade, como pode fazer o que faz todo dia — qual é o babado. Vêem você como uma pessoa que não se aproxima de ninguém."

"E o que você diz a eles quando perguntam?"

"Não digo porra nenhuma."

"Terminou a psicanálise, Marino?"

Acendeu um cigarro.

"Olhe, vou lhe dizer uma coisa, e você não vai gostar. Você sempre foi essa mulher reservada, profissional — uma pessoa que não deixa ninguém chegar perto facilmente, mas quando a gente chega, chega. Você é amiga para toda a vida e faz tudo pelo cara. Mas este ano você está diferente. Levantou uns cem muros desde que mataram o Mark. Para a gente, que está do seu lado, é como estar numa sala a vinte graus e de repente a temperatura baixar para doze. Acho que você nem sabe disso. Então, agora ninguém está se sentindo muito ligado a você. Pode ser até que estejam um pouco ressentidos porque se sentem ignorados e esnobados. Pode ser que não tenham gostado nunca de você. Pode ser que sejam só indiferentes. O negócio com as pessoas é que, esteja você num trono ou na cadeira elétrica, vão dar um jeito de usar sua posição para tirar vantagem. E, quando não há uma ligação entre você e elas, isso torna ainda mais fácil para elas tentarem conseguir o que querem sem ligar a mínima para você. Sua posição é essa. Tem muita gente que há anos está esperando para ver você se dar mal."

"Não tenho a intenção de me dar mal." Empurrei o prato.

Ele soltou uma baforada. "Doutora, você já está se dando mal. E meu bom senso diz que se você está nadando no meio dos tubarões e começa a sangrar é melhor sair da água rapidamente."

"Será que a gente podia conversar sem usar clichês, pelo menos por um ou dois minutos?"

"Bom. Posso falar em japonês ou chinês, você não vai me ouvir."

"Se você falar japonês ou chinês, prometo que ouço. Aliás, se um dia você decidir falar nossa língua, eu prometo que ouço."

"Comentários como esse não ajudam em nada. Não vão fazer com que você tenha mais fãs. É disso mesmo que estou falando."

"Eu estava só brincando."

"Já vi você abrir muitos cadáveres com um sorriso."

"Nunca. Eu sempre uso escalpelo."

"Às vezes não há diferença entre os dois. Já vi você tirar sangue dos advogados de defesa com um sorriso nos lábios."

"Se sou uma pessoa tão horrível assim, por que somos amigos?"

"Porque eu tenho mais muros ainda que você. A verdade é que tem uma raposa atrás de cada árvore e que o mar está cheio de tubarões. Todos estão em cima de nós."

"Marino, você está paranóico."

"Você tem toda a razão, e é por isso, doutora, que eu quero que você se faça de morta por um tempo. Sério."

"Não posso."

"Você quer saber de uma coisa? Vai começar a parecer que existem interesses envolvidos, se você tiver qualquer coisa a ver com esses casos. Você vai acabar se dando mal."

"Susan morreu. Eddie Heath morreu. Jennifer Deighton morreu. Há corrupção em minha repartição, e não temos certeza de quem foi para a cadeira elétrica na semana passada. E você acha que devo sumir até as coisas se consertarem sozinhas num passe de mágica?"

Marino quis alcançar o sal, mas cheguei antes. "Não. Mas pode se servir de toda a pimenta que quiser", disse eu, aproximando dele o vidro da pimenta.

"Essa mania de saúde vai me matar. Porque qualquer dia desses vou ficar tão puto que vou fazer tudo junto. Cinco cigarros ao mesmo tempo, um bourbon numa mão e uma xícara de café na outra, bife, batata assada cheia de manteiga, creme, sal. Aí vou ter um curto-circuito geral", avisou ele.

"Não, não vai fazer nada disso. Você vai se tratar bem e viver pelo menos tanto tempo quanto eu."

Ficamos algum tempo em silêncio, comendo.

"Doutora, não fique ofendida, mas o que você acha que vai descobrir sobre a porra das penas?"

"A origem delas, se puder."

"Eu posso lhe poupar o trabalho. Vêm dos passarinhos."

Deixei Marino quase às sete horas da noite e voltei para o centro. A temperatura subira até um pouco mais de quatro graus, a noite escura e a violência da chuva interrompiam o tráfego. As lâmpadas de vapor de sódio pareciam manchas amarelas de pólen atrás do necrotério, onde a porta principal estava fechada e todas as vagas do estacionamento estavam livres. Dentro do edifício meu pulso se acelerou quando enveredei pelo corredor brilhantemente iluminado que passava pela sala de autópsias, a caminho da salinha de Susan.

Quando abri a porta não sabia o que esperava encontrar, mas fui atraída pelo arquivo e pelas gavetas da mesa, cada livro e cada recado telefônico antigo. Tudo parecia idêntico a antes da morte de Susan. Marino era mestre em vasculhar o espaço privado de alguém sem atrapalhar a desordem natural das coisas. O telefone ainda estava jogado no canto direito da mesa, com o fio enrolado como um saca-rolha. Junto ao mata-borrão havia tesouras e dois lápis de ponta quebrada, e o guarda-pó usado no laboratório estava pendurado nas costas da cadeira. Na tela do computador ainda estava preso um lembrete sobre uma consulta médica, e tremi por dentro quando dei com as curvas tímidas e a inclinação graciosa de sua caligrafia caprichada. Em que ponto ela perdera o rumo? Teria sido ao casar-se com Jason Story? Ou sua destruição vinha de muito antes, de quando era a filha de um pastor escrupuloso, a gêmea que sobrara quando a irmã morrera?

Sentei-me na cadeira, rolei-a para perto do arquivo e comecei a tirar as pastas uma por uma e a verificar seu conteúdo. A maior parte do que examinei era folhetos e outras informações impressas sobre equipamento cirúrgico e materiais diversos usados no necrotério. Nada me pareceu curioso, até descobrir que ela guardara praticamente todos os memorandos que recebera de Fielding, mas nenhum meu ou de Bob Stevens, quando eu sabia que ambos tínhamos lhe enviado muitos. Tendo prosseguido com a busca nas gavetas e nas estantes, não encontrei as pastas referentes a Stevens ou a mim e concluí que alguém as havia levado.

Meu primeiro pensamento foi que Marino pudesse tê-las retirado. Depois, num sobressalto, outra idéia me ocorreu, e corri escada acima. Abri a porta de minha sala e fui diretamente até a gaveta do arquivo onde guardava a papelada administrativa de rotina, como notas de telefonemas, memorandos, impressos de comunicações eletrônicas recebidas, minutas de propostas orçamentárias e planos de longo prazo. Revirei freneticamente pastas e gavetas. Na pasta grossa que eu procurava estava marcado simplesmente "Memorandos", e nela havia cópias de todos os memorandos expedidos por mim para meu pessoal e para os servidores de várias outras repartições nos últimos sete anos. Procurei na sala de Rose e examinei de novo minha sala. A pasta tinha desaparecido.

"Filho da puta, filho da puta nojento", dizia em voz baixa ao descer furiosa o corredor.

A sala de Ben Stevens estava tão impecavelmente limpa e tão cuidadosamente arrumada que parecia um mostruário de loja de móveis. A mesa era cópia de uma Williamsburg folheada em mogno e com puxadores de cobre brilhante, e havia abajures de pé de cobre com cúpulas verde-escuras. O assoalho estava coberto por um tapete persa feito a máquina e as paredes decoradas com gravuras grandes de esquiadores alpinos, homens montados em cavalos trovejantes e balançando tacos de pólo, e marinheiros cortando mares encapelados. Comecei puxando a pasta pessoal de Susan. Dentro estavam, como seria de esperar, a descrição das tarefas, o currículo e outros documentos. Estavam faltando diversos memorandos elogiosos que eu tinha escrito desde sua contratação e colocado pessoalmente na pasta. Comecei a abrir as gavetas da mesa e numa delas descobri um estojo de plástico marrom contendo uma escova de dentes, dentifrício, um aparelho de barbear, creme de barbear e um vidrinho de água-de-colônia.

Foi talvez a corrente de ar quase imperceptível que se formou quando a porta foi silenciosamente aberta, ou talvez, como um animal, simplesmente senti a presença de alguém. Ergui os olhos e dei de cara com Ben Stevens de pé no vão da porta no momento em que, sentada à sua mesa, eu tentava atarrachar novamente a tampa de um vidro de água-de-colônia Red. Por um longo e gelado momento nos encaramos e nenhum de nós disse nada. Não senti medo. Não me importei nem um pouco com o que ele me pilhara fazendo. Senti raiva.

"Está trabalhando até muito tarde, Ben." Corri o fecho do estojo e devolvi-o à gaveta. Cruzei as mãos sobre o mata-borrão, me movendo e falando de modo propositadamente lento.

"Sempre gostei de trabalhar depois da hora, pois não há mais ninguém por perto", disse eu. "A gente não se distrai. Não há perigo de alguém entrar e interromper o que você está fazendo. Não há olhos nem ouvidos. Nenhum ruído, salvo nos raros momentos em que o vigia passa. E todos sabemos que isso não acontece com freqüência se não o chamamos, porque ele detesta vir ao necrotério. Nunca conheci vigia que não detestasse isso. Acontece o mesmo com o pessoal da limpeza. Lá embaixo eles nem vão, e aqui em cima fazem o mínimo que podem. Mas isso já não importa agora, não é? São nove horas e o pessoal da limpeza sempre vai embora às sete e meia. O que me intriga é o fato de eu nunca ter desconfiado. Não me passou pela cabeça. Pode ser que isso seja um triste reconhecimento de como eu tenho andado preocupada. Você disse à polícia que não conhecia bem a Susan, mas estava sempre dando carona a ela de casa para o trabalho e vice-versa, como naquela manhã cheia de neve em que autopsiei Jennifer Deighton. Lembro-me de que naquela ocasião Susan estava muito perturbada. Deixou o corpo no meio do corredor e estava discando um número no telefone, mas desligou depressa quando entrei na sala de autópsia. Duvido que se tratasse de um telefonema de negócios às sete e meia da manhã de um dia em que ninguém estava saindo de casa por causa do tempo. E não havia ninguém na repartição a quem telefonar — ninguém tinha chegado ainda, só você. Se ela estava discando seu número, por que ia esconder isso de mim? Só se você fosse mais que o chefe direto dela. Claro, sua relação comigo também me intriga. Parecemos nos dar bem e aí você de repente alega que sou a pior chefe da cristandade. Fico imaginando se Jason Story é a única pessoa que está falando com os repórteres. Essa persona a que fui de repente associada é

217

interessante. Essa imagem. A tirana. A neurótica. A pessoa de algum modo responsável pela morte violenta da superintendente do necrotério. Susan e eu tínhamos uma relação de trabalho muito cordial, e até bem pouco tempo, Ben, nós dois também nos entendíamos perfeitamente. Mas é minha palavra contra a sua, principalmente agora, já que qualquer pedaço de papel que pudesse provar o que estou dizendo desapareceu muito oportunamente. E o que eu acho é que você já andou soprando para alguém que pastas e memorandos importantes sumiram da repartição, sugerindo que fui eu que tirei. Quando desaparecem pastas e memorandos dá para dizer qualquer coisa sobre o que havia neles, não dá?"

"Não sei do que você está falando" disse Ben Stevens. Saiu do vão da porta mas não se aproximou da mesa nem pegou uma cadeira. Seu rosto estava congestionado, seus olhos tomados de ódio. "Não sei nada sobre o desaparecimento de pastas ou memorandos, mas, se é verdade, não posso esconder esse fato das autoridades, como também não posso esconder o fato de que passei pela repartição esta noite para apanhar um negócio que tinha deixado aqui e encontrei você mexendo na minha mesa."

"O que você deixou aqui, Ben?"

"Não tenho de responder a suas perguntas."

"Tem sim. Sou sua chefe e, se você vem até aqui tarde da noite e eu fico sabendo, tenho o direito de lhe perguntar."

"Suspenda-me então. Tente me exonerar. Vai ficar muito bonito para você neste momento."

"Você é um canalha, Ben."

Seus olhos se arregalaram e ele umedeceu os lábios.

"Seus esforços para me sabotar não passam de um monte de tinta que você está espalhando na água porque está ficando apavorado e quer desviar a atenção. Você matou Susan?"

"Você está é ficando louca." A voz dele tremeu.

"Ela saiu de casa no começo da tarde do dia de Natal, supostamente para encontrar uma amiga. Na verdade a pes-

·soa que ela ia encontrar era você, não era? Diga-me, você sabia que Susan, morta em seu próprio carro, estava com a gola do casaco e o lenço cheirando a colônia masculina, essa água-de-colônia Red que você guarda aqui na gaveta para se refrescar antes de ir para os bares depois do trabalho?"

"Não sei do que você está falando."

"Quem estava dando dinheiro a ela?"

"Quem sabe você..."

"Isso é ridículo. Você e Susan estavam envolvidos em algum esquema, e meu palpite é que foi você quem a envolveu, porque sabia das fraquezas dela. Com certeza ela confiou em você. Você sabia como convencê-la a acompanhá-lo, e Deus sabe que você tinha onde gastar o dinheiro. Só suas contas de bar já devem estourar seu orçamento. Farra é uma coisa cara, e eu sei quanto você ganha", afirmei calmamente.

"Você não sabe nada."

Baixei a voz. "Ben, corte essa. Pare enquanto é tempo. Diga-me quem está por trás disso."

Ele não me olhava nos olhos.

"Quando o pessoal começa a morrer, é porque as apostas estão muito altas. Você acha que se matou Susan vai conseguir se livrar?"

Ele não respondeu.

"Se foi outra pessoa que a matou, você acha que está seguro, que o mesmo não pode acontecer com você?"

"Você está me ameaçando."

"Bobagem."

"Você não pode provar que a água-de-colônia cujo cheiro sentiu em Susan era a minha. Não há teste para um troço assim. Não se pode botar um *cheiro* num tubo; não se pode guardar um cheiro", disse ele.

"Ben, agora vou pedir para você sair."

Ele se virou e saiu da sala. Quando ouvi as portas do elevador se fecharem desci o corredor e espiei por uma janela que dava para o estacionamento dos fundos. Só depois que Stevens foi embora me arrisquei a sair para buscar meu automóvel.

O edifício do FBI é uma fortificação de concreto na esquina da rua 9 com a avenida Pensilvânia, no coração do distrito de Colúmbia, e quando cheguei lá na manhã seguinte ele estava sendo invadido por pelo menos cem crianças, barulhentas. Lembravam Lucy na idade delas, em tropel pelas escadas, correndo para sentar nos bancos e circulando entre vasos com vastos arbustos e árvores. Lucy teria adorado percorrer os laboratórios, e de repente senti intensamente sua falta.

O rumor daquelas vozes agudas esmoreceu, como que levado para longe pelo vento. Avancei com passos firmes e decididos, pois estivera lá muitas vezes e conhecia o caminho. Passei por um pátio, depois por uma área de estacionamento reservado e por um guarda, para finalmente atingir a porta de vidro de uma só folha. Dentro havia um vestíbulo com mobília marrom, espelhos e bandeiras. Numa parede sorria uma fotografia do presidente dos Estados Unidos e em outra havia um cartaz com os dez fugitivos mais procurados do país.

Na mesinha da recepção apresentei minha carteira de motorista a um jovem agente cuja atitude era tão sombria quanto seu terno cinza.

"Sou a dra. Kay Scarpetta, médica-legista chefe da Virgínia."

"A senhora quer falar com quem?"

Informei-o.

Ele me comparou à fotografia, certificou-se de que eu não estava armada, deu um telefonema e me entregou um crachá. Diferentemente da academia em Quantico, a sede tinha um ambiente que parecia engomar a alma e endurecer a espinha.

Eu nunca tinha encontrado o agente especial Minor Downey, embora a ironia de seu nome tivesse suscitado em mim imagens depreciativas. Devia ser um homem afetado e frágil, com pêlo louro-claro cobrindo-lhe cada centímetro do corpo com exceção da cabeça. Os olhos deviam ser fracos e a pele raramente tocada pelo sol, e era óbvio que devia deslizar pelos lugares e nunca chamar atenção para si. Naturalmente, estava errada. Quando um homem saudável e em mangas de camisa apareceu e me olhou com firmeza, levantei-me da cadeira.

"O senhor deve ser o sr. Downey."

Ele apertou minha mão. "Dra. Scarpetta. Chame-me de Minor, por favor."

Teria no máximo quarenta anos e era atraente. Fazia o gênero acadêmico, de óculos sem aro, cabelo castanho cortado rente, e gravata de listras marrons e azul-marinho. Transpirava uma autoridade e uma intensidade intelectual que eram imediatamente reconhecidas por quem houvesse sofrido os anos árduos da pós-graduação, pois eu não conseguia me lembrar de nenhum professor de Georgetown ou de Johns Hopkins que não fosse adepto do raro e não achasse impossível ligar-se aos seres humanos comuns.

"E por que seu interresse pelas penas?", perguntei quando tomamos o elevador.

"Tenho uma amiga que é ornitóloga no Museu de História Natural da Smithsonian. Quando ela começou a colaborar com os funcionários da aeronáutica no problema dos choques com aves, fiquei interessado. Você sabe, as aves entram nas turbinas dos aviões, e quando você examina os pedaços de fuselagem no chão, encontra restos de penas e quer saber qual foi a ave que causou o problema. Em outras palavras, o que foi chupado fica bem mastigado. Uma gaivota pode derrubar um bombardeiro B-1, e é possível perder um motor em decorrência do encontro de uma ave com um avião grande cheio de gente, o que é um problema. Ou então tem o caso do mergulhão que atravessou o vidro de um jato Lear e decapitou o piloto. Isso é parte do que eu faço. Trabalho com a ingestão de aves. Testamos turbinas e pás jogando galinhas lá dentro. Aí ficamos sabendo se o avião pode sobreviver a uma ou duas galinhas. Mas as aves estão em todos os lugares. Excrementos de pombo na sola do sapato de um suspeito — o suspeito esteve ou não na travessa onde o corpo foi encontrado? Ou o cara que durante um assalto furta uma arara-amarela, e encontramos fragmentos de plumas na parte de trás do carro dele que identificamos como sendo de uma arara-amarela. Ou a pluminha encontrada no corpo de uma mulher estuprada e assassinada. A mulher foi encontrada numa caixa de alto-falantes estéreo Panasonic num contêiner. A pluma me pareceu uma peninha branca de pato-bravo, o mesmo tipo de pena do edredom que havia na cama do suspeito. Esse caso foi resolvido com uma pena e dois fios de cabelo."

O terceiro andar era um verdadeiro quarteirão de laboratórios onde técnicos analisavam explosivos, restos de pintura, pólen, instrumentos, pneus e cacos usados em crimes ou recolhidos no local dos crimes. Colunas cromatográficas especiais para gases, microespectrofotômetros e supercomputadores funcionavam dia e noite, e as coleções de referência enchiam salas e salas com tipos de pintura de automóvel, fitas adesivas e plásticos. Acompanhei Downey pelos corredores que passavam pelos laboratórios de análise de DNA até chegar à Seção de Pêlos e Fibras, onde ele trabalhava. Sua sala também funcionava como laboratório, com a mobília de madeira escura e as estantes compartilhando o espaço com balcões e microscópios. As paredes e o carpete eram bege, e alguns desenhos feitos a lápis e presos a um quadro de avisos me mostraram que aquele perito em penas internacionalmente respeitado era pai.

Abri um envelope de papel pardo e tirei três invólucros menores feitos de plástico transparente. Dois continham as penas colhidas junto aos corpos de Jennifer Deighton e Susan Story, enquanto o terceiro continha uma lâmina com os resíduos pegajosos dos pulsos de Eddie Heath.

"Parece que esta é a melhor", disse eu, apontando a pena que resgatara da camisola de Jennifer Deighton.

Ele a tirou do saquinho e disse: "Esta é uma pena do papo ou das costas. Tem uma bela curva. Muito bem. Quanto mais penas você tiver, melhor". Usando uma pinça, retirou dos dois lados da haste várias das projeções ou "barbas" que dela partiam, instalou-se ao microscópio estereoscópico e as colocou num filme fino de xileno que havia deitado numa lâmina. Isto servia para separar as minúsculas estruturas, ou fazê-las flutuar, e quando achou que cada fio estava perfeitamente separado, encostou no xileno um pedacinho de papel mata-borrão verde a fim de absorvê-lo. Acrescentou Flo-Texx, produto isolante, depois uma cobertura, e ajustou a lâmina ao microscópio comparativo, que estava ligado a uma câmera de televisão.

"Vou começar dizendo que as penas de todos os pássaros têm basicamente a mesma estrutura. Você tem uma haste central, barbas — que por sua vez se dividem em bárbulas, que são como fios de cabelo — e uma base alargada, em cima da qual há um poro chamado umbílico superior. As barbas são os filamentos que dão à pena sua aparência *penosa*, e no microcóspio a gente vê que na verdade elas são como minipenas saindo da haste." Voltou-se para a tela. "Isso aí é uma barba."

"Parece uma samambaia."

"Sob muitos aspectos parece. Agora vamos aumentar um pouco para examinar bem as bárbulas, porque são as características das bárbulas que permitem a identificação. Estamos interessados principalmente nos nódulos."

"Deixe-me ver se entendi. Os nódulos são características das bárbulas, as bárbulas são características das barbas, as barbas são características das penas e as penas são características das aves."

"Certo. E cada família de aves tem sua própria estrutura de penas."

O que vi na tela do monitor parecia, naturalmente, o desenho de uma folha ou da perna de um inseto. As linhas eram formadas por segmentos conectados por estruturas

223

triangulares tridimensionais, que Downey disse serem os nódulos.

"A chave é o tamanho, a forma, o número e a pigmentação dos nódulos, assim como sua posição em relação à bárbula", explicou ele pacientemente. "Por exemplo, se os nódulos têm forma de estrela você está lidando com pombos, nódulos em anel são de penas de galinhas ou perus, orlas salientes com expansão prenodal são de cucos." Apontou para a tela. "Estes são claramente triangulares; assim sei logo que a pena é de pato ou de ganso. Não que isso seja uma grande surpresa. A origem costumeira das penas recolhidas em assaltos, estupros e homicídios são travesseiros, edredons, abrigos, jaquetas, luvas. E geralmente o acolchoado desses itens é de penas e plumas de pato e ganso picadas e, em produtos mais baratos, de galinha. Mas aqui podemos dizer com certeza que não é galinha. E estou quase afirmando que sua pena também não veio de um ganso."

"Por quê?"

"Bom, a distinção seria muito fácil se tivéssemos a pena inteira. Essas pluminhas são barra. Mas, baseado no que estou vendo aqui, a média é de poucos nódulos. Além disso, eles não estão localizados ao longo da bárbula, mas em suas partes finais. E isso é uma característica dos patos."

Abriu um armário e puxou diversas gavetas de lâminas. "Vamos ver. Tenho mais ou menos setenta lâminas de patos. Para ter certeza, vou passar todas e vou eliminando."

Uma por uma, colocou as lâminas sob o microscópio comparativo, basicamente composto por dois microscópios combinados num binóculo. No monitor de televisão havia um campo de luz circular dividido no meio por uma linha fina; o exemplar da pena conhecida ficava de um lado e o da que esperávamos identificar, do outro. Exploramos rapidamente a adem-brava, o pato-almiscarado, o arlequim, a adem-negra, o pato-selvagem, o ganso-bravo americano e dúzias de outras aves. Downey não precisava olhar nenhuma delas muito tempo para saber que o pato que procurávamos não era aquele.

"É imaginação minha, ou essa é mais delicada que as outras?", disse eu da pena em questão.

"Não é sua imaginação, não. É mais delicada, mais homogênea. Está vendo como as estruturas triangulares não aparecem tanto?"

"Estou. Agora que você mostrou."

"E isso nos dá uma pista importante sobre a ave. Isso é que é fascinante. A natureza realmente tem uma razão para as coisas, e nesse caso desconfio que a razão é o isolamento. A função da pluma é prender o ar, e quanto mais finas as bárbulas, mais lisos e menores os nódulos, mais extrema a localização dos nódulos, e mais eficiente vai ser a pluma em sua função de prender o ar. Quando o ar está preso, é como estar em uma salinha isolada e sem ventilação. Você vai se sentir quente."

Colocou outra lâmina na plataforma do microscópio e daquela vez pude ver que estávamos perto. As bárbulas eram delicadas, os nódulos miúdos e localizados nas extremidades.

"Isso o que é?"

"Guardei os principais suspeitos para o fim." Parecia contente. "Patos marinhos. E os primeiros da lista são os patos-do-norte. Vamos aumentar a ampliação para quatrocentos." Trocou as lentes da objetiva, ajustou o foco, e lá fomos nós por diversas outras lâminas. "O pato-rei não é. E acho que não é o estrela por causa da pigmentação marrom na base do nódulo. A pena que você trouxe não tem isso, está vendo?"

"É."

"Vamos tentar então o pato-do-norte comum. Pronto. A pigmentação bate", disse ele, fitando a tela atentamente. "E, vejamos, uma média de dois nódulos localizados na extremidade das bárbulas. Mais o alinhamento para uma qualidade isolante superboa — e isso é importante se você está nadando no oceano Ártico. Acho que é esse, o *Soma-*

teria mollissima, encontrado na Islândia, na Noruega, no Alasca e no litoral da Sibéria. Vou fazer outro exame com o MEE", acrescentou, referindo-se ao microscópio eletrônico explorador.

"Para procurar o quê?"

"Cristais de sal."

"Claro. Porque os patos-do-norte são aves de água salgada", disse eu, fascinada.

"Exatamente. E bem interessantes, aliás, um exemplo notável de exploração econômica. Na Islândia e na Noruega suas colônias de reprodução são protegidas dos predadores e de outros acidentes, para as pessoas poderem recolher as plumas com as quais a fêmea forra o ninho e cobre os ovos. Depois as plumas são limpas e vendidas para as fábricas."

"Fábricas de quê?"

"Principalmente de sacos de dormir e edredons."

Enquanto falava, ia montando várias barbas da pena encontrada dentro do carro de Susan Story.

"Jennifer Deighton não tinha nada disso em casa. Absolutamente nada acolchoado com penas", disse eu.

"Então com certeza estamos lidando com uma transferência secundária ou terciária, em que a pena foi transferida ao assassino, que por sua vez transferiu-a para a vítima. Isso é muito interessante, compreende?"

Agora o exemplar aparecia na tela.

"Pato-do-norte de novo", disse eu.

"Acho que sim. Agora vamos ver a lâmina. É do menino?"

"É. De um resíduo adesivo nos pulsos de Eddie Heath."

"Veja!"

Os restos microscópicos apareceram na tela como uma variedade fascinante de cores, formas, fibras, mais os conhecidos nódulos triangulares e bárbulas.

"Bom, isso abre uma brecha na minha teoria. Se estamos falando de três homicídios que ocorreram em lugares diferentes e em momentos diferentes", disse Downey.

"É sobre isso que estamos falando."

"Se só uma dessas penas fosse de pato-do-norte eu ficaria tentado a considerar a possibilidade de um contágio. Compreende, você vê essas etiquetas que dizem cem por cento acrílico e vai ver é noventa por cento acrílico e dez por cento náilon. As etiquetas mentem. Se o lote imediatamente anterior à sua suéter de acrílico, por exemplo, era de jaquetas de náilon, então as primeiras suéteres que saem vão ter um contágio de náilon. Se você examina mais suéteres, o contágio vai desaparecendo."

"Em outras palavras", eu disse, "se alguém está usando uma jaqueta acolchoada com penas ou tem um edredom que tenha recebido um contágio de pato-do-norte quando estava sendo fabricado, é praticamente impossível que a jaqueta ou edredom só solte as penas do contágio."

"Claro. Então temos de admitir que esse item é acolchoado só com pato-do-norte, o que é muito curioso. Geralmente o que vejo nos casos que vêm para cá são jaquetas, luvas e edredons de supermercado acolchoados com penas de galinha ou às vezes de ganso. Pato-do-norte é um produto especial. Um item de loja fina. Um colete, uma jaqueta, um edredom ou um saco de dormir acolchoado com pena de pato-do-norte dura muito, deve ter sido muito bem-feito — e é terrivelmente caro."

"Você já teve alguma vez um pato-do-norte apresentado como prova antes?"

"É a primeira vez."

"Por que é tão caro?"

"São as qualidades isolantes de que já falei. Mas também tem muito a ver com a atração estética. A pluma comum do pato-do-norte é branquinha. A maioria das plumas é suja."

"E se eu comprasse um produto acolchoado com pato-do-norte, eu ia saber que ele era acolchoado com essas plumas brancas ou a etiqueta ia dizer simplesmente: 'pluma de pato'?"

"Tenho certeza de que você ia saber. A etiqueta diria algo como 'cem por cento pluma de pato-do-norte'. Tinha de haver alguma coisa para justificar o preço."

"Você pode fazer por computador um levantamento dos distribuidores de plumas?"

"Claro. Mas, para dizer o óbvio, nenhum distribuidor vai ser capaz de dizer se a pluma que você recolheu é dele; só com a roupa ou o produto. Infelizmente, a pena não basta."

"Não sei. Pode ser."

Por volta do meio-dia eu tinha andado duas quadras até o lugar onde estacionara meu automóvel e já estava dentro dele, com o aquecimento à toda. Estava tão perto da avenida New Jersey que me senti como a maré atraída pela Lua. Apertei o cinto de segurança, mexi no rádio e por duas vezes agarrei o telefone e mudei de idéia. Só pensar em entrar em contato com Nicholas Grueman já era uma loucura.

Agarrando o telefone e discando, pensei que de todo modo não o encontraria.

"Grueman", disse a voz.

"É a dra. Scarpetta." Elevei minha voz por causa do ruído do aparelho de aquecimento.

"Ah, alô. Outro dia mesmo estava lendo a seu respeito. A senhora parece que está ligando de um telefone de automóvel."

"Estou sim. Estou em Washington."

"Fico muito honrado de saber que a senhora se lembra de mim quando passa por minha humilde cidade."

"Sua cidade não é nada humilde, dr. Grueman, e esta chamada não tem nada de social. Me ocorreu que o senhor e eu poderíamos discutir a respeito de Ronnie Joe Waddell."

"Sei. A senhora está muito longe do Centro Jurídico?"

"Dez minutos."

"Ainda não almocei e acho que a senhora também não. Está bem se eu encomendar uns sanduíches?"

"Para mim está ótimo."

O Centro Jurídico ficava a umas trinta e cinco quadras do prédio principal da universidade; lembrei-me de meu desapontamento quando, muitos anos antes, me dera conta de que meus estudos não incluiriam passeios pelas ruas sombreadas da colina nem aulas em belos edifícios setecentistas de tijolos aparentes. Em vez disso, teria de gastar três longos anos numa instalação novíssima e sem encanto, numa região barulhenta e agitada do distrito de Colúmbia. Meu desapontamento, porém, não durara muito. Além de ser prático estudar direito à sombra do Congresso dos Estados Unidos, a coisa era um tanto excitante. Mais significativo, contudo, era talvez o fato de que encontrara Mark pouco depois de começar a estudar.

O que eu mais lembrava de meus primeiros encontros com Mark James durante o primeiro semestre de nosso primeiro ano era o efeito físico que ele causava em mim. No princípio eu ficava perturbada só de vê-lo, embora não soubesse por quê. Depois, quando nos conhecemos, sua presença derramava adrenalina em meu sangue. Meu coração galopava e de repente me dava conta de que prestava atenção em cada gesto dele, por mais simples que fosse. Por semanas a fio nossas conversas, que entravam madrugada adentro foram cheias de enlevo. Nossas palavras eram menos elementos da fala que notas de algum *crescendo* secreto e inevitável, que se consumou uma noite com a estonteante imprevisibilidade e a força de um acidente.

O edifício do Centro Jurídico passara por ampliações e se transformara daquele tempo para cá. A Clínica de Justiça Criminal era no quarto andar. Quando saí do elevador não se via ninguém, e as salas pelas quais passei pareciam desocupadas. Afinal de contas ainda era época de férias e só os implacáveis e os desesperados estariam inclinados a trabalhar. A porta da sala 418 estava aberta, a mesa da secretária vazia e a porta interna do escritório de Grueman entreaberta.

Não querendo surpreendê-lo, chamei seu nome ao aproximar-me da porta. Ele não respondeu.

"Dr. Grueman? O senhor está aí?", tentei outra vez enquanto empurrava a porta para abri-la mais.

A mesa estava coberta de papéis em desordem que circundavam um computador, e ao longo das estantes apinhadas havia pilhas de pastas e documentos. À direita da escrivaninha havia uma mesa com uma impressora e um aparelho de fax atarefado em enviar algo a alguém. Enquanto olhava em torno silenciosamente, o telefone tocou três vezes e parou. Na janela atrás da mesa as persianas estavam baixadas, talvez para diminuir o reflexo na tela do computador, e uma pasta de couro marrom usada e arranhada descansava encostada no peitoril.

Uma voz atrás de mim quase me fez desmaiar. "Desculpe. Saí um pouquinho e esperava poder voltar antes que a senhora chegasse."

Nicholas Grueman não estendeu a mão nem me saudou de maneira nenhuma. Sua preocupação parecia ser voltar à sua cadeira, o que fez muito vagarosamente e com o auxílio de uma bengala de castão de prata. Sentando-se na cadeira de juiz, disse: "Quando Evelyn não está aqui não há café, senão eu lhe oferecia. Mas a confeitaria que vai entregar os sanduíches daqui a pouco vai trazer alguma coisa para a gente beber. Espero que a senhora possa esperar, e sente-se, por favor, dra. Scarpetta. Fico nervoso quando uma mulher olha para mim de cima para baixo".

Puxei uma cadeira para perto da mesa e fiquei assombrada ao dar-me conta de que pessoalmente Grueman não era o monstro de eu me lembrava de meu tempo de estudante. Parecia, por exemplo, ter encolhido, embora eu desconfiasse que a explicação mais provável fosse que, em minha imaginação, eu tivesse inflado suas proporções até atingir as do monte Rushmore. Agora eu o via como um homem miúdo de cabelos brancos cujo rosto fora esculpido pelos anos numa caricatura cativante. Ainda usava gravata-borboleta e colete e fumava cachimbo, e, quando me olhou, seus olhos cinzentos foram tão capazes de dissecar quanto qualquer escalpelo. Não os achei, porém, frios. Eram simplesmente discretos, tal como quase sempre eram os meus.

230

"Por que o senhor está mancando?", perguntei num impulso.

"Gota. A doença dos déspotas. Aparece de vez em quando, e por favor me poupe de conselhos ou remédios. Vocês médicos me deixam louco dando, sem a gente pedir, opinião sobre tudo, desde as cadeiras elétricas que funcionam mal até o alimento e a bebida que devo excluir de minha miserável dieta", disse sem um sorriso.

"A cadeira elétrica não funcionou mal. Pelo menos no caso a que, tenho certeza, o senhor está aludindo."

"A senhora não pode de modo algum saber a que caso eu estou aludindo, e me parece que no breve tempo que passou aqui tive de adverti-la mais de uma vez sobre sua grande facilidade para concluir coisas. Sinto que não me tenha ouvido. Continua a concluir, embora neste caso sua conclusão tenha sido em verdade correta."

"Dr. Grueman, fico lisonjeada ao ver que o senhor se lembra de mim como aluna, mas não vim aqui para recordar as horas infelizes que passei em sua sala de aula. Nem estou aqui para participar mais uma vez das artes marciais mentais em que o senhor parece deliciar-se. Para seu governo, vou lhe dizer que o senhor tem a honra de ser o professor mais arrogante e misógino que encontrei durante mais ou menos trinta anos de estudos. E tenho de lhe agradecer por ter me treinado tão bem na arte de lidar com sacanas, pois o mundo está cheio deles e tenho de lidar com eles todos os dias."

"Não tenho dúvida de que a senhora lida com eles todos os dias e ainda não decidi se é ou não boa nisso."

"Não estou interessada em saber sua opinião sobre o assunto. Gostaria que o senhor me contasse mais sobre Ronnie Joe Waddell."

"O que mais a senhora gostaria de saber além do fato óbvio de que a conclusão do caso foi incorreta? A senhora acha que a política deveria determinar se as pessoas devem ser mortas, dra. Scarpetta? Olhe só o que está acontecendo com a senhora neste momento. As notícias maldosas sobre a senhora não serão, pelo menos em parte, politicamente motivadas? Cada parte envolvida tem seus próprios objetivos, tem alguma coisa a ganhar em desonrá-la publicamente. Não tem nada a ver com justiça ou verdade. Imagine então o que ocorreria se essas mesmas pessoas tivessem o poder de privá-la de sua liberdade ou mesmo de sua vida! Ronnie foi triturado por um sistema irracional e injusto. Não importa quais os precedentes aplicados, ou se se consideraram ou não as razões de apelação ou recurso. Os pontos que levantei não foram levados em consideração porque atualmente no seu querido estado o habeas-corpus não serve como instrumento para garantir que juízes e desembargadores procurem conscienciosamente dirigir os processos em coerência com os princípios constitucionais estabelecidos. Deus nos livre da possibilidade de que haja qualquer interesse em violações constitucionais no fomento da evolução de nosso pensamento em certos ramos do direito. Nos três anos em que lutei pelo Ronnie, foi como se estivesse dançando uma giga."

"A que violações constitucionais o senhor está se referindo?"

"A senhora tem tempo? Mas vamos começar pelo uso óbvio, pela acusação, de objeções peremptórias, de modo racialmente discriminatório. Os direitos de Ronnie, à luz da cláusula de proteção igual, foram violados de tudo quanto é jeito, e a conduta inaceitável da promotoria infringiu espalhafatosamente o direito, que a emenda constitucional nº 6 lhe dava, a um júri que representasse com justiça a estrutura da sociedade. Imagino que você não tenha visto o julgamento do Ronnie e nem mesmo saiba muito a respeito, já que isso foi há mais de nove anos e a senhora não estava na Virgínia. Houve muita publicidade em cima disso, e assim mesmo não houve desaforamento. O júri foi composto de oito mulheres e quatro homens. Seis das mulheres e dois dos homens eram brancos. Os quatro jurados negros eram um vendedor de automóveis, um caixa de banco, uma enfermeira e uma professora de faculdade. A profissão dos jurados brancos ia de um guarda-linha aposentado que ainda chamava os negros de 'crioulos' até uma dona de casa rica que só tinha contato com os negros quando olhava as notícias e via que mais um deles tinha atirado em alguém nos conjuntos residenciais. A demografia do júri tornou impossível que o Ronnie recebesse uma sentença justa."

"E o senhor está dizendo que, no caso de Waddell, essas ou quaisquer outras impropriedades constitucionais tinham uma razão política? Que razão política podia haver para executar Ronnie Waddell?"

Grueman olhou de repente para a porta. "Ou meus ouvidos me enganam, ou o almoço chegou."

Ouvi passos rápidos e um barulho de papel, depois uma voz chamou: "Oi, Nick. Você está aí?".

"Entre, Joe", disse Grueman sem levantar-se da cadeira.

Um rapaz negro de jeans e tênis apareceu e colocou dois sacos na frente de Grueman.

"Este é o das bebidas, e aqui tem dois sanduíches, salada de batatas e picles. São quinze e quarenta."

"Pode ficar com o troco. E olhe, Joe, muito obrigado. Eles nunca dão férias a você, não?"

"O pessoal não pára de comer, cara. Tenho de ir embora."

Grueman repartiu o alimento e os guardanapos enquanto eu tentava desesperadamente imaginar o que fazer. Estava me sentindo cada vez mais abalada por suas palavras e atitude, pois não havia nele subterfúgio algum, nada que me desse a impressão de arrogância ou dissimulação.

"Que razão política?", perguntei-lhe de novo enquanto desembrulhava o sanduíche.

Ele abriu um refrigerante e tirou a tampa da embalagem da salada de batatas. "Várias semanas atrás, pensei que podia obter uma resposta para essa pergunta. Mas a pessoa que podia ter me ajudado foi subitamente encontrada morta dentro de seu carro. E tenho certeza de que a senhora sabe de quem estou falando, dra. Scarpetta. Jennifer Deighton é um de seus casos e, embora ainda não tenha sido declarado publicamente que a morte dela foi suicídio, é nisso que o público foi induzido a crer. Acho que a morte dela aconteceu num momento singular, para não dizer aterrorizante."

"Quer dizer que o senhor conhecia Jennifer Deighton?", indaguei do modo mais suave que pude.

"Sim e não. Nunca a encontrei, e nossas poucas conversas por telefone foram rápidas. Só entrei em contato com ela depois da morte de Ronnie, entende?"

"Então ela também conhecia Waddell."

Grueman deu uma dentada no sanduíche e pegou o refrigerante. "Claro que ela e Ronnie se conheciam. Como a senhora deve saber, a srta. Deighton tinha um serviço de horóscopos, mexia com parapsicologia e coisas assim. Bom, oito anos atrás, quando estava no corredor da morte em Mecklemburg, Ronnie viu um anúncio dela numa revista. Escreveu para ela, primeiro com a esperança de que ela pudesse olhar na bola de cristal, por assim dizer, e contar-lhe seu futuro. Acho que queria saber principalmente se ia morrer na cadeira elétrica, e isso não é um fenômeno incomum — presos que escrevem para adivinhos, para cartomantes, e perguntam sobre seu futuro, ou entram em contato com sacerdotes e pedem orações. O que houve de excepcional no caso do Ronnie foi que aparentemente ele e a srta. Deighton deram início a uma correspondência íntima que durou até uns meses antes da morte dele. Aí as cartas para ele pararam de repente."

"O senhor acha que as cartas dela para ele podem ter sido interceptadas?"

"Não há dúvida nenhuma. Quando falei com Jennifer Deighton pelo telefone ela alegou que tinha continuado a escrever para Waddell. Disse também que nos últimos meses não tinha mais recebido cartas dele e estou muito desconfiado de que as cartas dele também eram interceptadas."

"Por que o senhor esperou para entrar em contato com ela só depois da execução?", estranhei.

"Antes não sabia da existência dela. Ronnie não tinha me dito nada sobre ela até nossa última conversa, que com certeza foi a conversa mais estranha que já tive com qualquer dos presos que defendi." Grueman brincou com o sanduíche, depois afastou-o de si. Pegou o cachimbo. "Não sei se a senhora sabe disso, dra. Scarpetta, mas o Ronnie me deixou."

"Não tenho idéia do que o senhor quer dizer."

"A última vez que falei com o Ronnie foi uma semana antes de ele ser transportado de Mecklemburg para Richmond. Naquela ocasião ele declarou que sabia que ia ser executado e que nada que eu fizesse ia mudar aquilo. Disse que o que ia acontecer com ele já havia sido decidido desde o começo e que aceitava a inevitabilidade da morte. Disse que estava querendo morrer e preferia que eu parasse de tentar o habeas-corpus na Justiça Federal. E também pediu que eu não lhe telefonasse mais nem fosse vê-lo."

"Mas ele não dispensou o senhor."

Grueman pôs fogo dentro do fornilho do cachimbo e sugou pela boquilha.

"Não, não dispensou. Simplesmente se recusou a ver-me ou a falar comigo no telefone."

"Mas isso bastaria para justificar uma suspensão da execução, enquanto se procedia a uma determinação a respeito da defesa."

"Tentei isso. Tentei citar tudo, desde o acórdão no caso Hays versus Murphy até o 'padre-nosso'. O tribunal decidiu brilhantemente que Ronnie não tinha pedido para ser executado. Simplesmente havia declarado que queria morrer, e a petição foi denegada."

"Se o senhor não teve contato com Waddell por várias semanas antes da execução, como soube de Jennifer Deighton?"

"Durante minha última conversa com Ronnie, ele me fez três últimos pedidos. O primeiro foi que eu providenciasse para que uma meditação que ele tinha escrito fosse

235

publicada no jornal uns dias antes de sua morte. Deu-me o texto e consegui com o *Richmond Times-Dispatch*."

"Eu li."

"O segundo pedido, e são palavras dele, foi: 'Não deixe que aconteça nada a minha amiga'. Eu perguntei a ele a que amiga estava se referindo, e ele disse, e são de novo palavras dele: 'Se o senhor é um homem bom, olhe por ela. Ela nunca fez mal a ninguém'. Deu-me o nome dela e pediu para eu não entrar em contato com ela antes da morte dele. Aí eu deveria telefonar para ela e dizer-lhe o quanto ela havia significado para ele. Bom, claro que não atendi a esse pedido ao pé da letra. Tentei entrar imediatamente em contato com ela porque senti que estava perdendo Ronnie e que estava acontecendo alguma coisa terrivelmente errada. Eu tinha esperança de que aquela amiga pudesse ajudar. Se, por exemplo, eles tivessem se correspondido, talvez ela pudesse me esclarecer."

"E o senhor conseguiu falar com ela?", perguntei, lembrando-me de que Marino me dissera que Jennifer Deighton tinha estado na Flórida por duas semanas por volta do dia de Ação de Graças.

"Ninguém jamais atendeu o telefone. Tentei de vez em quando por várias semanas e aí, para ser franco, por causa do momento e de problemas de saúde, tudo relacionado com o ritmo dos processos, com os feriados e com a medonha armadilha da gota, minha atenção foi desviada. Só pensei de novo em telefonar para Jennifer Deighton depois da morte de Ronnie, quando eu precisava entrar em contato com ela e comunicar, a pedido do Ronnie, que ela havia representado muito para ele etc."

"Quando tentou falar com ela antes, o senhor deixou recado na secretária eletrônica?"

"A secretária não estava ligada. O que, pensando bem, faz sentido. Ela não queria voltar das férias e encontrar quinhentas mensagens de pessoas que só podem tomar uma decisão depois de saber o horóscopo. E, se tivesse deixado na secretária eletrônica uma mensagem dizendo que ia ficar fora duas semanas, isso seria um convite perfeito para os ladrões."

"E o que aconteceu quando o senhor conseguiu afinal falar com ela?"

"Foi aí que ela me contou que eles tinham se correspondido durante oito anos e que se amavam. Disse que *a verdade nunca ia ser conhecida*. Perguntei o que ela estava querendo dizer, mas ela não quis me contar e desligou. Acabei escrevendo uma carta implorando para ela falar comigo."

"Quando o senhor escreveu essa carta?"

"Deixe ver. Foi no dia seguinte à execução. Acho que foi no dia 14 de dezembro."

"E ela respondeu?"

"Interessante; respondeu por fax. Não sabia que ela tinha um aparelho de fax, mas o número do meu fax estava em meu papel de carta. Se a senhora quiser ver, tenho uma cópia do fax dela."

Remexeu pastas de arquivo lotadas e outros papéis que havia na mesa. Depois de encontrar a pasta que buscava, procurou dentro dela e tirou o fax, que logo reconheci. "Está bem, vou cooperar", estava escrito, "mas agora é tarde demais, tarde demais, tarde demais. É melhor você vir até aqui. Tudo isso está muito errado!" Perguntei-me como reagiria Grueman se soubesse que o fax que ela lhe havia mandado tinha sido recriado mediante o aprimoramento de imagens no laboratório de Neils Vander.

"O senhor sabe o que ela queria dizer? O que era tarde demais e o que estava tão errado?"

"Evidentemente, era tarde demais para fazer qualquer coisa que impedisse a execução de Ronnie, porque isso já havia acontecido quatro dias antes. Não sei o que ela pensava que estava tão errado, dra. Scarpetta. Eu tinha intuído havia já algum tempo que existia alguma coisa maliciosa no caso do Ronnie, compreende? Ele e eu nunca desenvolvemos um relacionamento e só isso já é esquisito. Geralmente a gente fica muito próximo. Sou o único a defender o cara num sistema que quer matá-lo — o único que trabalha para o sujeito num sistema que não trabalha para o sujeito. Mas Ronnie foi tão arrogante com o primeiro advogado dele que o indivíduo decidiu que ele era um caso perdido e abandonou a causa. Mais tarde, quando aceitei o caso, Ronnie continuou distante. Era extraordinariamente frustrante. Quando eu pensava que ele estava começando a confiar em mim, erguia-se uma barreira. De repente ele se calava novamente e começava literalmente a transpirar."

"Parecia que estava aterrorizado?"

"Aterrorizado, deprimido, às vezes zangado."

"O senhor está sugerindo que nesse caso havia alguma coisa planejada, e que ele podia ter contado à amiga a respeito disso, quem sabe em alguma das primeiras cartas?"

"Não sei o que Jennifer Deighton sabia, mas suspeito que alguma coisa ela sabia."

"Waddell a chamava de 'Jenny'?"

Grueman apanhou novamente o isqueiro.

"Chamava."

"Ele alguma vez falou com o senhor de um romance chamado *Paris Trout?*"

Ele pareceu admirado. "Interessante. Faz tempo que eu não pensava nisso, mas, durante uma de minhas sessões com Ronnie, vários anos atrás, falamos de livros e da poesia dele. Ele gostava de ler e me sugeriu que lesse *Paris Trout*. Eu disse a ele que já tinha lido o romance, mas que estava curioso para saber por que ele recomendava que eu o lesse. E ele, muito tranqüilamente, me disse: 'Porque é assim que funciona, dr. Grueman. E o senhor não vai mudar a coisa de jeito nenhum'. Na época interpretei aquilo como querendo dizer que ele era um negro sulista confrontado com o sistema do homem branco, e que nenhum habeas-corpus federal nem nenhuma outra mágica que eu pudesse invocar durante o processo de recurso alteraria o destino dele."

"Sua interpretação ainda é essa?"

Ele olhou fixamente através de uma nuvem de fumaça perfumada. "Acho que sim. Por que a senhora está interessada na lista dos livros recomendados pelo Ronnie?"

Seus olhos encontraram os meus.

"Jennifer Deighton tinha um exemplar de *Paris Trout* ao lado da cama. Dentro havia um poema, e tenho a impressão de que o Waddell o escreveu para ela. Não é importante. Só curiosidade."

"Se não fosse importante a senhora não teria perguntado. O que a senhora está imaginando é que talvez o Ronnie tivesse recomendado o romance a ela pela mesma razão pela qual o recomendou a mim. Na cabeça dele, a história de alguma maneira era sua história. E isso nos leva de volta à questão do que ele teria contado à srta. Deighton. Em outras palavras, que segredo dele ela levou para o túmulo?"

"O que o senhor acha que era, dr. Grueman?"

"Acho que alguma transgressão muito sórdida foi acobertada, e que por alguma razão Ronnie tinha conhecimento dela. Talvez tenha alguma coisa a ver com o que acontece atrás das grades, isto é, corrupção dentro do sistema penitenciário. Não sei, mas queria saber."

"Mas por que esconder alguma coisa quando o cara já está diante da morte? Por que não ir em frente, arriscar e contar?"

"Isso seria a coisa racional, não seria? E agora que já respondi tão paciente e generosamente a suas perguntas de algibeira, dra. Scarpetta, quem sabe a senhora entende melhor por que eu fiquei tão preocupado com qualquer violência que Ronnie pudesse ter sofrido antes da execução. Quem sabe a senhora entende melhor minha oposição apaixonada à pena de morte, que é desumana e degradante. Não é preciso que a pessoa tenha lesões ou escoriações ou sangue pelo nariz para que ela seja isso."

"Não havia provas de violência física. Tampouco encontraram drogas. O senhor recebeu meu relatório."

"A senhora está se esquivando do assunto. A senhora está hoje aqui porque quer alguma coisa de mim. Já lhe dei muito através de um diálogo que não tinha obrigação de manter. Mas acedi, porque estou sempre buscando a justiça e a verdade, a despeito do que possa lhe parecer. E há outra razão. Uma ex-aluna minha está numa enrascada", disse Grueman, batendo o cachimbo para fazer cair o fumo.

"Se o senhor está se referindo a mim, deixe eu lhe lembrar sua própria frase. Não tire conclusões."

"Acho que não estou tirando."

"Então devo dizer que estou muito curiosa com essa caridade súbita que o senhor supostamente está mostrando com relação a uma ex-aluna. Em verdade, dr. Grueman, no meu espírito a palavra *caridade* nunca esteve ligada ao senhor."

"Vai ver então que a senhora não conhece o verdadeiro significado da palavra. Um ato ou sentimento de boa vontade, dar esmolas aos necessitados. Caridade é dar a uma pessoa aquilo de que ela precisa, em oposição ao que *você* quer dar. Sempre lhe dei aquilo de que a senhora precisava. Enquanto a senhora foi minha aluna e também hoje, embora os atos se apresentem de maneira muito diferente porque as necessidades são muito diferentes. Agora sou um velho, dra. Scarpetta, e com certeza a senhora acha que não me lembro muito bem do seu tempo em Georgetown. Mas ficaria admirada se soubesse que me lembro muito bem da senhora, porque foi uma das alunas mais promissoras que já tive. Não precisava de tapinhas nas costas nem de aplausos. O perigo com a senhora não era que perdesse a confiança em si própria e no seu cérebro excelente, mas que a senhora mesma se perdesse. A senhora acha que eu não sabia a razão, quando parecia exausta e distraída na minha aula? Pensa que eu não sabia de sua total preocupação com Mark James, que aliás era medíocre pelos seus padrões? E, se eu parecia zangado e duro demais com a senhora, era porque queria *atrair sua atenção*. Queria que a senhora *se enfurecesse*. Queria que a senhora se sentisse viva no direito, e não só no amor. Tinha medo de que a senhora jogasse fora uma oportunidade magnífica só porque seus hormônios e suas emoções estavam acelerados. Um dia a gente acorda e lamenta essas decisões, compreende? A gente acorda numa cama vazia com um dia vazio diante da gente e nada a esperar a não ser semanas, meses e anos vazios. Decidi que a senhora não ia desperdiçar seus dons nem jogar fora seu poder."

Eu o fitava assombrada enquanto meu rosto começava a queimar.

"Nunca fui sincero em meus insultos e na minha falta de cavalheirismo com a senhora", prosseguiu ele com a intensidade tranqüila que o fazia temível no foro. "Foram táticas. Nós, advogados, somos famosos pelas táticas. São as fintas e os giros que fazemos com a bola, os ângulos e a velocidade que usamos para conseguir determinado efeito. Na base de tudo o que sou está um desejo sincero e apaixonado de fazer com que meus alunos sejam firmes e, se Deus quiser, façam alguma diferença neste mundo estropiado em que vivemos. E com a senhora não sinto nenhum desapontamento. A senhora é talvez uma de minhas estrelas mais brilhantes."

"Por que o senhor está me dizendo tudo isso?"

"Porque nessa altura da sua vida a senhora precisa saber disso. A senhora está numa enrascada, como eu já disse. O que acontece é que é orgulhosa demais para admitir isso."

Fiquei em silêncio, enquanto meus pensamentos travavam uma batalha feroz.

"Se a senhora deixar, eu a ajudo."

Se ele estava me dizendo a verdade, era capital que eu respondesse à altura. Espiei a porta aberta e calculei como seria fácil alguém entrar. Calculei como seria fácil alguém investir contra ele enquanto ele ia mancando até o carro.

"Se, por exemplo, essas reportagens acusadoras continuarem a ser publicadas no jornal, será bom que a senhora desenvolva algumas estratégias."

Interrompi-o. "Dr. Grueman, quando o senhor viu Ronnie Joe Waddell pela última vez?"

241

Ele parou e fitou o forro. "A última vez em que estive na presença física dele terá sido há pelo menos um ano. A maioria de nossas conversas costumavam ser por telefone. Se ele tivesse permitido, eu teria estado com ele no fim, como já lhe disse."

"Quer dizer que o senhor não o viu nem falou com ele quando supostamente ele estava na rua Spring esperando a execução?"

"*Supostamente*? Essa é uma curiosa escolha de palavra, dra. Scarpetta."

"Não podemos provar que foi Waddell o executado na noite de 13 de dezembro."

"A senhora não está falando sério." Ele parecia pasmo.

Expliquei tudo o que se sabia, inclusive que Jennifer Deighton fora assassinada e que uma impressão digital de Waddell aparecera numa cadeira da sala de visitas da casa dela. Falei-lhe de Eddie Heath, de Susan Story e dos indícios de que alguém interferira no SIDA. Quando terminei, Grueman estava sentado imóvel, de olhos grudados em mim.

"Meu Deus", murmurou.

"Sua carta para Jennifer Deighton nunca apareceu. Quando deu a busca na casa dela, a polícia não a encontrou, nem o original do fax para o senhor. Pode ser que alguém tenha levado. Pode ser que o assassino tenha queimado na lareira, na noite da morte dela. Ou pode ser que ela mesma tenha dado sumiço neles porque estava com medo. Tenho certeza de que ela foi assassinada por causa de alguma coisa que sabia."

"E seria por isso também que Susan Story foi morta? Porque sabia alguma coisa?"

"Claro que isso é possível. O que estou dizendo é que até agora duas pessoas ligadas a Ronnie Waddell foram assassinadas. Em termos de gente que sabe demais sobre o Waddell, pode-se considerar que o senhor ocupa uma boa posição na lista."

"Então a senhora acha que talvez eu seja o próximo! Talvez minha maior queixa ao Todo-Poderoso seja o fato de a diferença entre a vida e a morte, tantas vezes, não ser mais que uma questão de oportunidade, entende? Considero-me avisado, dra. Scarpetta, mas não tenho a ingenuidade de pensar que, se alguém quiser atirar em mim, eu seja capaz de evitar", disse ele com um sorriso amarelo.

"O senhor podia pelo menos tentar. O senhor podia pelo menos tomar precauções."

"Vou tomar."

"Quem sabe o senhor e sua mulher podiam tirar umas férias, ir para fora um tempo."

"Faz três anos que Beverly morreu."

"Sinto muito, dr. Grueman."

"Já havia muitos anos que ela não estava bem — na verdade, a maior parte dos anos em que estivemos juntos. Agora que ninguém depende de mim, entreguei-me a minhas inclinações. Tenho o vício incurável de trabalhar e querer mudar o mundo."

"Calculo que, se há alguém capaz de chegar perto dessa mudança, esse alguém é o senhor."

"Essa opinião não tem base alguma nos fatos, mas assim mesmo agradeço. E também quero expressar à senhora minha grande tristeza pela morte de Mark. Não o conheci bem quando ele estava aqui, mas parecia boa pessoa."

"Obrigada."

Levantei-me e vesti o casaco. Custou-me um pouco encontrar as chaves do automóvel.

Ele também se levantou. "Qual é a próxima coisa que vamos fazer, dra. Scarpetta?"

"Não sei se o senhor tem alguma carta ou outro item de Ronnie Waddell que valesse a pena examinar para tentar encontrar impressões digitais."

"Cartas, não tenho, e qualquer documento que ele tenha assinado há de ter sido manipulado por muita gente. A senhora pode tentar."

Tínhamos nos detido à porta. Grueman apoiava-se na bengala.

"Se não houver alternativa, falo com o senhor. Mas tem uma última coisa que estou querendo perguntar. O senhor disse que em sua última conversa com Waddell ele lhe fizera três últimos pedidos. Um era publicar a meditação, outro telefonar para Jennifer Deighton. Qual era o terceiro?"

"Ele queria que eu convidasse o Norring para a execução."

"E o senhor convidou?"

"Claro. E seu querido governador não teve nem a educação de dizer se aceitava o convite."

10

Quando telefonei para Rose, a tarde estava no fim e via-se a linha formada no céu pelos edifícios de Richmond.

"Dra. Scarpetta, onde a senhora está? Está no carro?" Minha secretária parecia frenética.

"Estou. A uns cinco minutos do centro."

"Continue rodando. Não venha para cá agora não."

"O quê?"

"O tenente Marino quer falar com a senhora. Me disse que, se eu falasse com a senhora, dissesse para a senhora telefonar para ele antes de fazer qualquer coisa. Disse que é muito, muito urgente."

"Rose, que negócio é esse?"

"A senhora ouviu a notícia? Leu o jornal da tarde?"

"Estive o dia inteiro no distrito de Colúmbia. Que notícia?"

"Encontraram Frank Donahue morto esta tarde."

"O diretor da prisão? Aquele Frank Donahue?"

"É."

Minhas mãos apertaram o volante enquanto eu fitava a estrada.

"O que aconteceu?"

"Deram um tiro nele. Foi encontrado num carro umas horas atrás. Como Susan."

"Já estou indo para aí", disse eu, passando para a faixa da esquerda e acelerando.

"Se eu fosse a senhora, não vinha não. O Fielding já começou com ele. Telefone para o Marino, por favor. A

245

senhora precisa ler o jornal da noite. Eles sabem o negócio das balas."

"Eles quem?"

"Os repórteres. Sabem que as balas ligam o caso de Eddie Heath ao de Susan."

Liguei para o pager de Marino e disse que estava indo para casa. Depois de entrar na garagem, fui diretamente para a caixa que havia em frente dela e peguei o jornal da noite.

Na parte superior da primeira página sorria uma fotografia de Frank Donahue. A manchete dizia: "ASSASSINADO DIRETOR DA PENITENCIÁRIA ESTADUAL". Embaixo havia outra reportagem, ilustrada com a fotografia de outro servidor estadual — eu. O ponto de partida era que as balas achadas nos corpos do jovem Heath e Susan tinham sido disparadas pela mesma arma e que várias conexões estranhas pareciam ligar os dois homicídios a mim. Havia informações muito sinistras, além das insinuações que o *Post* havia publicado.

Fiquei atarantada ao ler que minhas impressões digitais tinham sido encontradas num envelope com dinheiro que a polícia havia encontrado na casa de Susan Story. Eu demonstrara um "interesse incomum" pelo caso de Eddie Heath, pois aparecera no Hospital das Clínicas de Henrico antes da morte dele para examinar suas lesões. Mais tarde realizei a autópsia e foi então que Susan se recusou a depor no caso e supostamente fugiu do necrotério. Quando, menos de duas semanas depois, foi assassinada, fui mandada ao local, logo em seguida apareci sem aviso na casa dos pais dela para interrogá-los e fiz questão de estar presente durante a autópsia.

Não atribuíam nenhuma razão para minha suposta animosidade, mas o que se insinuava no caso de Susan era tão irritante quanto admirável. Eu poderia estar cometendo erros graves no trabalho. Não tivera o cuidado de colher as digitais de Ronnie Joe Waddell quando seu corpo viera para o necrotério depois da execução. Recentemente deixara o corpo da vítima de um homicídio no meio de um corredor, praticamente em frente a um elevador usado por numerosas pessoas que trabalhavam no edifício, ou seja, comprometendo seriamente a confiabilidade das provas. Era descrita como distante e imprevisível, com colegas observando que minha personalidade mudara depois da morte de meu amante, Mark James. Era possível que Susan, que trabalhara cotidianamente a meu lado, dispusesse de informações que pudessem arruinar-me profissionalmente. Era possível que eu estivesse pagando a ela por seu silêncio.

"*Minhas impressões digitais.* Que porra é esse negócio de impressões que são minhas?", disse a Marino assim que ele apareceu na porta.

"Calma, doutora."

"Desta vez vou abrir um processo. Isso já foi longe demais."

"Acho que você não vai querer abrir processo nenhum justo agora." Puxou os cigarros enquanto me seguia em direção à cozinha, onde o jornal da noite estava aberto sobre a mesa.

"Ben Stevens está por trás disso."

"Doutora, acho que o que você deve fazer é ouvir o que tenho a dizer."

"A fonte do vazamento a respeito das balas tem de ser ele..."

"Doutora. Porra, cale a boca."

Sentei-me.

"Também estou com o meu na reta. Estou trabalhando nos casos com você e agora de repente você vira suspeita. Encontramos um envelope na casa de Susan, sim. Estava na gaveta de uma cômoda, debaixo de umas roupas. Dentro tinha três notas de cem dólares. O Vander examinou o envelope e achou uma porção de impressões. Duas eram suas. Suas digitais, assim como as minhas e as de um monte de outros investigadores, estão no SIDA para serem excluídas, caso a gente alguma vez faça a cagada de deixar nossas impressões no local de algum crime."

"Eu não deixei impressão digital em local de crime nenhum. Isso tem explicação lógica. Tem de ter. Com certeza o envelope foi algo que toquei alguma vez em minha sala ou no necrotério e que Susan levou para casa."

"Decididamente não é um envelope da repartição. A largura é o dobro do tamanho ofício e é feito de um papel preto duro e brilhante. Não tem nada escrito nele."

Olhei-o incrédula, enquanto começava a entender.

"O lenço que dei a ela."

"Que lenço?"

"Meu presente de Natal para Susan foi um lenço de seda vermelho que comprei em São Francisco. O que você está descrevendo é o pacote em que ele estava, uma embalagem preta lustrosa feita de papelão ou cartolina. Fechava-se com um selinho dourado. Eu mesma embalei o presente. Claro que minhas impressões tinham que estar lá."

"E os trezentos dólares?", disse ele, evitando meus olhos.

"Não sei nada de dinheiro nenhum."

"Quero dizer, por que eles estavam no pacote que você deu a ela?"

"Com certeza porque ela queria esconder o dinheiro ou qualquer coisa assim. O pacote servia. Talvez não quisesse jogá-lo fora. Não sei. Como eu ia controlar o que ela faria com uma coisa que eu dei a ela?"

"Alguém viu você dar o lenço?"

"Não. O marido não estava em casa quando ela abriu o presente."

"É, bom, ele diz que não sabe nada de presente seu, que só sabe de umas flores cor-de-rosa. Diz que Susan não disse nada sobre você dar um lenço a ela."

"Pelo amor de Deus, ela estava usando o lenço quando levou os tiros, Marino."

"Isso não nos diz de onde ele saiu."

"Você agora vai passar para o estágio da acusação", reclamei.

"Não estou acusando você de nada. Não entende? O caso é esse, porra. Você quer que eu ponha você no colo e segure sua mão até que outro tira apareça aqui e a cubra de perguntas como essas?"

Desistiu e começou a caminhar pela cozinha, fitando o piso, de mãos nos bolsos.

"Me conte do Donahue", disse eu suavemente.

"Levou um tiro no trajeto entre a casa e o trabalho, provavelmente de manhã cedo. Segundo a mulher, ele saiu de casa por volta das seis e quinze. O Thunderbird dele foi achado por volta de uma e meia da tarde estacionado no terminal Deep Water, com ele dentro."

"Isso eu li no jornal."

"Olhe. Quanto menos a gente falar no assunto, melhor."

"Por quê? Os repórteres vão achar que também o matei?"

"Doutora, onde você estava às seis e meia hoje de manhã?"

"Estava saindo de casa para ir a Washington."

"Você tem alguma testemunha que possa provar que você não estava atravessando o terminal Deep Water? Ele não fica muito longe do escritório do médico-legista, você sabe. Dois minutos, mais ou menos."

"Isso é um absurdo."

"Se acostume com ele. Isso é só o começo. Espere até o Patterson meter o dente em você."

Antes de ser candidato ao cargo de procurador-geral da Justiça do estado, Roy Patterson tinha sido um dos advogados criminalistas mais combativos e egocêntricos da cidade. Naquele tempo jamais gostava do que eu tinha a dizer, pois na maioria dos casos o depoimento do médico-legista não induz os jurados a pensarem bem do réu.

"Eu já lhe disse o quanto Patterson não vai com sua cara? Você o deixava mal quando ele era advogado de defesa. Ficava ali sentada, distante como um gato, com suas roupinhas bem passadas, e o fazia parecer um idiota."

"Ele é que fazia papel de idiota sozinho. Eu só respondia às perguntas dele."

"Isso para não falar que seu antigo namorado Bill Boltz era um dos maiores chapas dele, e nem preciso explicar mais."

"É bom parar mesmo."

"Só sei que o Patterson vai atrás de você. Puta merda, aposto que ele agora está felicíssimo."

"Marino, você está vermelho como um pimentão. Por favor, não vá ter um derrame aqui na minha frente."

"Vamos voltar para o lenço que você disse que deu para Susan."

"Eu *disse* que dei para Susan?"

"Qual era o nome da loja de São Francisco onde você comprou o lenço?"

"Não foi numa loja."

Ele olhou firme para mim, sem parar de andar.

"Foi num mercado de rua. Tem um monte de barracas e bancas vendendo arte, artesanato. Como em Covent Garden", expliquei.

"Você tem o recibo?"

"Não tinha nenhuma razão para guardar."

"Quer dizer que não sabe o nome da barraca nem nada mais. Quer dizer que não há como provar que você comprou o lenço de algum cara tipo artista que usa essas embalagens pretas lustrosas."

"Verificar, não posso."

Andou um pouco mais e olhou para fora da janela. As nuvens passavam na frente de uma lua oval, e as formas escuras das árvores moviam-se ao vento. Levantei-me para fechar as persianas.

Marino estacou. "Doutora, vou ter de examinar seus registros financeiros."

Eu fiquei calada.

"Tenho de verificar se não fez nenhuma retirada grande de dinheiro nestes últimos meses."

Continuei calada.

"Doutora, você não fez, não foi?"

Levantei-me da mesa, com o pulso latejando.

"Você pode falar com meu advogado."

Depois da saída de Marino subi e, no armário de cedro onde guardava meus papéis particulares, comecei a juntar extratos bancários, declarações de imposto de renda e diversos registros de contas. Pensava em todos os advogados de defesa de Richmond que ficariam provavelmente encantados se eu fosse trancafiada ou exilada pelo resto de meus dias.

Estava sentada na cozinha fazendo anotações num bloco quando a campainha da porta tocou. Benton Wesley e Lucy entraram, e imediatamente vi pelo silêncio deles que não era necessário contar-lhes o que estava acontecendo.

"Onde está Connie?", indaguei, exausta.

"Vai passar o Ano-Novo com a família em Charlottesville."

"Vou voltar para o seu escritório, tia Kay", disse Lucy sem beijar-me ou sorrir, e saiu com a mala.

"Marino quer examinar meus registros financeiros", disse eu a Wesley enquanto ele me acompanhava em direção à sala de visitas. Ben Stevens está preparando armadilhas para mim. Na repartição estão faltando pastas de pessoal e cópias de memorandos, e ele espera que pareça que fui eu que tirei. E, segundo Marino, Roy Patterson anda feliz ultimamente. Essas são as últimas notícias."

"Onde você guarda o uísque?"

"O bom está aqui neste baú. Os copos estão no bar."

"Não quero beber do bom."

"Ah, eu quero."

Comecei a acender o fogo.

"No caminho para cá, dei um telefonema para seu subchefe. A Divisão de Armas de Fogo já deu uma olhada nas balas que estavam na cabeça do Donahue. Winchester chumbo 1.50, não encapsulado, calibre 22. Duas. Uma entrou pelo lado esquerdo do rosto e foi até o crânio, a outra foi direto até a nuca."

"Disparadas da mesma arma que matou os outros dois?"

"É. Quer gelo?"

"Por favor."

Pus a grade diante da lareira e o atiçador de volta em seu suporte.

"Imagino que não encontraram penas no local, nem no corpo de Donahue."

"Não que eu saiba. Dá para ver que o agressor estava em pé fora do carro e que atirou pela janela aberta do motorista. Isso não quer dizer que o sujeito não estivesse com ele dentro do carro antes, mas acho que não. Meu palpite é que Donahue ia encontrar alguém no estacionamento do terminal Deep Water. Quando a pessoa chegou, Donahue abaixou o vidro e aí deu-se o fato. E com o Downey, como foi?"

Entregou minha bebida e sentou-se no sofá.

"Parece que a origem das penas e das partículas de pena encontradas nos três outros casos é um pato-do-norte comum."

Wesley franziu a testa:

"Um pato marítimo? A pluma é usada em quê, jaquetas de esqui, luvas?"

"Raramente. A pluma do pato-do-norte é muito cara. Pessoas comuns não têm coisa nenhuma recheada com esse tipo de pluma."

Passei a informar Wesley dos acontecimentos do dia, não poupando pormenores quando confessei ter passado várias horas com Nicholas Grueman e não acreditar que ele estivesse minimamente envolvido com algo sinistro.

"Fico contente por você ter ido vê-lo. Estava esperando que você fosse."

"O resultado é uma surpresa para você?"

"Não, faz sentido. A situação do Grueman é parecida com a sua. Recebe um fax de Jennifer Deighton e isso parece suspeito, assim como parece suspeito que suas impressões digitais tenham sido encontradas num envelope na gaveta da cômoda de Susan. Quando a violência chega perto da gente, a gente acaba se molhando. Se suja."

"Estou mais que molhada. Estou me sentindo como se estivesse me afogando."

"Por enquanto é o que parece. Quem sabe você devia falar com o Grueman a respeito disso?"

Não respondi.

"Eu gostaria de tê-lo do nosso lado."

"Eu não sabia que você o conhecia."

Os cubos de gelo se chocaram baixinho enquanto Wesley sorvia sua bebida. O cobre da lareira brilhava à luz do fogo. A lenha estalava, expelindo fagulhas.

"Sei quem é o Grueman. Sei que ele se formou em primeiro lugar na Faculdade de Direito de Harvard, que foi diretor da *Revista Jurídica* e que recebeu um convite para ensinar em Harward mas recusou. Isso partiu o coração dele. Mas a mulher dele, Beverly, não queria se mudar do distrito de Colúmbia. Parece que tinha muitos problemas, o menor dos quais não era uma filha de um primeiro casamento internada no Santa Elizabeth quando Grueman e Beverly se conheceram. Ele se mudou para o distrito de Colúmbia. A filha morreu muitos anos depois."

"Você o investigou?"

"Mais ou menos."

"Quando?"

"Desde que eu soube que ele tinha recebido um fax de Jennifer Deighton. Tudo indica que está limpo, mas assim mesmo alguém tinha de conversar com ele."

"Essa não é a única razão pela qual você sugeriu que eu conversasse, é?"

"É uma razão importante mas não a única. Achei que você devia voltar lá."

Respirei fundo. "Obrigada, Benton. Você é um bom sujeito, com a melhor das intenções."

Aproximou o copo dos lábios e fitou o fogo.

"Faça o favor de não se meter", acrescentei.

"Não é o meu gênero."

"Claro que é. Aliás, você é especialista no assunto. Quando quer forçar, empurrar ou soltar alguém sem dar na vista nem aparecer, sabe como fazê-lo. Sabe levantar tantos obstáculos e dinamitar tantas pontes que alguém como eu precisaria de sorte para encontrar o caminho de casa."

"Marino e eu estávamos muito metidos nisso tudo, Kay. O Departamento de Polícia de Richmond está metido. O FBI está metido. Ou bem temos solto por aí um psicopata que devia ter sido executado, ou temos outra pessoa que parece decidida a fazer-nos pensar que tem alguém solto por aí que devia ter sido executado."

"O Marino não quer que eu me meta de jeito nenhum."

"Ele está numa situação impossível. É o principal investigador de homicídios da cidade e membro da equipe do Procacriv do FBI, mas é também seu colega e amigo. Espera-se que ele descubra tudo o que puder sobre você e sobre o que está acontecendo em sua repartição. Mas a tendência dele é proteger você. Tente se colocar na posição dele."

"Eu me coloco. Mas ele tem de se colocar na minha."

"Muito justo."

"Do jeito que ele fala, Benton, parece que metade do mundo quer se vingar de mim e adoraria me ver na fogueira."

"Metade do mundo talvez não, mas além de Ben Stevens há outras pessoas já preparadas com caixas de fósforos e gasolina."

"Quem mais?"

"Os nomes eu não posso dizer porque não sei. E não vou alegar que destruir você profissionalmente seja a missão principal dos que estão por trás disso. Mas desconfio que faz parte de um plano, já que os processos vão ficar bem prejudicados se parecer que todas as provas obtidas em sua repartição estão corrompidas. Isso para não dizer que sem você o Estado perde uma de suas mais poderosas testemunhas periciais." Seus olhos encontraram os meus. "Você tem de pensar no que seu depoimento valeria agora.

Se você tivesse de depor agora, ia ajudar ou prejudicar Eddie Heath?"

A observação me feriu fundo.

"Neste exato minuto eu não estaria ajudando muito. Mas, se eu não comparecer, quanto isso vai ajudá-lo ou a qualquer outra pessoa?"

"Boa pergunta. Marino não quer que você se machuque mais, Kay."

"Então talvez você possa convencê-lo de que a única reação razoável numa situação tão pouco razoável é que eu o deixe fazer o serviço dele e que ele me deixe fazer o meu."

"Posso refrescar isso aqui?" Levantou-se e voltou com a garrafa. Não nos preocupamos com o gelo.

"Benton, vamos falar do assassino. À luz do que aconteceu com Donahue, o que você pensa agora?"

Pousou a garrafa e atiçou o fogo. Por um momento ficou parado diante da lareira, de costas para mim e com as mãos nos bolsos. Depois sentou-se à beira da lareira, com os cotovelos nos joelhos. Havia muito tempo eu não via Wesley tão agitado.

"Se você quer saber a verdade, Kay, esse animal me deixa apavorado."

"Qual a diferença entre ele e os outros assassinos que você tem perseguido?"

"Acho que ele começou com algumas regras e depois decidiu mudar."

"Regras dele ou de outra pessoa?"

"Acho que no começo as regras não eram dele. Primeiro quem estava por trás do plano para libertar Waddell era quem tomava as decisões. Mas esse cara agora tem suas próprias regras. Ou talvez seja melhor dizer que agora não há regra nenhuma. É um cara astuto e cuidadoso. Até agora, ele é quem manda."

"E o motivo?"

"Esse é difícil. Talvez seja melhor para mim falar em termos de missão ou tarefa. Acho que na loucura dele há algum método, mas é a loucura que o faz agir. Goza, brincando com a mente das pessoas. Waddell ficou em cana por dez anos e de repente reaparece o pesadelo de seu crime. Na noite de sua execução, um menino é assassinado de modo sexualmente sádico, lembrando o caso Robyn Naismith. Começam a morrer outras pessoas, todas de algum modo ligadas a Waddell. Jennifer Deighton era amiga dele. Parece que Susan estava metida, pelo menos de certo modo, no que quer que fosse esse plano. Frank Donahue era diretor da prisão e teria supervisionado a execução realizada na noite de 13 de dezembro. E qual o resultado disso para o resto, para os outros jogadores?"

"Calculo que qualquer pessoa que tivesse tido qualquer ligação, legítima ou não, com Ronnie Joe Waddell, ia se sentir muito ameaçada", respondi.

"Claro. Se um assassino de tiras está solto e você é um tira, sabe que pode ser o próximo. Eu podia sair da sua casa hoje de noite e esse cara estar esperando no escuro para atirar em mim. Pode estar no carro dele por aí, procurando o Marino ou tentando descobrir onde eu moro. Pode estar alimentando a fantasia de agarrar o Grueman."

"Ou eu."

Wesley levantou-se e começou de novo a ajeitar as achas de lenha.

"Você acha que seria aconselhável eu mandar a Lucy de volta para Miami?

"Meu Deus, Kay, não sei o que dizer. Ela não quer ir para casa. Isso a gente pode ver perfeitamente. Talvez você se sentisse melhor se ela voltasse para Miami esta noite. Aliás, eu me sentiria melhor se você fosse com ela. Na verdade, todo mundo — você, Marino, Grueman, Vander, Connie, Michele, eu — com certeza nos sentiríamos melhor se *todos* deixássemos a cidade. Mas quem ficaria?"

"Ele. Seja quem for", disse eu.

Wesley espiou o relógio e pousou o copo na mesinha. "Nenhum de nós deve se meter com o outro. Não estamos em condições."

"Benton, tenho de limpar meu nome."

"É exatamente o que eu faria. Quer começar por onde?"

"Pelo negócio da pena."

"Explique-se, por favor."

"Pode ser que esse assassino tenha saído e comprado algum produto especial acolchoado com pluma de pato-do-norte, mas eu diria que há uma boa chance de ele o ter roubado."

"É uma teoria plausível."

"Só podemos encontrar o item se tivermos a etiqueta ou outra peça que conduza ao fabricante, mas talvez haja outro caminho. Talvez alguma coisa possa aparecer no jornal."

"Não acho que a gente queira que o assassino saiba que anda deixando penas por aí. Vai logo se livrar do tal item."

"Concordo. Mas isso não impede que alguma das suas fontes jornalísticas publique uma reportagenzinha sobre o pato-do-norte e suas apreciadas plumas, e sobre como os produtos acolchoados com elas são tão caros que se transformaram em objeto de predileção dos ladrões. Talvez isso pudesse ser relacionado à temporada de esqui ou coisa assim."

"O quê? Na esperança de que alguém telefone e diga que teve o carro arrombado e a jaqueta acolchoada de plumas roubada?"

"É. Se o repórter mencionar algum detetive que supostamente tenha sido designado para ocupar-se dos roubos, os leitores terão a quem telefonar. Compreende, o pessoal lê a história e diz: 'Isso aconteceu comigo'. O impulso deles é ajudar. Querem se sentir importantes. Aí passam a mão no telefone."

"Vou ter de pensar um pouco sobre isso."

"As chances não são muito grandes, admito."

Começamos a caminhar para a porta.

"Falei rapidamente com a Michele antes de sair de Homèstead. Ela e Lucy já estiveram conversando. Michele diz que a sua sobrinha mete um pouco de medo."

"Ela tem sido um terror desde que nasceu."

Ele sorriu. "Michele não quis dizer isso. O que ela disse foi que a inteligência da Lucy mete medo."

"Às vezes penso que é mar demais para um navio tão frágil."

"Não sei se ela é frágil assim. Olhe, passei uns dias com ela e fiquei muito impressionado com Lucy em muitos aspectos."

"Nem tente contratá-la para o FBI."

"Vou esperar até ela acabar a faculdade. Quanto tempo falta? Um ano?"

Só depois de Wesley partir, quando eu carregava os copos para a cozinha, foi que Lucy emergiu do escritório.

"Divertiu-se?", perguntei.

"Claro."

"Disseram que você se dá maravilhosamente bem com os Wesley." Fechei a torneira e sentei-me à mesa onde deixara o bloco.

"São boas pessoas."

"Corre por aí que eles também acham você simpática."

Abriu a geladeira e fitou o interior preguiçosamente. "Por que o Pete esteve aqui antes?"

Parecia estranho ver Marino mencionado pelo primeiro nome. Achei que, quando a tinha levado para atirar, ele e Lucy haviam passado de um estado de guerra fria para um de distensão.

"Por que você acha que ele esteve aqui?"

"Senti o cheiro de cigarro quando entrei em casa. Calculo que ele tenha estado aqui, a não ser que você tenha voltado a fumar." Fechou a porta da geladeira e se aproximou da mesa.

"Não voltei a fumar e Marino deu uma passada aqui."

"O que ele queria?"

"Queria me fazer uma porção de perguntas."

"Sobre o quê?"

"Por que você precisa saber dos pormenores?"

Seus olhos foram de meu rosto para a pilha de documentos e para o bloco coberto por minha caligrafia indecifrável.

"Não interessa por quê, já que é evidente que você não quer me contar."

"É complicado, Lucy."

"Quando você quer me manter fora dos assuntos, fala sempre que alguma coisa é complicada", disse ela enquanto se virava e saía.

Senti-me como se meu mundo estivesse caindo, as pessoas que o povoavam espalhando-se como sementes secas ao vento. Quando observava pais junto com seus filhos, maravilhava-me com a graça daquela relação e temia secretamente carecer de um instinto que não podia ser aprendido.

Fui achar minha sobrinha no escritório, sentada diante do computador. Na tela havia colunas de números combinados com letras do alfabeto, e aqui e ali viam-se fragmentos do que imaginei serem dados. Ela fazia cálculos a lápis num papel quadriculado e não levantou os olhos quando cheguei perto.

"Lucy, sua mãe teve muitos homens entrando e saindo de casa e eu sei bem como isso fez você se sentir. Mas aqui não é a sua casa e eu não sou sua mãe. Não é preciso você se sentir ameaçada por meus colegas e amigos homens. Não é preciso você ficar sempre procurando uma prova de que algum homem esteve aqui, e não há por que você suspeitar das minhas relações com Marino, Wesley ou qualquer outro."

Ela não respondeu.

Pus a mão em seu ombro. "Pode ser que eu não seja a presença constante em sua vida que eu gostaria de ser, mas você é muito importante para mim."

Apagando um número e sacudindo do papel os restos de borracha, ela disse: "Você vai ser acusada de algum crime?".

"Claro que não. Não cometi crime nenhum." Aproximei-me do monitor.

"O que você está vendo é um depósito hex", disse ela.

"Você tinha razão. São criptogramas."

Pondo os dedos no teclado, Lucy começou a mover o cursor enquanto explicava. "O que eu estou fazendo aqui é tentar obter a posição exata do número de IDE. É o número de identificação estadual. Cada pessoa no sistema tem um número de IDE, inclusive você, porque suas digitais também estão no SIDA. Numa linguagem de quarta geração, como o SQL, eu poderia procurar por um nome em uma coluna. Mas no hexadecimal a linguagem é técnica e matemática. Não há nomes em colunas, só posições na organização dos registros. Em outras palavras, se eu quisesse ir a Miami, no SQL diria simplesmente ao computador que queria ir para Miami. Mas no hexadecimal ia ter de dizer que queria ir para uma posição tantos graus ao norte do equador e tantos graus a leste do meridiano de Greenwich. Então, para continuar com a analogia geográfica, estou buscando a longitude e a latitude do número de IDE e também o número que indica o tipo de registro. Aí posso escrever um programa para procurar todo número de IDE onde o registro é tipo 2, que significa supressão, ou tipo 3, que é substituição. Vou rodar o programa com todas as fitas diárias."

"Você acha que, se houve algum registro alterado, a alteração foi no IDE?"

"Vamos dizer que seria muito mais fácil mexer no número de IDE que nas próprias imagens das digitais, no registro de disco óptico. E na verdade você no SIDA só tem isso — o número de IDE e as digitais correspondentes. O nome da pessoa, o prontuário e outras informações pessoais estão no PCC, ou Prontuário Criminal Computadorizado, que fica na CRC, ou Central de Registros Criminais."

"Se bem entendo, os números de IDE é que casam os registros que estão no CRC com as digitais que estão no SIDA."

"Isso mesmo."

Quando fui me deitar, Lucy ainda estava trabalhando. Dormi logo, mas às duas da manhã acordei. Só peguei no sono depois das cinco, e o despertador tocou menos de uma hora mais tarde. Dirigi até o centro no escuro e ouvi quando um dos locutores da rádio local deu as últimas notícias. Informou que a polícia tinha me interrogado e que eu me recusara a fornecer dados relativos a meus registros financeiros. Prosseguiu recordando a todos que, poucas semanas antes de ser assassinada, Susan Story tinha depositado três mil e quinhentos dólares na própria conta corrente.

Cheguei à repartição e, mal tirei o casaco, Marino telefonou.

"O merda do major não pode ficar com a boca calada", disse de saída.

"É claro."

"Porra, desculpe."

"Não é culpa sua. Eu sei que você tem de fazer um relatório para ele."

Marino hesitou. "Tenho de lhe perguntar sobre suas armas. Você não tem um 22, tem?"

"Você sabe tudo a respeito de minhas armas. Tenho um Ruger e um Smith e Wesson. E, se você disser isso ao major Cunningham, estou certa de que dentro de uma hora vai ouvir no rádio."

"Doutora, ele quer submetê-las ao laboratório de armas de fogo."

Por um momento pensei que Marino estivesse brincando.

"Ele acha que você deve estar querendo apresentá-las para exame. Acha que é uma boa idéia mostrar logo que as balas retiradas de Susan, do garoto Heath e de Donahue não podiam ter sido disparadas por suas armas."

"Você disse ao major que os revólveres que eu tenho são *38*?", indaguei enraivecida.

"Disse."

"E ele sabe que as balas retiradas dos corpos eram *22*?"

"É. Eu falei isso várias vezes com ele."

"Está bom, pergunte a ele se ele conhece algum adaptador que torne possível usar cartuchos 22 num revólver

38. Se conhece, diga a ele que ele devia apresentar uma comunicação na próxima reunião da Academia Americana de Medicina Legal."

"Eu acho que você não quer que eu diga isso a ele."

"Isso é só política, golpe publicitário. Não é nem racional."

Marino não comentou.

"Olhe, não desrespeitei lei nenhuma. Não vou apresentar meus registros financeiros, minhas armas de fogo nem coisa nenhuma antes de ser corretamente aconselhada. Entendo que você tem de fazer seu trabalho e quero que você o faça. O que eu quero é que me deixem em paz para eu também fazer o meu. Tenho três casos aqui embaixo e o Fielding foi ao foro."

Não me deixariam, porém, em paz, e isso ficou claro quando Marino e eu terminamos a conversa e Rose apareceu na sala. Seu rosto estava pálido e seus olhos aterrorizados.

"O governador quer ver a senhora."

"Quando?", perguntei com o coração aos saltos.

"Às nove horas."

Já eram oito e meia.

"O que ele quer, Rose?"

"A pessoa que ligou não disse."

Peguei o casaco e o guarda-chuva e saí para a chuva de inverno que começava a congelar. Enquanto me apressava pela rua 14, tentava lembrar a última vez que falara com o governador Joe Norring e concluí que fora um ano antes numa recepção de gala do Museu da Virgínia. Ele era republicano, anglicano, e formado em direito pela Universidade da Virgínia. Eu era italiana, católica, nascida em Miami e formada no Norte. O coração era democrata.

O Palácio do Governo fica no morro Shockhoe e é cercado por uma grade de ferro trabalhada, erguida no começo do século XIX para evitar a passagem do gado. O edifício branco desenhado por Jefferson é típico de sua arquitetura, uma simetria pura de cornijas e colunas lisas com capitéis jônicos inspirada por um templo romano. Os degraus de granito que atravessam o terreno são flanqueados por bancos, e enquanto a chuva caía sem parar pensei em minha resolução primaveril de todo ano de tirar uma hora de almoço longe da escrivaninha e sentar-me ali ao sol. Ainda não tinha feito aquilo. Perdera inúmeros dias de minha vida para a luz artificial e os locais confinados e sem janelas que desafiavam qualquer classificação arquitetônica.

Dentro do palácio encontrei um banheiro feminino e tentei reforçar minha confiança com alguns reparos em minha maquiagem. Apesar de meus esforços com o batom e a escova, o espelho nada dizia que me fizesse recobrar o ânimo. Desarrumada e insegura, tomei o elevador para o topo da rotunda, onde, três andares acima da estátua de mármore de George Washington pintada por Hudson, os retratos a óleo dos governadores anteriores exibiam uma expressão embasbacada e severa. No meio do caminho, ao longo da parede sul, perambulavam jornalistas com bloquinhos, câmeras e microfones. Não pensei que estivesse na mira deles até que, ao aproximar-me, as câmeras de televisão saltaram para os ombros, os microfones foram sacados como espadas e as objetivas começaram a tinir com a rapidez de armas automáticas.

"Por que a senhora não mostra suas contas?"

"Dra. Scarpetta..."

"A senhora deu dinheiro a Susan Story?"

"De que tipo é a arma que a senhora tem?"

"Doutora..."

"É verdade que desapareceram de sua repartição uns registros de pessoal?"

Eram as mesmas acusações e perguntas de sempre. Eu fixava a atenção num ponto à minha frente, os pensamentos paralisados. Meu queixo era atingido por microfones, corpos chocavam-se comigo e em meus olhos acendiam-se lâmpadas. Atingir a pesada porta de mogno e escapar para o sossego elegante que ela ocultava pareceu demorar uma eternidade.

"Bom dia", disse a recepcionista em sua fortaleza de madeira nobre sob o retrato de John Tyler.

Do outro lado da sala, numa mesa diante de uma janela, um policial à paisana da Unidade de Proteção ao Executivo espiou-me com rosto inescrutável.

"Como a imprensa soube disso?", perguntei à recepcionista.

"Perdão?" Era uma mulher idosa vestida com roupas de lã.

"Como souberam que eu ia me encontrar com o governador esta manhã?"

"Sinto muito. Não sei."

Sentei-me num pequeno sofá azul pálido. O papel de parede era do mesmo tom de azul, a mobília antiga, o escudo do estado no assento de tapeçaria das cadeiras. Passaram-se lentamente dez minutos. Abriu-se uma porta e um jovem que reconheci como sendo o secretário de imprensa de Norring entrou e sorriu para mim.

"Dra. Scarpetta, o governador vai receber a senhora agora."

Era de compleição delgada, louro, e vestia um terno azul-marinho com suspensórios amarelos.

"Peço-lhe desculpas por tê-la feito esperar. Que tempo inacreditável a gente está tendo. E ouvi dizer que vai cair para menos de oito esta noite. De manhã as ruas vão estar um gelo puro."

Conduziu-me por uma série de gabinetes bem decorados, onde as secretárias estavam concentradas diante das telas dos computadores e os ajudantes moviam-se com determinação silenciosa. Bateu levemente em uma porta imponente, girou a maçaneta de latão e afastou-se, tocando cavalheirescamente minhas costas enquanto eu o precedia no espaço privado do homem mais poderoso da Virgínia. O governador Norring não se levantou da cadeira estofada de couro por trás de uma mesa limpa de nogueira nodosa. Defronte dele havia duas cadeiras e uma me foi oferecida enquanto ele continuava a examinar um documento.

"A senhora quer beber alguma coisa?", perguntou-me o secretário de imprensa.

"Não, obrigada."

Ele então partiu, fechando a porta suavemente.

O governador depositou o documento na mesa e recostou-se na cadeira. Era um homem de aparência distinta, cujos traços exibiam o mínimo de irregularidade necessário para que fosse levado a sério, e era impossível deixar de reparar nele quando se entrava numa sala. Como George Washington, que media um metro e noventa numa época de homens baixos, Norring tinha uma estatura bem acima da média e seus cabelos eram abundantes e escuros, numa idade em que os homens começam a ficar calvos ou grisalhos.

"Doutora, estive pensando se haveria um meio de extinguir o fogo dessa controvérsia antes que ele fique incontrolável." Falava com a cadência branda da conversação virginiana.

"Espero que sim, governador Norring."

"Então, por favor, me ajude a compreender por que a senhora não está colaborando com a polícia."

"Quero ouvir um advogado, e ainda não tive oportunidade de fazer isso. Não acho que isso seja falta de colaboração."

"A senhora certamente tem o direito de não se incriminar. Mas ao sugerir que vai lançar mão da emenda constitucional nº 5, a senhora torna mais escura a nuvem de suspeita que paira à sua volta. Estou seguro de que a senhora se dá conta disso", disse lentamente.

"Dou-me conta de que serei criticada faça o que fizer. Proteger-me é a única coisa razoável e prudente que posso fazer."

"A senhora estava fazendo pagamentos à superintendente do necrotério, Susan Story?"

"Não, senhor, não estava. Não fiz nada de errado."

Inclinou-se para a frente na cadeira e cruzou os dedos em cima da mesa. "Dra. Scarpetta, dizem-me que a senhora não quer colaborar entregando os registros que podem provar essas alegações."

265

"Não fui informada de que seja suspeita de crime algum, nem recebi as advertências do acórdão Miranda. Não renunciei a meus direitos. Não tive oportunidade de procurar um advogado. Neste momento minha intenção não é abrir os arquivos de minha vida profissional e pessoal para a polícia ou para qualquer outra pessoa."

"Então, em resumo, a senhora se recusa a mostrar tudo."

Quando um servidor público é acusado de agir em interesse próprio ou de qualquer outro tipo de conduta imoral, só há duas defesas: ou ele mostra tudo ou pede exoneração. Essa última possibilidade mostrava para mim todos os seus dentes. Estava claro que a intenção do governador era fazer com que eu passasse a fronteira e fosse obrigada a pedir exoneração.

"A senhora é uma perita de renome nacional e médica-legista chefe deste estado. Tem tido uma carreira distintíssima e uma reputação impecável na comunidade jurídica. Mas, na matéria de que estamos tratando, não está mostrando bom senso. Não está sendo cuidadosa em evitar toda aparência de conduta censurável."

"Fui cuidadosa, governador, e nada fiz de errado", repeti. "Os fatos demonstrarão isso, mas não vou discutir mais a matéria antes de falar com meu advogado. E só abrirei minhas contas por meio dele e na frente de um juiz, em segredo, diante da Justiça."

"Em segredo?" Seus olhos se apertaram.

"Certos pormenores de minha vida atingem outras pessoas."

"Quem? Marido, filhos, amante? Até onde eu sei, a senhora não tem nada disso, vive sozinha e — para usar o clichê — é casada com o trabalho. Quem a senhora pode estar protegendo?"

"Governador Norring, o senhor está me atacando."

"Não, senhora. Estou simplesmente procurando alguma coisa para corroborar suas alegações. A senhora diz que está preocupada em proteger outras pessoas, e eu estou perguntando quem podem ser esses *outros*. Com certeza não são pacientes. Seus pacientes estão todos mortos."

"Não acho que o senhor esteja sendo justo ou imparcial. Desde o começo nada foi justo neste encontro. Dão-me vinte minutos para estar aqui e não me dizem qual é o assunto...", disse eu, sabendo que meu tom era gélido.

Ele interrompeu. "Ora, doutora, pensei que a senhora pudesse imaginar qual era o assunto."

"Como eu devia ter imaginado também que o nosso encontro era público."

"Parece que veio toda a imprensa." Sua expressão não se alterou.

"Gostaria de saber como isso ocorreu", disse eu veementemente.

"Se a senhora está perguntando se este gabinete notificou a imprensa de nossa reunião, digo-lhe que não."

Não respondi.

"Doutora, não sei se a senhora entende que, como servidores públicos, temos de atuar segundo um conjunto diferente de regras. Em certo sentido, não temos direito a vida privada. Ou talvez fosse melhor dizer que, se se levantam dúvidas sobre nossa ética ou nossos juízos, o público tem o direito de examinar, em certos casos, os aspectos mais privados de nossas existências. Sempre que estou para encetar uma determinada ação ou mesmo assinar um cheque, tenho de perguntar-me se o que estou fazendo resistirá ao mais rigoroso dos escrutínios."

Notei que, quando falava, ele quase não usava as mãos, e que o tecido e o modelo do terno e da gravata eram uma lição de extravagância subentendida. Enquanto continuava a admoestação, minha atenção vagava por todo lado, e me dei conta de que nada que pudesse fazer ou dizer me salvaria afinal. Embora tivesse sido nomeada pelo secretário de Saúde, não teria sido convidada para o cargo nem poderia permanecer muito tempo nele sem o apoio do governador. O modo mais rápido de perdê-lo era causando embaraço ou criando algum conflito, o que já havia conseguido. Ele tinha o poder de forçar-me a pedir exoneração. Eu tinha o poder de comprar um pouco de tempo ameaçando embaraçá-lo ainda mais.

"Doutora, quem sabe a senhora gostaria de me dizer o que faria em meu lugar."

Além da janela misturavam-se a neve e o granizo, e os edifícios da zona bancária pareciam desmaiados sobre um triste céu de estanho. Fitei Norring em silêncio e falei tranqüilamente: "Governador Norring, provavelmente eu não convocaria a médica-legista chefe a minha presença para insultá-la gratuitamente, tanto profissional como pessoalmente, e depois pedir-lhe que renunciasse aos direitos que a Constituição garante a todas as pessoas. Também é provável que eu aceitasse a inocência dessa pessoa até que fosse provada sua culpa, e não comprometesse sua ética e o juramento hipocrático que ela prometera guardar pedindo-lhe que expusesse ao escrutínio público arquivos confidenciais, quando fazê-lo poderia prejudicá-la, e a terceiros. E é provável, governador Norring, que não reduziria uma pessoa que serviu o estado lealmente à única opção de pedir exoneração por justa causa."

Enquanto considerava minhas palavras, o governador segurou distraidamente uma caneta-tinteiro de prata. Pedir exoneração por justa causa depois de encontrar-me com ele implicaria, para todos os repórteres que esperavam atrás da porta do gabinete, que eu teria renunciado porque Norring teria pedido que eu fizesse algo que considerava imoral.

"No momento não me interessa que a senhora peça exoneração", disse friamente. "Aliás, não aceitaria o pedido. Sou um homem justo, dra. Scarpetta, e, espero, um homem de bom senso. E o bom senso me diz que não posso ter, como responsável pelas autópsias oficiais das vítimas de homicídios, um funcionário implicado num homicídio ou cúmplice nele. Penso, então, que o melhor seja dar à senhora uma licença com vencimentos até que essa questão seja resolvida." Estendeu o braço até o telefone. "John, você podia fazer o favor de acompanhar a médica-legista chefe?"

O sorridente secretário de imprensa apareceu quase imediatamente.

Ao sair do gabinete do governador fui assediada por todo lado. Flashes estouravam diante dos meus olhos e parecia que todo mundo gritava. O gancho das notícias no resto do dia e na manhã seguinte foi que o governador me concedera licença com vencimentos até que eu pudesse limpar meu nome. Um editorial conjecturava que Norring mostrara ser um cavalheiro, e que se eu fosse uma dama pediria exoneração.

11

Na sexta-feira fiquei em casa diante do fogo, dando continuidade à tarefa tediosa e frustrante de tomar notas à medida que tentava documentar para mim mesma cada movimento que fizera nas últimas semanas. Infelizmente, no momento em que a polícia acreditava que Eddie Heath fora seqüestrado na mercearia eu estava em meu automóvel, indo para casa. Quando Susan fora assassinada eu estava sozinha em casa, pois Marino levara Lucy para aprender a atirar. Também estava só na manhã em que Frank Donahue fora alvejado. Não tinha testemunhas que pudessem comprovar minhas atividades durante os três assassinatos.

Seria bem mais difícil vender os motivos e o *modus operandi*. É muito incomum uma mulher atirar em alguém à queima-roupa, e eu não teria motivo algum para matar Eddie Heath, a não ser que fosse uma sádica sexual.

Estava mergulhada em meus pensamentos quando Lucy me chamou. "Encontrei uma coisa."

Estava sentada diante do computador, girara a cadeira para um lado e acomodara os pés sobre uma otomana. No colo tinha várias folhas de papel, e meu Smith e Wesson 38 estava à direita do teclado.

"Por que você está com meu revólver aqui?", perguntei, perturbada.

"Pete me disse para treinar disparos sem balas sempre que tivesse oportunidade. Então, fiquei treinando enquanto rodava meu programa com as fitas diárias."

Apanhei o revólver, empurrei a trava e examinei o tambor, só para ter certeza.

"Embora eu ainda tenha de rodar umas fitas, acho que já encontrei uma pista do que estamos procurando."

Senti uma onda de otimismo e puxei uma cadeira.

"A fita diária de 9 de dezembro mostra três SIDS interessantes."

"SIDS?"

"Substituições de Impressões Digitais", explicou Lucy. "São três registros diferentes. Um foi completamente eliminado ou suprimido. O número de IDE de um outro foi alterado. E temos um terceiro registro que é uma nova entrada, feita mais ou menos na mesma hora em que os outros dois registros foram suprimidos ou modificados. Entrei no CRC e chamei os números de IDE tanto do registro alterado como do registro novo. O registro alterado é o de Ronnie Joe Waddell."

"E o novo?"

"Aí é um negócio estranhíssimo. Não há prontuário criminal. Introduzi o número de IDE cinco vezes e apareceu sempre 'registro não localizado'. Você entende o que isso pode significar?"

"Sem prontuário no CRC é impossível saber quem é a pessoa."

Lucy concordou.

"É. Você tem as digitais e o número de IDE de alguém no SIDA, mas não há nome nem outros dados pessoais para casar com eles. E para mim isso indica que alguém tirou o registro dessa pessoa do CRC. Em outras palavras, também mexeram no CRC."

"Vamos voltar para o Ronnie Waddell. Você pode reconstituir o que foi feito com o registro dele?"

"Tenho uma teoria. Primeiro, é preciso saber que o número de IDE é um identificador exclusivo com um índice exclusivo, ou seja, o sistema não deixa você introduzir outro valor. Se eu, por exemplo, quisesse trocar de número de IDE com você, tinha primeiro de suprimir seu registro. Aí, depois de mudar meu número de IDE para o seu, voltava a introduzir o seu registro, dando a você o meu antigo número de IDE."

"É isso o que você pensa que aconteceu?"

"Esse processo explicaria os SIDS que encontrei na fita diária de 9 de dezembro."

Quatro dias antes da execução de Waddell, pensei.

"Tem mais. Em 16 de dezembro o registro de Waddell foi suprimido do SIDA."

"Como é que pode?", perguntei, desconcertada. "Uma impressão digital encontrada na casa de Jennifer Deighton foi identificada como sendo do Waddell quando Vander a examinou no SIDA há pouco mais de uma semana."

"O SIDA saiu fora do ar no dia 16 de dezembro às dez e cinqüenta e cinco da manhã, exatamente noventa e oito minutos depois que o registro do Waddell tinha sido suprimido. O banco de dados foi restaurado com as fitas diárias, mas você tem de se lembrar que o backup só é feito uma vez por dia, no fim da tarde. Assim, as mudanças feitas no banco de dados na manhã de 16 de dezembro não tinham passado pelo backup quando o sistema caiu. Quando o banco de dados foi restaurado, o registro do Waddell também foi."

"Quer dizer que alguém mexeu no número de IDE do Waddell quatro dias antes da execução? E aí, três dias depois da execução, alguém suprimiu o registro dele do SIDA?"

"É o que parece. O que eu não consigo entender é por que a pessoa não suprimiu o registro de uma vez. Para que todo o trabalho de mudar o número de IDE para depois suprimir o registro todo?"

Quando telefonei momentos mais tarde, Neils Vander deu uma resposta simples para aquilo: "Não é incomum que depois da morte de um preso suas digitais sejam suprimidas do SIDA. Na verdade, a única razão pela qual não suprimimos os registros de um preso que já morreu é que é possível que as impressões dele apareçam em algum caso que ainda não tenha sido solucionado. Mas o Waddell já estava preso havia nove, dez anos — já estava fora de circulação havia tanto tempo que não valia a pena manter as digitais dele no computador."

"Então a supressão do registro dele no dia 16 de dezembro foi de rotina?"

"Claro. Mas não seria um procedimento de rotina suprimir o registro em 9 de dezembro, quando Lucy acha que o número de IDE foi alterado, porque aí o Waddell ainda estava vivo."

"Neils, o que você acha que isso tudo significa?"

"Quando você muda o número de IDE de alguém, Kay, você na verdade mudou a identidade dele. Posso ter as impressões digitais dele, mas quando introduzir o número de IDE no CRC, não é o prontuário dele que vou obter. Ou não obtenho prontuário nenhum, ou recebo o de outra pessoa."

"Tínhamos uma impressão deixada na casa de Jennifer Deighton. Introduzimos o número de IDE no CRC e chegamos a Ronnie Waddell. Mas agora temos razões para crer que o número de IDE de Ronnie Waddell foi alterado. Ou seja, não sabemos quem deixou a impressão naquela cadeira, sabemos?"

"Não. E está ficando claro que alguém teve um trabalho danado para nos impedir de verificar quem podia ser essa pessoa. Não posso provar que não tivesse sido o Waddell. Também não posso provar que foi."

Enquanto ele falava, diversas imagens passavam rapidamente em meu pensamento.

"Para provar que Waddell não deixou impressões digitais na cadeira de Jennifer Deighton, preciso de uma impressão antiga dele, na qual possa confiar, uma que eu saiba que não foi mexida. Mas não sei onde procurar."

Tive a visão de um revestimento escuro, de assoalhos de madeira e sangue seco cor de granada.

"A casa dela", murmurei.

"Casa de quem?" Vander não entendeu.

"De Robyn Naismith."

Dez anos antes, quando a casa de Robyn Naismith fora municiada pela polícia, o laser e a Luma-Lite não haviam sido usados. Naquela época não existia DNA de impressões digitais. Não havia na Virgínia sistema automático de digitais, nem meios computadorizados de melhorar impressões parciais marcadas com sangue em uma parede ou em outro lugar qualquer. Embora em geral a nova tecnologia seja irrelevante para casos encerrados há muito tempo, há exceções. Eu acreditava que o assassinato de Robyn Naismith era uma delas.

Se pudéssemos borrifar a casa dela com produtos químicos, era possível literalmente ressuscitar o local. O sangue coagula, goteja, pinga, salpica, mancha e grita num vermelho vibrante. Mete-se pelas frestas e fendas e insinua-se sob as almofadas e os assoalhos. Embora possa desaparecer com uma lavagem ou desbotar com os anos, nunca some completamente. Como o texto que não aparecia na folha de papel deixada sobre a cama de Jennifer Deighton, havia sangue invisível a olho nu na sala onde Robyn Naismith fora abordada e morta. Sem a ajuda da tecnologia, a polícia encontrara uma impressão marcada com sangue durante a investigação original do crime. Waddell podia ter deixado outras. Talvez ainda estivessem lá.

Neils Vander, Benton Wesley e eu nos dirigimos para o oeste em direção à Universidade de Richmond, um conjunto esplêndido de edifícios em estilo georgiano que circundavam um lago entre as estradas Three Chopt e River. Fora nela que, vários anos antes, Robyn Naismith se graduara com distinção, e seu amor pela região fora tal que mais tarde comprara sua primeira casa a dois quarteirões da universidade.

Sua antiga casinha de tijolos aparentes com mansarda ficava num lote de dois mil metros quadrados. Não me surpreendeu que o local fosse ideal para um ladrão. O quintal tinha muitas árvores e os fundos da casa sumiam sob três magnólias gigantescas que bloqueavam completamente o sol. Duvidei que os vizinhos de qualquer dos lados pudessem ter visto ou ouvido algo na casa de Robyn Naismith. Os vizinhos estavam trabalhando na manhã em que Robyn fora assassinada.

Devido às circunstâncias que haviam posto a casa no mercado dez anos antes, o preço fora baixo para o bairro.

Descobríramos que a universidade decidira comprá-la para servir como residência de professores e conservara muito do que havia dentro. Robyn era solteira e filha única, e seus pais, do norte da Virgínia, não quiseram seus objetos. Calculo que não poderiam suportar viver com eles ou mesmo olhá-los. O professor Sam Potter, um homem solteiro que ensinava alemão, alugava a casa de sua empregadora desde a compra.

Estávamos retirando o equipamento fotográfico, frascos de produtos químicos e outros itens da mala quando a porta dos fundos se abriu. Um homem de aparência mofina saudou-nos com um bom-dia chocho.

"Querem uma ajuda?"

Sam Potter desceu os degraus, afastando dos olhos o cabelo preto comprido e fumando um cigarro. Era baixo e roliço, com quadris femininos.

"Se o senhor quiser levar esta caixa aqui", disse Vander.

Potter soltou o cigarro no chão e não se preocupou em apagá-lo. Fomos atrás dele degraus acima e entramos numa cozinha pequena com eletrodomésticos antigos verde-abacate e dúzias de pratos sujos. Em seguida ele nos conduziu, passando pela sala de jantar com roupa empilhada na mesa, até a sala de visitas, na frente da casa. Pus no chão o que carregava e tentei disfarçar meu choque ao reconhecer a televisão ligada a uma tomada na parede, as cortinas, o sofá de couro marrom e o assoalho de tacos, agora arranhado e opaco como lama. Havia livros e papéis espalhados por toda parte; Potter começou a falar enquanto os recolhia descuidadamente.

"Como os senhores podem ver, não tenho muito jeito para os trabalhos domésticos", disse com nítido sotaque alemão. "Por ora vou pôr estas coisas na mesa da sala de jantar."

Quando voltou, disse: "Querem que eu tire mais alguma coisa?". Puxou um maço de Camel do bolso da camisa branca e extraiu uma caixinha de fósforos das calças de brim desbotadas. Usava um relógio de bolso preso a uma das alças do cinto por uma tira de couro, e reparei várias coisas quando ele o puxou para ver as horas e acendeu o cigarro. Suas mãos tremiam, os dedos estavam inchados, e as maçãs do rosto e o nariz estavam cobertos de vasos sangüíneos partidos. Não se dera o trabalho de limpar os cinzeiros, mas recolhera garrafas e copos vazios e tivera o cuidado de jogá-los no lixo.

"Está bem assim. Não precisa arrumar mais nada. Se precisarmos mexer em alguma coisa, colocaremos de volta", disse Wesley.

"O senhor disse que esse produto que estão usando não vai estragar nada e não é tóxico para seres humanos?"

"Não, não tem perigo nenhum. Vai deixar um resíduo granulado — como de água salgada quando seca. Vamos fazer o possível para limpar", disse eu.

"Prefiro não ficar aqui enquanto fazem isso. Podem me dizer aproximadamente quanto tempo vai demorar?", disse Potter, dando uma tragada nervosa.

"Esperamos não demorar mais de duas horas." Wesley estava olhando em torno, e embora seu rosto nada expressasse, eu bem podia imaginar o que lhe ia pelo pensamento.

Enquanto Vander abria uma caixa de filme, tirei o casaco e fiquei sem saber onde colocá-lo.

"Se terminarem antes de eu voltar, por favor fechem a porta e verifiquem se está bem trancada. Não tenho alarme para não me incomodar." Potter saiu pela cozinha e, quando deu a partida no carro, o som foi o de um ônibus a diesel.

"É uma pena. Podia ser uma bela casa. Mas por dentro não é muito melhor do que os cortiços que tenho visto. Você reparou nos ovos mexidos na frigideira no fogão? O que mais você quer separar daqui?", disse Vander tirando de uma caixa duas garrafas de um produto químico. Agachou-se. "Só quero misturar o líquido quando estivermos prontos."

"Acho melhor tirarmos deste lugar o máximo que for possível. Você está com as fotografias, Kay?", disse Wesley.

Peguei as fotografias do local do assassinato de Robyn Naismith. "Vocês repararam que nosso amigo professor está usando a mobília dela?", perguntei.

"Bom, então vamos deixá-la aqui", disse Vander, como se fosse comum a mobília do local de um crime continuar no mesmo lugar dez anos mais tarde. "Mas temos de tirar o tapete. Dá para perceber que este não veio com a casa."

"Por quê?" Wesley fitou o tapete trançado azul e vermelho sob seus pés. Estava sujo e enrolando nas bordas.

"Se você levantar a beira, vai ver que por baixo o chão está tão baço e riscado quanto em todos os outros lugares. Este tapete não está aqui há muito tempo. Além do mais, não parece de muito boa qualidade. Duvido que tivesse durado esse tempo todo."

Espalhei diversas fotografias no chão e virei-as em várias direções até as perspectivas ficarem corretas e podermos saber o que tinha de ser movido. O que havia de mobília original fora rearrumado. Na medida em que era possível fazê-lo, começamos a recriar a cena da morte de Robyn.

"Bom, o fícus vai ali", dizia eu, como uma diretora de arte. "Está bem, mas empurre o sofá para trás uns sessenta centímetros, Neils. E só um pouquinho mais para lá. A planta devia estar a uns dez centímetros do braço esquerdo. Um pouquinho mais perto. Está bem."

"Não, não está. Os galhos estão em cima do sofá."

"É que a planta agora está um pouco maior."

"Nem acredito que ainda esteja viva. Estou espantado que alguma coisa possa viver perto do professor Potter, exceto talvez bactérias e fungos."

"Vamos tirar o tapete?" Wesley despiu o paletó.

"Vamos. Havia um pequeno capacho na porta de entrada e um outro tapetinho oriental debaixo da mesa de centro. O assoalho estava quase todo descoberto."

De quatro, começou a enrolar o tapete.

Fui até a televisão e examinei o vídeo que estava em cima e as ligações dos cabos que iam dar na parede.

"Isto tem de ir para a parede defronte do sofá e da porta de entrada. Algum dos cavalheiros entende de videocassete e ligação de cabos?"

"Não", responderam ao mesmo tempo.

"Então tenho de me virar sozinha. Vamos lá."

Desliguei o cabo do vídeo, desconectei a televisão e empurrei-a cuidadosamente pelo assoalho nu e empoeirado. Consultando outra vez as fotografias, movi-a alguns centímetros mais até que ficasse bem na frente da porta de entrada. Em seguida examinei as paredes. Parecia que Potter colecionava quadros e gostava de um artista cujo nome não pude decifrar, aparentemente francês. Os esboços eram estudos a carvão da forma feminina, com muitas curvas, manchas rosadas e triângulos. Um a um, foram retirados e encostados nas paredes da sala de jantar. Àquela altura a sala já estava quase vazia e a poeira me dava comichão.

Wesley limpou a testa com o dorso do braço. "Estamos mais ou menos prontos?" Olhou para mim.

"Acho que sim. Bom, falta algumas coisas. Havia três cadeiras ali daquele lado", apontei.

"Estão nos quartos. Duas num quarto e uma no outro. Quer que eu traga para cá?", disse Vander.

"Pode ser."

Ele e Wesley trouxeram as cadeiras.

"Tinha uma pintura naquela parede ali e outra à direita da porta que dá para a sala de jantar", mostrei. "Uma natureza-morta e uma paisagem inglesa." Quer dizer que Potter não podia viver com os quadros dela, mas parece que não teve problema com todo o resto.

"Precisamos percorrer a casa e fechar todas as persianas e cortinas", disse Vander. "Se alguma luz ainda estiver entrando, rasgue um pedaço deste papel", continuou, apontando para um rolo de papel pardo grosso que estava no chão, "e cubra a janela."

Nos quinze minutos seguintes a casa se encheu do som de passos, de persianas baixando e tesouras cortando papel. De vez em quando alguém praguejava, quando o pedaço de papel cortado ficava pequeno ou a fita crepe grudava em si mesma. Fiquei na sala de visitas e cobri o vidro da porta da frente e das duas janelas que davam para a rua. Quando tornamos a nos reunir e apagamos a luz, a casa ficou um breu. Não dava para ver minha mão diante de meu rosto.

"Perfeito", disse Vander quando acendemos a luz do teto.

Calçou as luvas e arrumou na mesinha as garrafas de água destilada, os produtos químicos e duas bombas de plástico. "Vamos trabalhar assim. Dra. Scarpetta, você pode ir borrifando enquanto eu filmo em vídeo, e, se alguma área reagir, continue borrifando até eu dizer para seguir adiante."

"O que você quer que eu faça?", perguntou Wesley.

"Que não atrapalhe."

"O que há neste troço?", indagou, enquanto Vander desatarrachava as tampas das garrafas dos produtos químicos secos.

"Não me diga que você quer saber", respondi.

"Já sou um rapaz crescido. Pode me contar."

"O reagente é uma mistura de perborato de sódio, que o Niels está misturando com água destilada, e triaminoftalidrazido e carbonato de sódio", disse eu, tirando um par de luvas da pasta.

"E você acha que vai funcionar com sangue tão antigo?", perguntou Wesley.

"Na verdade, o sangue velho e decomposto reage melhor ao luminol do que as manchas recentes, porque quanto mais o sangue está oxidado, melhor. Quando vai envelhecendo, o sangue vai ficando mais oxidado."

"Acho que nenhuma madeira aqui foi tratada com sal, vocês não acham?" Vander olhou em torno.

"Acho que não." Expliquei a Wesley: "O principal problema com o luminol é o falso positivo. Muitas coisas reagem a ele, como o cobre e o níquel, bem como os sais de cobre na madeira tratada com sal".

"Também reage com ferrugem, alvejante, iodo e formol. Mais os peróxidos encontrados em bananas, melancias, frutas cítricas e em muitos vegetais. Em rabanete também", acrescentou Vander.

Wesley olhou para mim sorrindo.

Vander abriu um envelope e tirou dois quadrados de papel de filtro manchados de sangue seco diluído. Juntou então as misturas A e B e pediu a Wesley que apagasse as luzes. Com duas borrifadas rápidas, um brilho semelhante a néon, branco azulado, apareceu na mesinha e logo desapareceu.

"Aqui", disse Vander.

Senti-o tocar meu braço com o borrifador e agarrei-o. Quando Vander apertou o botão que ligava a câmera de vídeo, uma luzinha vermelha se acendeu; depois a lâmpada de visão noturna branqueou e, como um olho luminoso, foi fixando tudo o que ele olhava.

A voz de Vander soou à minha esquerda:

"Onde você está?"

"Estou no centro da sala. Estou sentindo a quina da mesinha em minha perna", disse eu, como se fôssemos crianças brincando no escuro.

"Porra, onde vocês estão?" A voz de Wesley veio da direção da sala de jantar.

A luz branca junto a Vander moveu-se vagarosamente em minha direção. Estendi a mão e toquei seu ombro. "Pronto?"

"Estou gravando. Comece e vá borrifando até eu mandar parar."

Comecei a borrifar o chão à nossa volta com o dedo firme na válvula. Uma neblina flutuou ao meu redor e em torno de meus pés materializaram-se figuras geométricas e outras formas. Por um momento parecia que eu voava na escuridão sobre o traçado luminoso de uma cidade lá embaixo. O sangue antigo depositado nas frestas do assoalho emitia um brilho branco azulado que esmaecia e voltava a aparecer quase tão depressa quanto a capacidade da visão de percebê-lo. Borrifei sem ter noção real de onde me achava com relação a todo o resto, e vi pegadas pela sala inteira. Esbarrei no fícus e no vaso que o continha apareceram débeis listras brancas. À minha direita fulguravam impressões digitais que besuntavam a parede.

"Luz", disse Vander.

Wesley acendeu a luz do teto e Vander montou uma câmera de trinta e cinco milímetros num tripé a fim de mantê-la fixa. A única luz seria a fluorescência do luminol, e o filme precisaria de um tempo de exposição maior para captá-la. Peguei outra garrafa cheia de luminol e, quando as luzes se apagaram novamente, tornei a borrifar as impressões besuntadas na parede enquanto a câmera capturava aquelas imagens fantásticas. Depois passamos adiante. No revestimento e no assoalho apareceram faixas largas e onduladas, e as costuras do sofá de couro formaram uma rede de néon que desenhava de modo incompleto as formas quadradas das almofadas.

"Você poderia retirar as almofadas?", indagou Vander.

Uma a uma, empurrei as almofadas para o chão e borrifei a superfície do sofá. Os espaços entre as almofadas brilharam. No encosto apareceram outros borrões e listras, e no teto uma constelação de estrelinhas brilhantes. Foi na velha televisão que demos com a primeira exibição pirofórica de falsos positivos, quando o metal em torno dos botões e da tela se acendeu e as conexões dos fios adquiriram um branco azulado de leite ralo. Salvo umas poucas manchas que podiam ser de sangue, nada havia de notável em volta da TV, mas o chão à sua frente, onde o corpo de Robyn fora encontrado, enlouqueceu. O sangue era tanto que dava para ver o desenho dos tacos e a direção das fibras da madeira. Uma marca de arrastamento brilhava por mais de um metro de assoalho com uma altíssima concentração de luminescência, e perto havia uma forma curiosa de curvaturas tangenciais feitas por um objeto com uma circunferência ligeiramente menor que a de uma bola de voleibol.

A busca não se limitou à sala de visitas. Começamos a seguir pegadas. Às vezes éramos obrigados a acender as luzes, misturar mais luminol e afastar obstáculos do caminho, principalmente no aterro lingüístico que um dia fora o quarto de Robyn e hoje era o lugar onde o professor Potter vivia. No assoalho havia vários centímetros de papelada:

trabalhos de pesquisa, artigos de revistas, provas e dezenas de livros em alemão, francês e italiano. As roupas estavam espalhadas ou penduradas de modo tão desordenado que era como se um redemoinho tivesse passado pelo armário e criado um vórtice no meio do quarto. Catamos tudo o melhor que pudemos e fizemos montes e pilhas na cama de casal desfeita. Depois seguimos a trilha sangrenta de Waddell.

A trilha me levou ao banheiro, com Vander logo atrás. Espalhadas pelo chão havia marcas de sapatos e manchas de sujeira, e ao lado da banheira cintilavam as mesmas formas circulares que havíamos encontrado na sala de visitas. Quando comecei a borrifar as paredes, apareceram de repente duas enormes impressões digitais um pouco acima e de ambos os lados da privada. A luz da câmera de vídeo flutuou para mais perto.

Ouvi a voz de Vander exclamar animada: "Acenda a luz!".

O toalete de Potter estava no mínimo tão vergonhosamente arrumado quanto o resto de seus domínios. Ao examinar a área onde as impressões digitais tinham aparecido, Vander quase enfia o nariz na parede.

"Dá para ver?"

"Humm. Talvez um pouquinho." Inclinando a cabeça primeiro para um lado e depois para o outro, ele apertou os olhos. "É fantástico. Você vê, o papel de parede tem um desenho azul-escuro, de modo que a olho nu não se consegue ver muito. E é plastificado ou de vinil — em outras palavras, boa superfície para impressões digitais."

"Meu Deus do céu, pelo jeito desde que ele se mudou não limpa o raio da privada. Nossa, nem puxou a válvula", disse Wesley, parado à porta do banheiro.

"Mesmo que uma vez ou outra ele tenha passado um esfregão ou um pano nas paredes, é muito difícil dar sumiço em *todos* os resíduos de sangue. Num piso de linóleo como este, por exemplo, eles se agarram à superfície porosa e o luminol os descobre", disse eu a Vander.

Wesley estava assombrado. "Quer dizer que, se daqui a dez anos a gente borrifar de novo este lugar, o sangue vai continuar aqui?"

"A única maneira de eliminar a maior parte do sangue seria pintar tudo de novo, empapelar as paredes, dar novo acabamento ao assoalho e envernizar os móveis. Se você quiser ficar absolutamente livre de todos os resíduos, vai ter de demolir a casa e começar de novo."

Wesley olhou o relógio. "Já estamos aqui há três horas e meia."

"Sugiro fazer o seguinte", falei. "Benton, você e eu podemos começar a fazer com que os quartos voltem ao seu caos habitual e deixamos você, Neils, fazendo o que é preciso fazer."

"Ótimo. Vou armar a Luma-Lite aqui e vamos bater na madeira para que ela consiga melhorar os pormenores das linhas das impressões digitais."

Voltamos à sala de visitas. Enquanto Vander transportava a Luma-Lite portátil e o equipamento fotográfico até o banheiro, Wesley e eu olhamos para o sofá, a velha TV e o assoalho empoeirado e arranhado, ambos um pouco ofuscados. Com as luzes acesas não havia o menor sinal do horror que víramos no escuro. Naquela ensolarada tarde de inverno tínhamos recuado no tempo e testemunhado o que Ronnie Joe Waddell havia feito.

Wesley ficou imóvel junto à janela coberta de papel. "Tenho medo de sentar seja onde for, e de me encostar em toda e qualquer coisa. Meu Deus. Tem sangue em todo o diabo da casa."

Olhando em torno, visualizei as fulgurações brancas que vira no escuro, e meus olhos moveram-se lentamente do sofá, passando pelo assoalho, até a TV. As almofadas do sofá ainda estavam no chão, onde eu as deixara, e me agachei para ver melhor. Agora o sangue que embebera as costuras marrons já não era visível, nem as listras e borrões do encosto de couro. Um exame cuidadoso, porém, revelou algo que era importante mas não necessariamente surpreendente.

Na lateral de uma das almofadas do assento que haviam sido empurradas para junto do encosto, encontrei um corte reto de no máximo dois centímetros de comprimento.

"Benton, por acaso o Waddell era canhoto?"

"Acho que era."

"Acharam que ele a tinha esfaqueado e espancado no chão, perto da TV, por causa da quantidade de sangue que havia em volta do corpo, mas não. Ele a matou no sofá. Acho que preciso sair um pouco. Se este lugar não fosse uma cloaca, bem que eu ia ficar tentada a filar um cigarro do professor", disse eu.

"Faz muito tempo que você está se comportando bem. Um Camel sem filtro ia deixar você arrebentada. Vá tomar um pouco de ar fresco. Eu começo a limpar aqui."

Saí da casa ao som do papel sendo arrancado das janelas.

Aquela noite deu início à mais estranha véspera de Ano-Novo de que eu, Benton Wesley e Lucy podemos nos lembrar. Eu não chegaria ao ponto de dizer que o feriado foi igualmente esquisito para Neils Vander. Eu tinha falado com ele às sete da noite e ele ainda estava no laboratório, mas isso era bastante normal para um homem cuja razão de ser desapareceria caso se descobrisse que as impressões digitais de dois indivíduos eram idênticas.

Vander editara as fitas de vídeo do local do crime num aparelho de videocassete e no fim da tarde me entregara as cópias. Wesley e eu tínhamos ficado postados diante de meu televisor durante todo o início da noite, tomando notas e fazendo diagramas enquanto analisávamos a fita minuciosamente. Lucy, enquanto isso, preparava o jantar e só de quando em quando vinha à sala de visitas dar uma espiada. As imagens cintilantes na tela escura não pareciam perturbá-la. Assim de relance um leigo não teria como saber o que significavam.

Por volta das oito e meia, Wesley e eu tínhamos visto as fitas e completado nossas notas. Acreditávamos ter reconstituído o percurso do assassino de Robyn Naismith desde o momento em que ela entrou em casa até a saída de Waddell pela porta da cozinha. Era a primeira vez em minha carreira que eu trabalhava retrospectivamente no local de um homicídio resolvido havia anos. A história que emergiu, contudo, era importante por uma excelente razão. Demonstrava, pelo menos para nós, que o que Wesley me contara em Homestead estava correto. Ronnie Joe Waddell não tinha o perfil do monstro que andávamos perseguindo.

As manchas, nódoas, respingos e gotas adormecidos que havíamos seguido eram a coisa mais próxima de um replay instantâneo que eu já vira na reconstituição de um crime. Embora os tribunais pudessem considerar simples opinião o que havíamos descoberto, não estávamos preocupados. O que importava era a personalidade de Waddell, e estávamos convencidos de havê-la captado.

Como o sangue que havíamos encontrado em outras áreas da casa tinha claramente sido levado por Waddell em seus movimentos, era lícito dizer que sua agressão a Robyn Naismith ficara confinada à sala de visitas, onde ela morrera. As portas da frente e da cozinha eram equipadas com fechaduras de segurança que só podiam ser abertas com chave. Como Waddell entrara na casa por uma janela e saíra pela porta da cozinha, supunha-se que, ao voltar da mercearia, Robyn entrara pela cozinha. Talvez ela não tivesse tido o cuidado de trancar a porta, porém o mais provável era que não tivesse tido tempo. Antes imaginara-se que Waddell estava saqueando a casa quando ouviu Robyn chegar e estacionar o carro. Nesse momento ele teria ido até a cozinha e pegado uma faca de carne do conjunto de aço inoxidável pendurado na parede. Quando ela abriu a porta, ele estava esperando. O mais provável é que ele tivesse simplesmente agarrado seu pulso, forçando-a a passar pelo arco que levava à sala de visitas. Talvez ele tenha falado com ela durante algum tempo. Talvez tenha pedido dinheiro. Pode ter passado apenas alguns momentos com ela antes que o confronto se tornasse físico.

285

Quando Waddell dera o primeiro golpe com a faca, Robyn estava vestida e sentada ou caída na extremidade do sofá, perto do fícus. Os respingos de sangue que tinham aparecido no encosto do sofá, no vaso e no lambri escuro em torno condiziam com um esguicho arterial, causado quando uma artéria é cortada. As flutuações da pressão arterial fazem com que o padrão dos respingos resultantes lembre o traçado de um eletrocardiograma, e só os vivos têm pressão sangüínea.

Sabíamos, assim, que Robyn estava viva e no sofá quando fora agredida pela primeira vez. Era, todavia, improvável que ainda respirasse quando Waddell tirou sua roupa. Exames posteriores revelaram apenas um corte de dois centímetros na frente da blusa manchada de sangue, no ponto onde a faca fora mergulhada no peito e movida para a frente e para trás, cortando completamente a aorta. Como ela foi esfaqueada muitas outras vezes, e mordida, era possível concluir que a maior parte do frenético e perfurante ataque de Waddell contra ela ocorrera *post-mortem*.

Então, em certo sentido, aquele homem, que mais tarde alegaria não lembrar-se de haver matado a "mulher da televisão", acordou de repente. Largou o corpo dela e pensou melhor sobre o que fizera. A ausência de marcas de arrastamento perto do sofá sugeria que Waddell carregara o corpo do sofá para deitá-lo no chão do outro lado da sala e que em seguida o arrastara para sentá-lo e apoiá-lo na televisão. Depois teria começado a limpar a sala. As marcas circulares que brilhavam no assoalho, pensei, haviam sido deixadas por um balde que ele carregara pelo corredor para trás e para a frente, entre o corpo e a banheira. Toda vez que ele voltava à sala de visitas para enxugar o sangue com toalhas ou eventualmente examinar a vítima enquanto continuava a roubar seus bens e beber suas bebidas, voltava a sujar de sangue a sola dos sapatos. Isso explicava a profusão de pegadas errando peripateticamente pela casa. Seu comportamento revelava uma outra coisa. A conduta de Waddell

286

depois do crime era incompatível com a de alguém que não sentisse remorso.

"Ali está ele, um menino da roça na cidade grande. Rouba para manter o vício da droga que está destruindo seu cérebro. Primeiro maconha, depois heroína, cocaína e finalmente PCP. E uma manhã ele cai em si de repente e se vê brutalizando o cadáver de uma estranha", explicou Wesley.

As achas de lenha moviam-se entre as labaredas; Wesley e eu contemplávamos as grandes digitais brilhando, brancas como giz, na tela escura do televisor.

"A polícia nunca encontrou vômito na privada nem ao redor dela", disse eu.

"Ele provavelmente limpou. Graças a Deus que não passou o pano na parede em cima do vaso. Você só se encosta assim numa parede se está vomitando abraçado à privada."

"As impressões estão bem acima da privada", observei. "Acho que ele vomitou e quando se levantou ficou tonto, caiu para a frente e levantou as mãos bem a tempo de evitar que sua cabeça batesse na parede. O que você acha? Remorso, ou só estava detonado de tanta droga?"

Wesley olhou para mim. "Vamos estudar o que ele fez com o corpo. Sentou-o com as costas apoiadas, tentou limpá-lo com as toalhas e deixou as roupas numa pilha mais ou menos arrumada no chão entre os tornozelos. Bem, podemos ver a coisa de duas maneiras. Ou ele estava exibindo o corpo com maldade e, assim, mostrando desprezo, ou estava agindo de um modo que indica desvelo. Pessoalmente, acho que é a última."

"E o modo como o corpo de Eddie Heath foi arrumado?"

"Aí já é diferente. A posição do garoto lembra a posição de Robyn, parece refleti-la, mas falta uma coisa."

Assim que ele falou, entendi de repente o que era.

"Uma imagem *refletida*", falei, assombrada. "Um espelho reflete as coisas de trás para frente ou invertidas."

O olhar dele estava estranho.

"Você está lembrado de quando comparamos as fotografias de Robyn Naismith com o diagrama da posição do corpo de Eddie Heath?"

"Lembro-me muito bem."

"Você disse que o que fora feito com o menino — desde as marcas de dentadas e o modo como o corpo estava apoiado contra um objeto cúbico até a pilha de roupas arrumada perto dele — era uma imagem refletida do que fora feito com Robyn. Mas as marcas de dentadas na parte interna da coxa e acima do seio de Robyn eram do lado esquerdo do corpo, enquanto as lesões de Eddie — o que acreditamos serem marcas extirpadas de mordidas — foram do lado *direito*. No ombro direito e no interior da coxa direita."

"É." Wesley continuava com aquele olhar perplexo.

"A fotografia com a qual a cena do Eddie mais se parece é a do corpo nu de Robyn apoiado contra o *móvel grande da TV*."

"É verdade."

"Para mim, talvez o assassino do Eddie tenha visto a mesma fotografia da Robyn que nós vimos. Mas a perspectiva dele é baseada na esquerda e na direita de seu próprio corpo. E a direita dele seria a esquerda de Robyn, e a esquerda dele seria a direita dela, porque na fotografia ela está virada para quem olha."

"Esta não é uma hipótese agradável", disse Wesley quando o telefone começou a tocar.

"Tia Kay? É o sr. Vander", gritou Lucy da cozinha.

"Está confirmado", disse Vander pelo telefone.

"Foi Waddell quem deixou a impressão na casa de Jennifer Deighton?", perguntei.

"Não, é justamente isso. Está provado que não foi ele."

12

Nos dias que se seguiram, contratei Nicholas Grueman, confiando-lhe meus registros financeiros e outras informações por ele solicitadas. O secretário de Saúde convocou-me a comparecer em seu gabinete para sugerir que eu pedisse exoneração e a imprensa não me deu trégua. Eu, porém, soube de muitas coisas que não sabia até uma semana antes.

Quem morrera na cadeira elétrica em 13 de dezembro fora mesmo Ronnie Joe Waddell. Sua identidade, contudo, continuava viva e assolando a cidade. Até onde foi possível descobrir, antes da morte de Waddell seu número de IDE no SIDA fora trocado pelo de outra pessoa. O número de IDE da outra pessoa fora então completamente eliminado da Central de Registros Criminais, ou CRC. Isso significava que havia à solta um criminoso violento que não precisava de luvas quando cometia seus crimes. Submetidas ao SIDA, suas impressões digitais seriam dadas sempre como pertencentes a um morto. Sabíamos que o nefando indivíduo deixara um rastro de penas e restos de tinta, mas não conseguimos imaginar quase nada sobre ele até o dia 3 de janeiro do novo ano.

Naquela manhã o *Richmond Times-Dispatch* publicou um artigo plantado por nós a respeito das dispendiosas plumas de pato-do-norte e da atração que exercem sobre os ladrões. À uma e catorze da tarde o policial Tom Lucero, chefe da investigação fictícia, recebeu o terceiro telefonema do dia.

"Alô. Meu nome é Hilton Sullivan", disse uma voz forte.

"Em que posso servi-lo?", indagou a voz profunda de Lucero.

"É sobre esses casos que vocês estão investigando. As roupas e os troços de pluma de pato-do-norte que parece que fazem sucesso com os ladrões. Tinha um artigo sobre isso no jornal hoje de manhã. Dizia que você é o detetive encarregado."

"É verdade."

A voz subiu de tom. "Bom, fico puto com a polícia por ser tão burra. Dizia no jornal que desde o dia de Ação de Graças tinham roubado várias coisas de lojas, carros e casas na área metropolitana da Grande Richmond. Edredons, um saco de dormir, três jaquetas de esqui, blá-blá-blá, compreende? E o repórter citou uma porção de gente."

"E daí, sr. Sullivan?"

"Bom, é claro que foi dos tiras que o repórter recebeu os nomes das vítimas. Em outras palavras, de você."

"A informação é pública."

"Estou cagando para isso. Só quero saber como foi que você não mencionou *esta vítima*, eu? Você nem se lembra de meu nome, lembra?"

"Desculpe, cavalheiro, mas não posso dizer que me lembre."

"Já sabia. Um filho da puta entra em meu apartamento e faz uma limpeza e os tiras não fazem nada a não ser espalhar um pó preto por todo lado — e isso num dia em que eu estava vestido de cashmere branca. Sou um de seus casos."

"Quando assaltaram seu apartamento?"

"*Você não se lembra?* Fui eu que dei aquele esporro sobre um colete. Se não fosse por mim vocês nunca teriam ouvido falar de plumas de pato-do-norte! Quando contei ao tira que entre outras coisas meu colete tinha sido roubado e que tinha me custado quinhentos paus numa liquidação, sabe o que ele disse?"

"Não faço idéia, cavalheiro."

"Disse: 'Era acolchoado com quê, com cocaína?'. Aí eu disse: 'Não, Sherlock, pluma de pato-do-norte'. Aí ele olhou em volta nervoso pra caralho e botou a mão no três-oitão. O babaca pensou que lá em casa tinha algum outro cara chamado pato-do-norte e que eu tinha chamado o tal cara, que ia puxar uma arma ou um troço assim. Aí eu saí e..."

Wesley desligou o gravador.

Estávamos sentados na cozinha. Lucy estava se exercitando novamente no clube.

"O assalto de que esse Hilton Sullivan está falando foi realmente comunicado por ele no sábado, 11 de dezembro. Parece que ele tinha estado fora e, quando voltou para o apartamento na tarde daquele sábado, descobriu que tinha sido assaltado", explicou Wesley.

"Onde fica esse edifício?"

"No centro, na Franklin oeste, um edifício velho de tijolos aparentes com apartamentos de cem mil para cima. Sullivan mora no térreo. O delinqüente entrou por uma janela solta."

"Não tem sistema de alarme?"

"Não."

"Roubaram o quê?"

"Jóias, dinheiro e um revólver 22. Claro que isso não quer dizer necessariamente que o revólver do Sullivan seja o que foi usado para matar Eddie Heath, Susan e Donahue. Mas acho que vamos descobrir que é, porque não há dúvida de que foi nosso homem quem fez o assalto."

"Conseguiram impressões digitais?"

"Várias. Estava com o pessoal da polícia municipal, e você sabe o monte de trabalho que eles têm. No caso, as impressões foram processadas mas ficaram paradas. Pete foi buscar assim que Lucero recebeu o telefonema. Vander já as passou pelo sistema. Obteve a identificação em exatamente três segundos."

"O Waddell de novo."

Wesley fez que sim com a cabeça.

"Qual a distância do apartamento do Sullivan até a rua Spring?"

"Dá para ir andando. Acho que já sabemos de onde o cara fugiu."

"Você está verificando os últimos caras que foram libertados?"

"Claro. Mas não vamos encontrá-lo numa pilha de papéis na mesa de alguém. O diretor era cuidadoso demais com isso. Infelizmente também morreu. Acho que ele soltou esse preso na rua e a primeira coisa que o cara fez foi assaltar o apartamento e provavelmente arranjar um carro."

"E por que o Donahue ia soltar um preso?"

"Minha teoria é que o diretor precisava de alguém para fazer algum trabalho sujo. Aí escolheu um preso e soltou a fera. Só que o Donahue cometeu um errinho tático. Escolheu o cara errado, porque a pessoa que praticou esses crimes não vai ser controlada por ninguém. Minha suspeita, Kay, é de que o Donahue jamais imaginou que alguém fosse morrer e se apavorou quando Jennifer Deighton apareceu morta."

"Vai ver que foi ele que telefonou para minha repartição e se identificou como John Deighton."

"Pode muito bem ser. A questão é que a intenção do Donahue era que a casa de Jennifer Deighton fosse saqueada porque alguém estava procurando alguma coisa — quem sabe a correspondência de Waddell. Mas roubar só não tem graça. Os bichinhos de estimação do diretor gostam de machucar."

Pensei nas marcas que havia visto no carpete da sala de visitas de Jennifer Deighton, nas lesões em seu pescoço e na impressão digital encontrada na cadeira de sua sala de jantar.

"Ele pode tê-la sentado no meio da sala de visitas e ter ficado atrás com a arma no pescoço dela enquanto a interrogava."

"Pode ter feito isso para obrigá-la a dizer onde estavam as coisas. Mas estava sendo sádico. Forçá-la a abrir os presentes de Natal com certeza também foi sadismo", disse Wesley.

"Será que um cara assim ia ter o trabalho de fingir que a morte dela era suicídio, colocando o corpo no carro?", perguntei.

"Pode ser. O cara já esteve preso. Não quer ser agarrado e com certeza acha excitante ver quem consegue enganar. Extirpou as marcas de mordida do corpo de Eddie Heath. Se saqueou a casa de Jennifer Deighton, não deixou provas. A única prova que deixou no caso de Susan foram duas balas 22 e uma pena. Isso sem dizer que o cara alterou suas impressões digitais."

"Você acha que foi idéia dele?"

"Provavelmente foi um negócio que o diretor arranjou, e trocar os registros com os do Waddell decerto foi só uma questão de conveniência. Waddell ia ser executado logo. Se eu quisesse trocar as impressões digitais de um preso com alguém, ia escolher o Waddell. Ou as impressões digitais do preso aparecem como sendo as de um morto ou — e isso é mais provável — os registros do morto acabam sendo eliminados dos computadores da Polícia Estadual, de modo que se o nosso quebra-galho do diretor for relaxando e deixar impressões digitais em algum lugar não vai ser possível identificá-lo."

Fitei-o, aturdida.

"E daí?" A surpresa lampejou em seus olhos.

"Benton, você se dá conta do que está dizendo? Você está aqui sentado falando de registros de computador alterados antes da morte de Waddell. Estamos falando de um assalto e do assassinato de um jovem cometidos antes da morte de Waddell. Em outras palavras, o cupincha do diretor foi solto antes de o Waddell ser executado."

"Quanto a isso, acho que não pode haver dúvida."

"Então a idéia era que o Waddell ia morrer", assinalei.

Wesley baqueou. "Meu Deus. Como podia haver certeza? O governador poderia literalmente intervir no último minuto."

"Com certeza alguém sabia que o governador não ia intervir."

Ele concluiu o pensamento para mim: "E só quem podia saber disso com certeza era o governador".

Levantei-me e fiquei de pé diante da janela da cozinha. Um cardeal bicou sementes de girassol na caixinha e voou numa explosão vermelho-sangue.

"Por quê? Por que o governador ia ter um interesse especial no Waddell?", perguntei sem me voltar.

"Não sei."

"Se isso é verdade, ele não deve querer que o assassino seja preso. Quando as pessoas são presas, falam."

Wesley estava em silêncio.

"Nenhum dos envolvidos vai querer que essa pessoa seja presa. E nenhum envolvido vai querer me ver por perto. Será muito melhor eu pedir exoneração ou ser exonerada — se consideramos que já fizemos tudo o que é possível fazer para esclarecer esse mistério 'oficialmente'. O Patterson é ligadíssimo ao Norring."

"Tem duas coisas que ainda não sabemos, Kay. Uma é o motivo. A outra é a agenda do assassino. Esse cara está fazendo o que gosta. Eddie Heath foi só o começo."

Virei-me e olhei para ele. "Acho que tudo começou com Robyn Naismith. Acredito que esse monstro estudou as fotografias do local do crime e, consciente ou inconscientemente, recriou uma delas quando agrediu Eddie Heath e apoiou o corpo dele contra um contêiner."

"Pode muito bem ser. Mas como um preso ia ter acesso às fotografias de Robyn Naismith? Na jaqueta de prisioneiro do Waddell é que elas não estariam", disse Wesley, olhando para outro lado.

"Essa é outra coisa na qual Ben Stevens pode ter ajudado. Você está lembrado de que eu lhe disse que era ele quem apanhava as fotografias no arquivo? Ele pode ter mandado fazer cópias. A questão é: *por que* as fotografias eram importantes? Por que Donahue ou qualquer outra pessoa haveria de pedi-las?"

"Porque o preso as queria. Quem sabe pediu. Quem sabe fossem um prêmio por serviços especiais."

294

"Que coisa asquerosa", disse eu contendo a ira.

Os olhos de Wesley encontraram os meus. "Exatamente. Isso nos leva novamente à agenda do assassino, a suas necessidades e seus desejos. Pode ser que ele tenha ouvido muito sobre o caso da Robyn Naismith. Talvez ele tivesse tido muito contato com o Waddell e ficasse excitado ao pensar no que o Waddell fizera com sua vítima. Nesse caso, as fotografias funcionariam como um excitante para uma pessoa com fantasias muito ativas e agressivas, voltadas para um pensamento violento, sexualizado. Não é absurdo supor que essa pessoa tivesse incorporado as fotografias — uma ou mais — a suas fantasias. E quando, de repente, ela é libertada e vê um garoto andando no escuro para um mercado, a fantasia torna-se real e ela age."

"Recriando a cena da morte de Robyn Naismith?"

"É."

"Na sua opinião, qual é a fantasia dele agora?"

"Ser caçado."

"Por nós?"

"Por gente como nós. Desconfio que ele está convencido de que é mais esperto do que todo mundo e de que ninguém poderá pará-lo. Tem fantasiado sobre as brincadeiras que vai inventar e os assassinatos que pode cometer para reforçar essa imagem que cultiva. E para ele a fantasia não é um substituto da ação, mas uma preparação."

"Donahue não poderia ter maquinado a libertação de um monstro como esse alterando os registros e tudo o mais sem ajuda", disse eu.

"É verdade. Tenho certeza de que ele obteve a colaboração de pessoas-chave, por exemplo na sede da Polícia Estadual, talvez um funcionário dos registros da cidade e mesmo alguém do FBI. As pessoas podem ser compradas quando você sabe alguma coisa delas. E podem ser compradas com dinheiro."

"Como a Susan."

"Não acho que Susan tenha sido uma pessoa-chave. Estou mais inclinado a achar que Ben Stevens sim, esse era. Está sempre pelos bares. Bebidas, festas. Você sabia que, quando pode, ele dá umas cheiradas socialmente?"

"Nada mais me espanta."

"Um pessoal nosso anda fazendo umas perguntas. Seu administrador tem um estilo de vida que não tem meios para manter. E quem se mete com drogas acaba se metendo com gente da pesada. Os vícios de Stevens teriam feito dele um alvo fácil para um filho da puta como Donahue. Provavelmente Donahue mandou um de seus capangas encontrar-se casualmente com Stevens num bar e, conversa vai, conversa vem, o cara oferece ao Stevens uma oportunidade para ganhar uma boa grana."

"Como, exatamente?"

"O que eu imagino é que ele deveria tomar providências para que as impressões digitais do Waddell não fossem tiradas no necrotério e para que a fotografia da impressão digital de sangue desaparecesse do arquivo. Isso com certeza foi só o começo."

"E aí ele recrutou a Susan."

"Que não queria, mas tinha problemas financeiros graves."

"E quem você acha que estava pagando por tudo isso?"

"Provavelmente os pagamentos passavam pela pessoa que tinha feito o contato original com o Stevens e que o puxou para isso. Um dos caras do Donahue, talvez um dos guardas dele."

Lembrei-me do guarda de nome Roberts, que havia guiado para mim e Marino. Lembrei-me de como eram frios os seus olhos.

"Admitindo que o contato fosse um guarda, com quem esse guarda estaria se encontrando? Susan ou Stevens?"

"Meu palpite é que era com o Stevens. Stevens não ia confiar uma dinheirama a Susan. Ele ia querer tirar primeiro o dele, porque gente desonesta pensa que todo mundo é desonesto."

"Então ele encontra o cara e recebe o dinheiro, encontra a Susan e dá a parte dela?"

"Por isso, provavelmente, é que o negócio foi programado para o dia de Natal, quando ela ia sair da casa dos pais afirmando que ia visitar uma amiga. Ia encontrar o Stevens, mas o assassino chegou primeiro."

Pensei na colônia cujo aroma sentira na gola e no lenço de Susan e lembrei-me da atitude de Stevens quando o enfrentei em sua sala na noite em que estava examinando sua mesa.

"Não, não foi assim."

Wesley limitou-se a olhar para mim.

"Stevens tem muitas características que explicariam o que aconteceu com a Susan. Só pensa em si mesmo. E é covarde. Quando as coisas esquentam ele se encolhe. Seu primeiro impulso é deixar que outra pessoa se dê mal no lugar dele."

"Como anda fazendo no seu caso, injuriando você e furtando documentos."

"Bom exemplo", disse eu.

"Susan depositou os três mil e quinhentos dólares no começo de dezembro, umas semanas antes da morte de Jennifer Deighton."

"Certo."

"Muito bem, Kay. Vamos voltar um pouco mais. Susan ou Stevens ou os dois tentaram entrar em seu computador dias antes da execução do Waddell. Ocorreu-nos que estavam procurando alguma coisa no relatório de autópsia que Susan não pôde observar diretamente durante o procedimento."

"O envelope que ele queria que fosse enterrado com ele."

"Ainda estou intrigado com isso. Os códigos dos recibos não confirmam o que tínhamos imaginado antes — que os restaurantes e pedágios estavam localizados entre Richmond e Mecklemburg e que os recibos eram do transporte que trouxe Waddell de Mecklemburg para Richmond quinze dias antes da execução. Embora os recibos sejam dessa época, os lugares não combinam. Os códigos são do trecho I-95, entre aqui e Petersburg."

"Sabe de uma coisa, Benton? Pode ser que a explicação para os recibos seja tão simples que a gente nem tenha pensado."

"Sou todo ouvidos."

"Toda vez que você faz uma viagem de serviço para o FBI, calculo que siga a mesma rotina que eu quando viajo para o governo do estado. Documenta todas as despesas e guarda todos os recibos. Se viaja muito, tem a tendência de juntar diversas viagens num pedido de reembolso, só para diminuir a papelada. Enquanto isso, guarda os recibos em algum lugar."

"Tudo isso faz sentido para explicar os recibos. Alguém do pessoal da prisão, por exemplo, teve de ir a Petersburg. Mas como os recibos foram parar no bolso de trás de Waddell?"

Pensei no envelope com seu pedido incisivo para que acompanhasse Waddell no túmulo. Aí me lembrei de um pormenor tão pungente quanto trivial. A mãe de Waddell fora autorizada a visitá-lo por duas horas na tarde da execução.

"Benton, você conversou com a mãe de Ronnie Waddell?"

"Pete foi vê-la em Suffolk há vários dias. Ela não tem muita simpatia por gente como nós e não quer colaborar muito. Aos olhos dela nós somos os caras que mandaram o filho dela para a cadeira elétrica."

"Quer dizer que ela não revelou nada importante sobre a atitude do Waddell quando ela o visitou, na tarde da execução?"

"Pelo pouco que disse, ele estava muito silencioso e amedrontado. Há, porém, um ponto interessante. Pete perguntou a ela o que acontecera com os objetos pessoais do Waddell. Ela disse que o Departamento de Correções tinha entregado o relógio e o anel, e explicado que ele havia dado os livros, as poesias e as outras coisas à Associação Nacional pelo Progresso das Pessoas de Cor."

"Ela acreditou?"

"Acreditou. Parece que achava que fazia sentido o Waddell fazer aquilo."

"Por quê?"

"Ela não sabe ler nem escrever. O importante é que mentiram para ela, como mentiram para nós quando Vander tentou encontrar objetos pessoais na esperança de achar impressões latentes. E o Donahue com certeza está por trás dessas mentiras."

"Waddell sabia de alguma coisa. Para o Donahue andar atrás de todo e qualquer pedacinho de papel que o Waddell tivesse escrito e todas as cartas mandadas para ele, deve haver alguma coisa que o Waddell sabia e que certas pessoas queriam que ninguém mais soubesse."

Wesley estava calado. Depois disse: "Como você disse que era o nome da água-de-colônia que o Stevens usa?".

"Red."

"E você tem certeza de que foi essa colônia que você sentiu na gola e no lenço de Susan?"

"Eu não afirmaria em juízo, mas é uma fragrância marcante."

"Acho que está na hora de Pete e eu termos uma reuniãozinha de orações com seu administrador."

"Ótimo. E acho que eu posso deixá-lo no estado de espírito apropriado se vocês me derem tempo até amanhã ao meio-dia."

"O que você vai fazer?"

"Provavelmente vou deixá-lo bem nervoso."

No começo daquela noite eu estava trabalhando na mesa da cozinha quando ouvi Lucy entrar na garagem e me levantei para recebê-la. Estava vestida com um agasalho azul-marinho e uma das minhas jaquetas e carregava uma mochila esportiva.

"Estou suja", disse, afastando-se do meu beijo, mas não antes que eu sentisse o cheiro de pólvora em seu cabelo. Examinando-lhe as mãos, encontrei na direita resíduos de disparos suficientes para deixar encantado um perito.

"Espere aí, onde está ela?", disse eu quando Lucy começou a se afastar.

"Onde está o quê?"

"A arma."

Com relutância, ela tirou do bolso meu Smith e Wesson.

"Não sabia que você tinha licença de porte de arma", disse eu, tomando-lhe o revólver e certificando-me de que não estava carregado.

"Não preciso, se estou com a arma em casa. Antes disso ela estava no carro e bem à vista."

"Está certo, mas eu preciso lhe fazer uma pergunta. Venha cá", disse eu calmamente.

Sem uma palavra, ela me seguiu até a mesa da cozinha e nos sentamos.

"Você disse que ia fazer exercício em Westwood."

"Sei que disse isso."

"Onde você esteve, Lucy?"

"Na linha de tiro da estrada Midlothian. É um lugar fechado."

"Eu sei o que é. Quantas vezes você já fez isso?"

"Quatro vezes." Olhava-me nos olhos.

"Deus do céu, Lucy."

"E o que devo fazer? Pete não vai mais me ensinar."

"O tenente Marino está muito, muito ocupado agora", disse eu, e a observação pareceu tão condescendente que fiquei sem graça. "Você está a par dos problemas", acrescentei.

"Claro que estou. Agora ele tem de ficar afastado de você. E, se fica afastado de você, fica afastado de mim. Ele está correndo as ruas porque tem algum maníaco à solta que anda matando gente como a superintendente do necrotério e o diretor da prisão. Pelo menos o Pete sabe cuidar de si. E eu? Tive uma aula de tiro, uma única. Puxa, muito obrigada. É como me dar uma aula de tênis e me inscrever em Wimbledon."

"Você está exagerando."

"Não. O problema é que você está minimizando."

"Lucy..."

"Como você ia se sentir se eu lhe dissesse que toda vez que venho visitar você não paro de pensar naquela noite?"

Eu sabia perfeitamente a que noite ela estava se referindo, embora com o passar dos anos houvéssemos conseguido seguir em frente como se nada tivesse acontecido. "Eu não me sentiria bem se soubesse que uma coisa relacionada comigo perturba você", disse eu.

"*Uma coisa?* O que aconteceu foi só *uma coisa?*"

"Claro que não foi uma coisa qualquer."

"Às vezes acordo de noite porque imagino que uma arma acabou de disparar. Aí ouço o silêncio medonho e me lembro de ter ficado ali deitada, olhando para o escuro, tão apavorada que não conseguia me mexer, e acabei fazendo xixi na cama. Depois vieram as sirenes, as luzes vermelhas piscando, e os vizinhos aparecendo nas portas e olhando pelas janelas. E você não me deixou ver quando o levaram, nem me deixou ir lá em cima. Gostaria de ter ido, porque imaginar foi pior."

"Aquele homem morreu, Lucy. Já não pode fazer mal a ninguém."

"Há outros iguais, talvez piores do que ele."

"Não vou dizer que não há."

"E o que você está fazendo a esse respeito?"

"Emprego todo o meu tempo catando os pedaços das vidas destruídas por pessoas ruins. O que mais você queria eu que fizesse?"

"Se você deixar que alguma coisa lhe aconteça, vou ficar com ódio de você."

"Se alguma coisa me acontecer, acho que já não vai ter importância que alguém me odeie. Mas eu não gostaria que você odiasse ninguém, pelo mal que isso lhe faria."

"Pois vou odiar você. Juro."

"Quero que você me prometa, Lucy, que não vai mais mentir para mim."

Ela não disse uma única palavra.

"Não quero que você imagine que precisa esconder alguma coisa de mim."

"Se eu dissesse que queria ir à linha de tiro, você ia deixar?"

"Só com o tenente Marino ou comigo."

"Tia Kay, e se o Pete não conseguir agarrá-lo?"

"O tenente Marino não é a única pessoa trabalhando no caso", disse eu sem responder à pergunta, porque não sabia a resposta.

"Está aí, tenho pena do Pete."

"Por quê?"

"Ele tem de pegar essa pessoa e não pode nem falar com você."

"Acho que ele está recebendo as coisas bem. Ele é um profissional, Lucy."

"Não é bem isso o que diz Michele."

Olhei-a de relance.

"Estive conversando com ela esta manhã. Ela disse que o Pete foi à casa dela no outro dia de noite para falar com o pai dela. Disse que o Pete está que mete medo, com a cara vermelha como um carro de bombeiros e um mau humor horrível. O sr. Wesley tentou fazer com que ele fosse ao médico ou tirasse uns dias de licença, mas não conseguiu."

Fiquei arrasada. Queria telefonar imediatamente para Marino, mas sabia que não seria sensato. Mudei de assunto.

"Sobre o que mais você e Michele conversaram? Alguma novidade com os computadores da Polícia Estadual?"

"Nada de bom. Fizemos tudo o que conseguimos inventar para descobrir com quem o número de IDE do Waddell foi trocado. Mas todos os registros referentes à supressão já foram eliminados há muito tempo do disco rígido. E o responsável pela alteração foi rápido o bastante para fazer um backup completo do sistema depois da mudança dos registros, de modo que a gente não pode rodar os números de

302

IDE por uma versão anterior da CRC e ver o que aparece. Geralmente você tem um backup de pelo menos três ou seis meses atrás. Mas nesse caso não."

"Parece coisa de gente de dentro."

Pensei em como era natural estar em casa com Lucy. Ela já não era uma visita ou uma garotinha irascível. "Precisamos telefonar para sua mãe e vovó."

"Tem de ser hoje?"

"Não. Mas temos de combinar sua volta para Miami."

"As aulas só começam no dia 7, e se eu perder os primeiros dias não vai fazer diferença."

"O colégio é muito importante."

"Também é fácil demais."

"Então você tem que fazer alguma coisa por iniciativa própria para torná-lo mais difícil."

"Se eu faltar vai ficar mais difícil."

Na manhã seguinte, telefonei para Rose às oito e meia, e fui informada de que, do outro lado do corredor, estava havendo uma reunião do pessoal, o que significava que Ben Stevens estava ocupado e não saberia que eu estava na linha.

"Como vão as coisas?", perguntei a minha secretária.

"Terríveis. O dr. Wyatt não conseguiu vir do escritório de Roanoke porque estão com neve nas montanhas e as estradas estão ruins. Com isso o Fielding ontem teve quatro casos, sem ninguém para ajudá-lo. Ainda por cima tinha de ir ao foro e aí foi chamado para uma perícia. Você falou com ele?"

"A gente entra em contato quando o coitado tiver um tempinho para telefonar. Esta é uma boa ocasião para procurarmos alguns de nossos antigos estagiários e ver se um deles poderia vir até aqui dar uma mão por uns tempos. Jansen está clinicando em Charlottesville. Você quer tentar e ver se ele pode me telefonar?"

"Claro. Boa idéia."

"E me conte do Stevens."

"Ele não tem estado muito aqui. Anota as saídas de um jeito tão abreviado e vago que ninguém sabe direito aonde vai. Estou com o palpite de que está procurando outro emprego."

"Lembre a ele para não me pedir uma carta de recomendação."

"Eu preferiria que você desse uma bem boa para ver se ele nos dava um tempo."

"Preciso que você telefone para o laboratório de DNA e peça a Donna para me fazer um favor. Ela deve ter um pedido do laboratório solicitando a análise do tecido fetal no caso da Susan."

Rose ficou calada. Percebi que estava ficando aborrecida.

"Lamento tocar no assunto", eu disse gentilmente.

Ela respirou fundo. "Quando você pediu a análise?"

"Na verdade a requisição foi feita pelo dr. Wright, pois foi ele quem fez a autópsia. Ele deve ter a cópia do laudo no escritório de Norfolk, junto com o processo."

"Você não quer que eu telefone para Norfolk e peça para eles fazerem uma cópia para nós?"

"Não. Não temos muito tempo e não quero que ninguém fique sabendo que pedi a cópia. Quero que pareça que nossa repartição recebeu a cópia sem querer. Por isso é que quero que você trate diretamente com a Donna. Peça a ela para apanhar o laudo imediatamente, e quero que você mesma vá lá buscá-lo."

"E depois?"

"Depois você põe na caixa de entrada, onde todas as outras cópias de requisições e laudos de laboratório são deixados para distribuição."

"Você tem certeza?"

"Absoluta."

Desliguei e peguei um catálogo telefônico, que estava consultando quando Lucy entrou na cozinha. Vinha descalça e ainda vestia a malha com que dormira. Dirigiu-me um bom-dia trôpego e começou a vasculhar a geladeira enquanto eu corria o dedo por uma coluna de nomes. Havia talvez uns quarenta Grimes, mas nenhuma Helen. Claro que quando se referira à guarda como Helen, a Huna, Marino estava sendo irônico. Talvez Helen nem fosse o verdadeiro nome dela. Reparei que havia três assinantes com o nome H., duas vezes como primeiro nome e uma como nome do meio.

"O que você está fazendo?", perguntou Lucy, pondo um copo de suco de laranja na mesa e puxando uma cadeira.

"Estou tentando localizar uma pessoa", disse eu, apanhando o telefone.

Não tive sorte com os Grimes a quem telefonei.

"Quem sabe ela é casada?", sugeriu Lucy.

"Acho que não." Liguei para o serviço de auxílio à lista e obtive o número da nova penitenciária, em Greensville.

"Por que você acha que não?"

"Intuição." Disquei. "Estou tentando falar com Helen Grimes", disse à mulher que atendeu.

"É uma presa?"

"Não. É uma das guardas."

"Um momento, por favor."

Transferiram a ligação.

"Watkins", resmungou uma voz masculina.

"Helen Grimes, por favor."

"Quem?"

"A policial Helen Grimes."

"Ah. Ela não trabalha mais aqui."

"O senhor podia me dizer onde eu posso encontrá-la, sr. Watkins? É muito importante."

"Espere um momento." O telefone bateu na madeira. Ouvia-se Randy Travis cantando ao fundo.

O homem voltou minutos depois.

"Não podemos dar esse tipo de informação, minha senhora."

"Está bem, sr. Watkins. Se o senhor me der seu primeiro nome eu mando tudo isto aqui para o senhor e o senhor manda para ela."

Pausa.

"Tudo *o quê?*"

"Esta encomenda dela. Eu estou telefonando para saber se ela queria que fosse por via aérea ou por terra."

"Que encomenda?" Ele não parecia muito satisfeito.

"A coleção de enciclopédias que ela comprou. São seis caixas de oito quilos cada."

"Não, a senhora não pode enviar nenhuma enciclopédia para cá."

"Então o que o senhor sugere, sr. Watkins? Ela já pagou a entrada e o endereço comercial que ela deu é o daí."

"Hummm. Espere um pouco."

Ouvi um barulho de papel, depois o de teclas.

"Olhe. O máximo que eu posso fazer é dar à senhora uma caixa postal. A senhora manda o negócio para lá. Não mande nada para mim", disse o homem depressa.

Deu-me o endereço e bateu o telefone. A caixa postal onde Helen Grimes recebia sua correspondência era no condado de Goochland. Telefonei imediatamente para um oficial de Justiça que conhecia em Goochland. Em uma hora ele encontrou nos registros do condado o endereço residencial de Helen Grimes, mas o número do telefone não constava do catálogo. Às onze da manhã apanhei a pasta e o casaco e fui falar com Lucy no escritório.

"Vou ter de sair por algumas horas."

"Você mentiu para a pessoa com quem estava falando ao telefone. Você não tem nenhuma *enciclopédia* para entregar para ninguém." Ela fitou a tela do computador.

"É isso mesmo. Menti sim."

"Então às vezes é certo mentir, às vezes não é."

"Nunca é realmente certo, Lucy."

Deixei-a em minha cadeira, com as luzes do modem piscando e vários manuais de informática abertos e espalhados sobre a mesa e pelo chão. Na tela, o cursor pulsava rapidamente. Esperei até estar fora de sua vista para enfiar o Ruger na pasta. Embora autorizada a portar uma armas raramente o fazia. Liguei o alarme, saí de casa pela garagem e tomei a direção oeste até que, da rua Cary, desemboquei na estrada do Rio. O céu marmóreo exibia tons de cinza. Nicholas Grueman telefonaria a qualquer momento. Nos registros que eu lhe dera, havia uma bomba fazendo tique-taque silenciosamente, e eu não estava ansiosa para ouvir o que ele teria a dizer.

Helen Grimes morava numa rua lamacenta a oeste do restaurante Pólo Norte, do lado de uma chácara. Sua casa parecia um pequeno celeiro, com poucas árvores no terreninho e jardineiras com talos mortos que imaginei tivessem algum dia sido gerânios. Na frente não havia placa que informasse quem vivia lá, mas o velho Chrysler estacionado perto da entrada anunciava que alguém morava ali.

Quando Helen Grimes abriu a porta, percebi por sua expressão perplexa que para ela eu era tão estranha quanto meu automóvel alemão. Vestindo jeans e uma camisa de brim para fora das calças, ela plantou as mãos nos quadris alentados e não se moveu da porta. Não parecia se incomodar com o frio e permaneceu inalterada sem saber quem eu era, e só quando mencionei minha visita à penitenciária o reconhecimento iluminou seus olhinhos inquisitivos. O rosto estava congestionado, e tive medo de que me batesse.

"Quem lhe disse onde eu morava?"

"Seu endereço está nos registros do condado de Goochland."

"A senhora não devia tê-lo procurado. A senhora ia gostar se eu saísse atrás do endereço de sua casa?"

"Se precisasse de minha ajuda tanto quanto eu preciso da sua, eu não ia me importar, Helen."

Ela se limitou a olhar para mim. Notei que o cabelo estava molhado e uma orelha estava manchada de tintura preta.

"O homem para quem você trabalhava foi assassinado. Uma pessoa que trabalhava para mim foi assassinada. E há outros. Tenho certeza de que você está mais ou menos a par do que vem acontecendo. Há razões para suspeitar que a pessoa que está fazendo isso é um antigo interno da rua Spring — alguém que foi libertado, talvez na época em que Ronnie Joe Waddell foi executado."

"Não sei nada sobre ninguém sendo libertado." Seus olhos deram um salto para a rua às minhas costas.

"Você saberia alguma coisa sobre o desaparecimento de um preso? Alguém, talvez, que não tenha sido libertado legalmente? Parece que, com o cargo que você tinha, saberia quem entrava na penitenciária e quem saía."

"Ninguém desapareceu que eu soubesse."

"Por que você não trabalha mais lá?"

"Razões de saúde."

Ouvi o que parecia a porta de um armário fechando-se em algum ponto do espaço que ela protegia.

Continuei tentando. "Você se lembra de quando a mãe do Ronnie Waddell foi à penitenciária para visitá-lo na tarde da execução?"

"Eu estava lá quando ela foi."

"Você deve tê-la revistado, bem como qualquer objeto que ela levasse consigo. Estou certa?"

"É."

"O que estou tentando saber é se a sra. Waddell levou alguma coisa para dar ao filho. Sei que as regras de visita proíbem as pessoas de levarem coisas para os internos."

"Pode haver uma autorização. Ela recebeu."

"A sra. Waddell teve autorização para dar alguma coisa ao filho?"

"Helen, você está deixando todo o calor sair", disse uma voz suave atrás dela.

De repente, no espaço entre o carnudo ombro de Helen Grimes e a moldura da porta, olhos azuis intensos fixaram-me como uma mira de arma. Apreendi de relance uma face pálida e um nariz aquilino, antes que a fresta tornasse a ficar vazia. A fechadura gemeu e a porta se fechou mansamente atrás das costas da antiga guarda penitenciária. Ela se encostou ali, fitando-me. Repeti minha pergunta.

"Ela levou uma coisa para o Ronnie, uma coisinha de nada. Liguei para o diretor pedindo autorização."

"Você telefonou para o Frank Donahue?"

Ela balançou a cabeça.

"E ele deu a autorização?"

"Como eu disse, não era grande coisa, o que ela levou para ele."

"O que era, Helen?"

"Uma figura de Jesus mais ou menos do tamanho de um cartão postal, com uma coisa escrita atrás. Não me lembro exatamente. Uma coisa como 'Estarei com você no paraíso', só que a ortografia estava errada. 'Paraíso' estava escrito como 'para isso', separado e tudo", disse Helen Grimes sem a sombra de um sorriso.

"Só? Era isso o que ela queria dar ao filho antes que ele morresse?"

Com as primeiras gotas de chuva escorrendo lentamente do céu e deixando na mureta de cimento marcas do tamanho de um níquel, ela pôs a mão na maçaneta. "Já disse que era. Agora tenho de entrar e não quero que a senhora volte aqui."

Quando, mais tarde, Wesley chegou à minha casa, exibia uma jaqueta de piloto de couro preto, um boné azul-escuro e um meio sorriso.

"O que está acontecendo?", perguntei, enquanto nos retirávamos para a cozinha, que àquela altura havia se tornado um lugar tão usual para as nossas conversas que ele sempre se sentava na mesma cadeira.

"Não dobramos o Stevens, mas acho que abrimos nele uma brecha bem grande. O que funcionou foi você ter mandado deixar a requisição para o laboratório num lugar onde ele iria encontrá-la. Ele tem boas razões para temer os resultados de um exame de DNA feito no tecido fetal no caso de Susan Story."

"Ele e Susan estavam tendo um caso", disse eu, e era estranho eu não fazer reparos à moralidade de Susan. O que me desapontava era o gosto dela.

"Stevens admitiu o caso e negou todo o resto."

"Como por exemplo ter alguma idéia sobre como Susan teria obtido três mil e quinhentos dólares?"

"Ele nega saber o que quer que seja sobre o assunto. Mas ainda não terminamos com ele. Um informante do Marino disse que viu um jipe preto com uma placa diferente na região onde Susan foi alvejada e mais ou menos na hora em que achamos que a coisa aconteceu. Ben Stevens anda com um jipe preto com a placa 'I 4 me'."

"Não foi Stevens quem a matou, Benton."

"Não, ele não matou. Acho que o que aconteceu foi que o Stevens ficou apavorado quando a pessoa com quem ele estava fazendo negócio quis informações sobre o caso de Jennifer Deighton."

"A conclusão seria clara, Stevens sabia que Jennifer Deighton fora assassinada", concordei.

"E covarde como ele é, decide que quando chegasse a hora de receber o pagamento seguinte Susan ia tratar do assunto. Ele se encontraria com ela depois para pegar a parte dele."

"E àquela altura ela já tinha sido morta."

Wesley fez que sim com a cabeça. "Acho que a pessoa enviada para encontrá-la deu um tiro nela e ficou com o dinheiro. Mais tarde — alguns minutos mais tarde, talvez — Stevens apareceu no lugar combinado, a travessa que sai da rua Strawberry."

"O que você está descrevendo condiz com a posição dela no carro. Para dar um tiro em sua nuca, o agressor deve tê-la empurrado para a frente. Mas, quando ela foi encontrada, estava recostada no assento."

"Stevens mexeu nela."

"Quando chegou perto do carro, não viu logo o que havia de errado com ela. Se estava caída sobre o volante, ele não podia ver o rosto dela. Então ele a recostou no assento."

"Saiu correndo feito um louco."

"E, se tivesse posto água-de-colônia antes de ir encontrá-la, teria colônia nas mãos. Ao recostá-la no assento, as mãos dele entraram em contato com o casaco dela — provavelmente na região do ombro. Foi esse cheiro que senti no local."

"Vamos acabar por dobrá-lo."

"Há coisas mais importantes para fazer, Benton", disse eu, e contei-lhe sobre minha visita a Helen Grimes e o que ela dissera sobre a última visita da sra. Waddell ao filho.

"Minha teoria é que Ronnie Waddell queria que a figura de Jesus fosse enterrada com ele e que talvez fosse esse seu último pedido. Ele guarda a estampa num envelope e escreve nele: 'Urgente, muito confidencial', e assim por diante", continuei.

"Não podia ter feito isso sem autorização de Donahue. De acordo com o regulamento, o último pedido do preso tem de ser comunicado ao diretor."

"Isso mesmo. Não sabemos o que haviam dito ao Donahue, mas ele certamente estaria paranóico demais para deixar o corpo de Waddell sair de lá com um envelope fechado no bolso. E o que ele faz? Defere o pedido de Waddell e acha uma maneira de ver o que há dentro do envelope. Decide fazer uma troca de envelopes depois da morte de Waddell e instrui um de seus capangas para cuidar disso. E é aí que os recibos entram em cena."

"Eu estava esperando você chegar a esse ponto", disse Wesley.

"Acho que a pessoa cometeu um errinho. Digamos que essa pessoa tivesse na mesa um envelope branco com recibos de uma viagem recente a Petersburg. Digamos que ela pegasse outro envelope branco, pusesse um negócio qualquer dentro e em cima escrevesse o que Waddell tinha escrito no envelope que queria que fosse enterrado com ele."

"Só que o guarda escreve no envelope errado."

"É. Escreve no que tem os recibos."

"E só vai descobrir mais tarde, quando foi procurar os recibos e encontrou dentro do envelope o tal negócio que não queria dizer nada."

"Exatamente. E é aí que entra a Susan. Se eu fosse o guarda que cometeu esse erro, ficaria muito preocupado. Para mim a pergunta crucial seria se algum dos peritos tinha aberto o envelope no necrotério, ou se o envelope havia sido deixado fechado. Se eu, quer dizer, o guarda, por acaso fosse também o contato do Ben Stevens, a pessoa que transportava a grana para garantir que no necrotério não tirassem as impressões digitais do Waddell, então eu ia saber exatamente com quem falar."

"Você entraria em contato com Stevens e diria a ele para ver se o envelope tinha sido aberto. E, em caso positivo, indagaria se o conteúdo deixara alguém desconfiado ou com a intenção de sair por aí fazendo perguntas. Isso se chama tropeçar na paranóia e acabar com muito mais problemas do que você teria tido se não se apavorasse. Mas você vai e imagina que o Stevens podia facilmente responder à pergunta."

"Nem tanto", disse eu. "Ele podia perguntar à Susan, mas ela não testemunhara a abertura do envelope. Fielding abriu-o lá em cima, tirou uma fotocópia do conteúdo e mandou o original embora, com os outros objetos pessoais do Waddell."

"Stevens não poderia ter pegado o processo e olhado a fotocópia?"

"Só se ele quebrasse a fechadura de minha credência", disse eu.

"Então na cabeça dele a única alternativa era o computador."

"Ou perguntar ao Fielding ou a mim. Só que ele não ia se arriscar. Nenhum de nós ia divulgar um pormenor confidencial como esse a ele, a Susan ou a qualquer outra pessoa."

"Ele entende o bastante de computadores para entrar em seu diretório?"

"Que eu saiba não, mas Susan tinha feito muitos cursos e tinha livros de UNIX na sala dela."

O telefone tocou, e deixei que Lucy atendesse. Quando ela entrou na cozinha, seus olhos estavam inquietos.

"É seu advogado, tia Kay."

Aproximou de mim o telefone da cozinha, que peguei sem me mexer da cadeira. Nicholas Grueman não perdeu tempo com cumprimentos, indo direto ao assunto.

"Dra. Scarpetta, no dia 12 de novembro a senhora preencheu um cheque de conta remunerada no valor de *dez mil dólares ao portador*. E nos seus extratos bancários não encontro nenhum registro de que esse cheque tenha sido depositado em nenhuma de suas várias contas."

"Não depositei o dinheiro."

"A senhora saiu do banco com dez mil dólares em dinheiro?"

"Não, não saí. Preenchi o cheque no Banco Signet, no centro, e com ele comprei um cheque em libras esterlinas."

"E esse cheque foi a favor de quem?", perguntou meu antigo professor enquanto Benton Wesley me fitava com ansiedade.

"Dr. Grueman, a transação era de natureza privada e nada tem a ver com minha profissão."

"Espere aí, dra. Scarpetta. *A senhora sabe* que isso não basta."

Respirei fundo.

"A senhora certamente sabe que vão nos perguntar sobre isso. Com certeza a senhora se dá conta de que não vai pegar bem que, poucas semanas depois de sua assistente no necrotério depositar uma quantia considerável, a senhora tenha emitido um cheque de uma quantia considerável."

Fechei os olhos e passei os dedos pelo cabelo enquanto Wesley se levantava da mesa e dava a volta por trás de mim.

"Kay", senti as mãos de Wesley em meus ombros, "pelo amor de Deus, você tem de contar a ele."

13

Se Grueman jamais tivesse sido um advogado militante, eu não lhe teria confiado meus interesses. Antes de ensinar, porém, ele havia sido um advogado de renome no foro, trabalhara na área dos direitos civis e processara, representando o Ministério da Justiça, no tempo de Robert Kennedy, o crime organizado. Agora representava clientes sem dinheiro condenados à morte. Eu reconhecia a seriedade de Grueman e precisava de seu cinismo.

Ele não estava interessado em tentar negociar ou em proclamar minha inocência. Recusava-se a apresentar a prova mais ínfima a Marino ou a qualquer outro. Não falou a ninguém do cheque de dez mil dólares que, dizia, era a pior prova que havia contra mim. Lembrei-me do que ensinara a seus alunos no primeiro dia de direito penal: *Diga não. Diga não. Diga não.* Meu antigo professor seguia essas regras ao pé da letra e frustrava todos os esforços de Roy Patterson.

Depois, na quinta-feira, 6 de janeiro, Patterson telefonou para minha casa e me pediu que fosse falar com ele em seu escritório, no centro.

"Estou certo de que podemos esclarecer isso tudo. Só preciso lhe perguntar umas coisas", disse amistosamente.

A inferência era que, se eu colaborasse, ele poderia evitar o pior. O que me impressionava era que, mesmo por um momento, Patterson imaginasse que aquela manobra cediça pudesse funcionar comigo. Quando o procurador-geral da Justiça do estado quer conversar, é porque na realidade quer descobrir coisas, e não tem a menor intenção de fazer vistas grossas para nada do que descobrir. A polícia também. Usando o sistema Grueman, eu disse a Patterson que não iria e na manhã seguinte fui intimada a comparecer diante do grande júri especial em 30 de janeiro. Isso foi seguido por uma intimação para que meu sigilo bancário fosse quebrado. Primeiro Grueman invocou a 5ª emenda, depois requereu a renovação da intimação. Uma semana mais tarde não tivemos remédio senão obedecer, caso eu não quisesse ser processada por desacato. Mais ou menos na mesma época, o governador Norring designou Fielding médico-legista chefe interino da Virgínia.

"Olhe outro furgão da TV. Vi passar agora mesmo", disse Lucy da sala de jantar, onde estava olhando pela janela.

Da cozinha, chamei-a: "Venha almoçar. Sua sopa está esfriando". Silêncio. E em seguida: "Tia Kay?". Ela parecia agitada.

"Que é?"

"Você não imagina quem está estacionando."

Da janela sobre a pia avistei o Ford LTD branco estacionando na entrada. A porta do motorista se abriu e Marino desceu. Puxou as calças e arrumou a gravata, com os olhos registrando tudo à sua volta. Vendo-o subir a calçada em direção a minha porta fiquei tão profundamente tocada que me assustei.

"Não sei se devo ou não ficar alegre pelo fato de ver você", disse eu quando abri a porta.

"Não se preocupe, doutora. Não estou aqui para prendê-la."

"Entre, por favor."

"Oi, Pete", disse Lucy alegremente.

"Você não devia estar na escola ou coisa assim?"

"Não."

"Por quê? Lá na América do Sul as férias são em janeiro?"

"São. Por causa do mau tempo. Quando a temperatura cai abaixo de vinte graus, tudo fecha."

Marino sorriu. Seu aspecto estava péssimo.

Momentos mais tarde eu acendi o fogo na sala de visitas e Lucy saiu para fazer compras.

"Como você tem andado?", perguntei.

"Você vai me obrigar a fumar lá fora?"

Empurrei um cinzeiro para perto dele.

"Marino, você está com bolsas debaixo dos olhos, seu rosto está vermelho e aqui não está tão quente para você transpirar desse jeito."

"Estou vendo que você sentiu minha falta." Do bolso de trás tirou um lenço amassado e enxugou a testa. Depois acendeu um cigarro e olhou o fogo. "O Patterson está sendo um sacana, doutora. Quer esfolar você."

"Deixe-o tentar."

"Ele vai tentar, e é melhor você ficar preparada."

"Ele não tem do que me acusar, Marino."

"Tem uma impressão digital encontrada em um envelope na casa da Susan."

"Isso eu posso explicar."

"Mas não pode provar, e ele ainda tem um trunfo. Juro que não devia lhe contar isso, mas vou contar."

"Que trunfo?"

"Você está lembrada do Tom Lucero?"

"Sei quem é. Conhecer, não conheço."

"Bem, ele pode ser muito encantador e é um puta policial, para ser honesto. Acontece que ele andou dando umas batidas para o lado do Banco Signet e levou uma das caixas na conversa até ela desovar a informação sobre você. Agora, ele não devia perguntar e ela não devia responder. Mas ela contou a ele que se lembrava de você ter feito um cheque grande pouco antes do dia de Ação de Graças. Segundo ela, de dez mil."

Olhei impassível para ele.

"Quer dizer, na verdade não se pode culpar o Lucero. Ele está fazendo o trabalho dele. Mas Patterson sabe o que está procurando quando vai bisbilhotar seus registros financeiros. Ele vai pegar você feio quando você comparecer ao grande júri especial."

Eu não disse nada.

"Doutora." Marino se inclinou e seus olhos encontraram os meus. "Você não acha que deveria falar sobre isso?"

"Não."

Levantando-se, ele se encaminhou para a lareira e abriu o pára-fogo o suficiente para atirar o cigarro para dentro.

"Porra, doutora. Não quero que você seja denunciada."

"Eu não devia tomar café e sei que você também não devia, mas estou com vontade de tomar alguma coisa. Você gosta de chocolate quente?"

"Tomo um café."

Fui preparar o café. Meus pensamentos zumbiam pesadamente como uma mosca em queda. Minha raiva não tinha para onde expandir-se. Fiz um bule de descafeinado, na esperança de que Marino não percebesse a diferença.

"Como está sua pressão?"

"Quer saber a verdade? Tem dias que, se eu fosse uma chaleira, apitava."

"Não sei o que vou fazer com você."

Foi se sentar na beirada da lareira. O fogo fazia um ruído parecido com o vento, e as chamas refletidas dançavam no cobre.

"Para começo de conversa, você provavelmente nem devia estar aqui. Não quero que tenha problemas", prossegui.

"Eu quero é que o promotor, a cidade, o governador e todos eles se fodam", disse ele com raiva repentina.

"Marino, não podemos ceder. Alguém sabe quem é esse assassino. Você falou com o policial que nos recebeu na penitenciária? O guarda Roberts?"

"Falei. A conversa não chegou a lugar nenhum."

"Bom, eu também não fui muito melhor com sua amiga Helen Grimes."

"Deve ter sido uma festa."

"Você sabia que ela não trabalha mais na penitenciária?"

"Que eu saiba ela nunca *trabalhou*. Helen, a Huna, era preguiçosa pra cacete, salvo quando estava fazendo uma revista física em alguma interna. Aí ficava diligente. Donahue gostava dela, não me pergunte por quê. Depois que apagaram ele, ela foi designada para prestar serviços na torre de guarda de Greensville, mas de repente arranjou um problema no joelho ou coisa assim."

"Tenho a impressão de que ela sabe muito mais do que demonstra. Principalmente se ela e Donahue eram amigos."

Marino sorveu o café e olhou para fora da porta corrediça de vidro. O terreno estava branco por causa da geada e os flocos de neve pareciam estar caindo mais rápido. Pensei na noite cheia de neve em que fora convocada para ir à casa de Jennifer Deighton, e por minha mente começaram a passar imagens de uma mulher gorda de bobs sentada em sua sala de visitas. Se o assassino a interrogara, deve ter tido alguma razão para isso. Alguém o enviara. Para encontrar o quê?

"Você acha que, quando foi à casa de Jennifer Deighton, o assassino estava atrás de cartas?"

"Acho que estava atrás de alguma coisa relacionada ao Waddell. Cartas, poemas. Coisas que Waddell podia ter mandado para ela ao longo dos anos."

"Você acha que essa pessoa encontrou o que estava procurando?"

"Bom, ele pode ter procurado, mas foi tão cuidadoso que não não dá pra saber se achou."

"Acho que ele não achou."

Acendendo outro cigarro, Marino olhou para mim com ceticismo.

"Baseada em quê?"

"Baseada no cenário do crime. Ela estava de camisola e bobs. A impressão que dava era que ela estava lendo na cama. Isso não combina com quem está esperando visita."

"Até aí, estou de acordo."

"Depois aparece alguém na porta e ela deve ter deixado entrar, porque não havia sinal de entrada forçada nem de luta. Acho que o que aconteceu depois é que esse indivíduo pediu a ela que lhe entregasse o que ele queria, e ela não entregou. Ele fica danado, pega uma cadeira da sala de jantar e põe no meio da sala de visitas. Faz com que ela se sente ali e, essencialmente, a tortura. Faz perguntas e, quando ela não responde, aperta a gravata. A cena prossegue até ele ir longe demais. Ele a carrega para fora e senta-a no carro."

"Se o cara entrou e saiu pela cozinha, isso explica por que aquela porta estava aberta quando nós chegamos", ponderou Marino.

"Pode ser. Em suma, não penso que ele quisesse que ela morresse naquele momento e, provavelmente, depois de tentar disfarçar o modo como ela morrera, tratou logo de dar o fora dali. Pode ser que ele tenha ficado com medo ou que simplesmente tivesse perdido o interesse por sua missão. Acho que nem revistou a casa, e também duvido que encontrasse alguma coisa se tivesse revistado."

"Nós não encontramos de jeito nenhum."

"Jennifer Deighton era paranóica. No fax que mandou para o Grueman dizia que havia alguma coisa errada no que estava sendo feito com o Waddell. Aparentemente me vira no noticiário e tentara até entrar em contato comigo, mas sempre desligava quando dava com a secretária eletrônica."

"Você acha que ela podia ter papéis ou alguma coisa que nos revelasse que raio é isso tudo?"

"Se tinha, estava tão apavorada que com certeza tirou tudo de casa."

"E guardou onde?"

"Não sei, mas pode ser que o ex-marido soubesse. Ela não foi visitá-lo duas vezes no fim de novembro?"

Marino pareceu interessado.

"Foi. É mesmo."

Quando finalmente localizei Willie Travers no balneário Concha Rosa, na praia de Fort Myers, na Flórida, ouvi ao telefone uma voz enérgica e agradável. Quando, contudo, comecei a fazer-lhe perguntas, ficou reticente e não se comprometeu.

"Sr. Travers, o que posso fazer para o senhor confiar em mim?", indaguei afinal, desesperada.

"Venha até aqui."

"Neste momento vai ser muito difícil."

"Eu teria que ver a senhora."

"Como?"

"É assim que eu sou. Se puder ver a senhora, posso ler a senhora e saber se é uma pessoa de confiança. Jenny também era assim."

"Então se eu for à praia de Fort Myers e o senhor me *ler*, o senhor me ajuda."

"Depende do que eu captar."

Fiz reservas de avião para as seis e cinqüenta da manhã seguinte. Eu e Lucy voaríamos até Miami. Ela ficaria com Dorothy e eu iria de carro até a praia de Fort Myers, onde havia uma possibilidade muito boa de que passasse a noite pensando se havia perdido o juízo. Havia uma probabilidade avassaladora de que o ex-marido de Jennifer Deighton, aquele fanático por saúde holística, acabasse se revelando uma enorme perda de tempo.

A neve tinha parado de cair quando, no sábado, levantei-me às quatro da manhã e fui até o quarto de Lucy para acordá-la. Por um momento escutei sua respiração, depois toquei-lhe de leve o ombro e, no escuro, murmurei seu nome. Ela se espreguiçou e sentou na cama. No avião, dormiu até Charlotte, depois se fechou em um de seus insuportáveis emburramentos até Miami.

"Prefiro pegar um táxi", disse, olhando pela janela.

"Você não pode pegar um táxi, Lucy. Sua mãe e o amigo dela vão ficar procurando você."

"Tudo bem. Por mim eles podem passar o dia inteiro dando voltas pelo aeroporto. Por que não posso ir com você?"

"Você precisa ir para casa e eu preciso pegar o carro e ir diretamente para a praia de Fort Myers, de onde volto para Richmond de avião. Acredite. Não vai ser nem um pouco divertido."

"Ficar com mamãe e o último idiota dela também não é diversão nenhuma."

"Você não sabe se ele é idiota. Você nunca o viu. Por que é que você não dá uma oportunidade a ele?"

"Eu queria que a mamãe pegasse AIDS."

"Lucy, não diga uma coisa dessas."

"Ela merece. Não entendo como ela pode dormir com qualquer retardado que a leve para jantar e ao cinema. Não entendo como ela pode ser sua irmã."

"Fale mais baixo", sussurrei.

"Se ela sentisse tanta falta de mim, ia querer me buscar sozinha. Não ia querer ninguém se metendo."

"Isso não é necessariamente verdade. Um dia, quando você se apaixonar, vai entender melhor."

"Por que você acha que eu nunca me apaixonei?" Olhou para mim furiosa.

"Porque nesse caso você saberia que uma pessoa apaixonada mostra tudo o que tem de pior e de melhor. Um dia somos extraordinariamente generosos e sensíveis, no outro só matando. Nossas vidas viram lições de exagero."

"Eu queria que mamãe andasse de uma vez e chegasse logo à menopausa."

No meio da tarde, entrando e saindo da sombra à medida que avançava pela trilha Tamiami, remendei os buracos que a culpa me abrira na consciência. Sempre que eu lidava com minha família, ficava irritada e aborrecida. Sempre que me recusava a lidar com ela, ficava como quando era criança, quando aprendi a arte de fugir sem sair de casa. Em certo sentido eu me transformara em meu pai, depois da morte dele. Eu era a pessoa racional que tirava dez e sabia cozinhar e lidar com dinheiro. Era aquela que raramente chorava e cuja reação à volatilidade de meu lar que se desintegrava era esfriar e dispersar-me como vapor. Em conseqüência, minha mãe e minha irmã me acusavam de indiferença, e cresci alimentando a vergonha secreta de que o que diziam era verdade.

Cheguei à praia de Fort Myers com o ar-condicionado ligado e a viseira abaixada para me proteger do sol. A água se encontrava com o céu numa continuidade de azul vibrante, e as palmeiras eram penachos verdes resplandecentes no alto dos troncos fortes como pernas de avestruz. O balneário Concha Rosa era da cor do nome. Ia até a baía Estero e abria amplamente suas varandas para o golfo do México. Willie Travers morava num dos bangalôs, mas eu só iria encontrá-lo às oito da noite. Registrei-me em um hotel, num apartamento de um quarto, e literalmente deixei um rastro de roupas pelo chão enquanto arrancava meu traje de inverno e tirava da mala um short e uma camiseta. Em sete minutos saí porta afora e fui para a praia.

Não sei quantos quilômetros andei, pois perdi a conta do tempo e todos os trechos de praia e água pareciam magnificamente iguais. Contemplei pelicanos se balançando e jogando a cabeça para trás enquanto engoliam peixes como goles de bourbon, e desviei-me com destreza das águas-vivas pousadas na praia como flácidos balões azuis. A maioria das pessoas por quem passei era idosa. De vez em quando a voz aguda de uma criança se erguia sobre o rugido das ondas como um pedaço de papel de cor viva carregado pelo vento. Catei ouriços-do-mar polidos pela maré e conchas desgastadas que lembravam pastilhas de hortelã muito chupadas. Pensei em Lucy e tornei a sentir sua falta.

Voltei para meu quarto quando a sombra já cobria quase toda a praia. Tomei um banho de chuveiro, mudei de roupa, entrei no automóvel e segui pelo bulevar Estero até que a fome, como uma varinha mágica, guiou-me para o estacionamento do Fogão do Barqueiro. O horizonte desbotava num azul fosco; pedi peixe, que comi acompanhado de vinho branco. Em pouco tempo as luzes dos botes balançavam na escuridão e eu não conseguia mais ver a água.

Quando localizei o bangalô 182, perto da loja de iscas e do cais de pesca, estava relaxada como havia tempo não acontecia. Quando Willie Travers abriu a porta, parecia que tínhamos sido amigos desde sempre.

"A primeira providência é servir alguma coisa. A senhora com certeza não comeu."

Lamentei dizer-lhe que já havia jantado.

"Então vai ter de comer de novo."

"Não posso."

"Dentro de uma hora vou lhe provar que está enganada. Garoupa grelhada na manteiga e no suco de lima e salpicada com uma porção generosa de pimenta recém-moída. Temos ainda pão de sete grãos inteiramente feito por mim, e que a senhora não vai esquecer pelo resto da vida. Vamos ver. Ah. Salada de repolho marinado e cerveja mexicana."

Dizia tudo aquilo enquanto destampava duas garrafas de Dos Esquis. O ex-marido de Jennifer Deighton devia ter quase oitenta anos, e seu rosto arruinado pelo sol parecia lama dura, mas os olhos azuis eram vitais como os de um jovem. Sorria muito enquanto falava e era seco como um bacalhau. Seu cabelo era como a superfície de uma bola de tênis branca.

"Como o senhor veio morar aqui?", perguntei, vendo os peixes empalhados que decoravam as paredes e a mobília rustíca.

"Faz uns dois anos, decidi me aposentar e pescar, de modo que fiz uma proposta ao Concha Rosa: eu tomaria conta da loja de iscas se eles me cedessem um bangalô por um aluguel razoável."

"Qual era sua profissão antes de se aposentar?"

"A mesma de agora." Sorriu. "Pratico medicina holística, e na verdade você nunca se aposenta disso, como não se aposenta da Igreja. A diferença é que agora trabalho com gente com quem quero trabalhar, e não tenho mais consultório no centro."

"E qual é sua definição de medicina holística?"

"Simplesmente trato a pessoa inteira. A questão é equilibrar as pessoas." Olhou-me com jeito de quem estava me avaliando, pousou a cerveja e encaminhou-se para a cadeira de capitão onde eu estava sentada.

"A senhora se incomoda de levantar?"

Meu estado de espírito estava amistoso.

"Agora estenda um braço. Qualquer um, mas mantenha-o reto, paralelo ao chão. Ótimo. Agora vou lhe fazer uma pergunta e, enquanto a senhora responde, vou tentar puxar seu braço para baixo e a senhora vai resistir. A senhora se considera a heroína da família?"

"Não." Meu braço cedeu imediatamente à pressão e baixou como uma ponte levadiça.

"A senhora se considera a heroína da família, sim. Acaba de revelar-me que é muito rigorosa consigo mesma e que sempre foi assim. Está bem. Agora vamos pôr seu braço para cima de novo e vou lhe fazer outra pergunta. A senhora é boa no que faz?"

"Sou."

"Estou puxando para baixo com toda a força e seu braço está como ferro. Então a senhora é boa no que faz."

Voltou para o divã e eu tornei a sentar-me.

"Tenho que confessar que meus estudos de medicina holística fizeram de mim uma pessoa um tanto cética", disse eu com um sorriso.

"Pois não deveriam, pois os princípios não são diferentes daqueles com que a senhora lida todo dia. A base? O corpo não mente. Não importa o que a senhora diga; seu nível de energia responde ao que de fato é verdade. Se sua cabeça diz que não é a heroína da família ou que você se ama quando não é assim que a senhora se percebe, sua energia fica fraca. Está fazendo sentido?"

"Está."

"Uma das razões pelas quais Jenny vinha aqui uma ou duas vezes por ano era para eu poder equilibrá-la. E, quando esteve aqui pela última vez, por volta do dia de Ação de Graças, estava tão fora de prumo que eu tive de trabalhar com ela várias horas por dia."

"Ela disse ao senhor o que estava errado?"

"Muitas coisas estavam erradas. Ela havia se mudado e não gostava dos vizinhos, principalmente dos do outro lado da rua."

"Os Clary."

"Acho que o nome era esse. A mulher era bisbilhoteira e o marido era metido a conquistador, até ter um derrame. Depois, ela não agüentava mais de tanto horóscopo e estava ficando cansada."

"Qual era sua opinião sobre aquele negócio dela?"

"Jenny tinha dons, mas estava se dispersando muito."

"O senhor diria que ela era médium?"

"Não. Eu não classificaria Jenny — não ia nem tentar. Ela se metia em muita coisa."

De repente lembrei-me da folha de papel em branco presa na cama pelo cristal e perguntei a Travers se ele sabia o que aquilo significava, se significava algo.

"Queria dizer que ela estava se concentrando."

"Concentrando? Em quê?"

"Quando queria meditar, Jenny apanhava uma folha de papel em branco e punha um cristal em cima. Aí se sentava muito quieta e lentamente girava o cristal várias vezes, olhando mover-se no papel a luz que passava através das faces. Isso para ela era como, para mim, olhar a água."

"Alguma outra coisa a preocupava quando ela veio visitar o senhor, sr. Travers?"

"Vamos deixar de lado toda essa formalidade: me chame de Willie. Sim, e você já sabe o que vou lhe dizer. Estava transtornada por causa daquele condenado que ia ser executado, o Ronnie Waddell. Jenny e Ronnie tinham se correspondido durante muitos anos, e ela não conseguia aceitar a idéia de que ele ia ser executado."

"Você sabe se alguma vez Waddell revelou a ela alguma coisa que pudesse tê-la posto em perigo?"

"Bom, ele deu a ela uma coisa perigosa."

Sem tirar os olhos dele, peguei minha cerveja.

"Quando veio até aqui no dia de Ação de Graças, ela trouxe todas as cartas que ele lhe escrevera e tudo o mais que ele lhe mandara durante todos aqueles anos. Queria que eu guardasse tudo aqui."

"Por quê?"

"Porque aqui estaria seguro."

"Ela estava com medo de que alguém tentasse tirar essas coisas dela?"

"Só sei que estava vendo fantasmas. Disse-me que na última semana de novembro Waddell tinha telefonado para ela a cobrar dizendo que já estava pronto para morrer e que não queria mais lutar. Parecia convencido de que nada poderia salvá-lo e pediu-lhe que fosse a uma granja em Suffolk e apanhasse os pertences dele com a mãe. Disse que queria que Jenny ficasse com as coisas, e que não se preocupasse, que a mãe dele ia entender."

"Que pertences eram esses?"

Ele se levantou. "Era uma coisa só. Não estou muito seguro quanto ao significado — e nem sei se quero estar seguro. De modo que vou entregá-lo para você, dra. Scarpetta. Leve de volta para a Virgínia. Mostre à polícia. Faça o que bem entender."

"Por que de repente você está cooperando? Por que não fez isso semanas atrás?"

"Ninguém se deu ao trabalho de vir me ver. Eu lhe disse, quando você telefonou, que não trato com pessoas pelo telefone", disse ele em voz alta, de um outro cômodo.

Quando voltou, depositou a meus pés uma pasta Hartmann preta. O fecho de cobre fora aberto e o couro estava riscado.

"O fato é que a senhora vai estar me fazendo um grande favor ao tirar isso de minha vida. Só de pensar nisso minha energia fica ruim", disse Willie Travers, e não havia dúvida de que era sincero.

As dezenas de cartas que Ronnie Waddell escrevera a Jennifer Deighton enquanto estivera no corredor da morte estavam cuidadosamente enfeixadas por elásticos e arrumadas cronologicamente. Naquela noite, li em meu quarto apenas algumas delas, porque sua importância desaparecia diante da de outros itens que encontrei.

Na pasta havia blocos cheios de notas manuscritas que faziam pouco sentido, pois se referiam a casos em que o Estado estava envolvido havia mais de dez anos. Também encontrei penas e lápis, um mapa da Virgínia, uma lata de pastilhas Sucrets para a garganta, um vidro de Vick e um bastão de ChapStick. Havia, ainda em sua caixa amarela, uma EpiPen, seringa de três miligramas de epinefrina auto-injetável, coisa rotineiramente mantida por pessoas letalmente alérgicas a picadas de abelhas ou a certos alimentos. Na etiqueta estavam datilografados o nome do paciente, a data e a informação de que a EpiPen fazia parte de uma série de cinco doses. Dava para perceber que Waddell roubara a pasta da casa de Robyn Naismith na manhã fatal em que a assassinara. Talvez ele não soubesse a quem ela pertencia até levá-la embora e arrombar o cadeado. Waddell descobrira que havia brutalizado uma celebridade local cujo amante, Joe Norring, era o secretário da Justiça da Virgínia.

"Waddell não tinha saída", disse eu. "Não que necessariamente merecesse o indulto, considerando-se a gravidade do crime. Mas, desde o momento que ele fora preso, Norring se transformara num homem atormentado. Sabia que havia deixado a pasta na casa de Robyn e sabia que a polícia não a encontrara."

Não estava claro por que ele deixara a pasta na casa de Robyn. Talvez ele a tivesse simplesmente esquecido uma noite que nenhum dos dois sabia que seria a última noite dela.

"Não posso nem começar a imaginar a reação do Norring quando souber", disse eu.

Wesley me espiou por cima dos óculos enquanto continuava examinando os papéis. "Acho que não podemos imaginar. Já era chato ele ter de se preocupar com todo mundo saber que ele tinha uma amante, mas sua ligação com Robyn iria transformá-lo imediatamente no principal suspeito do assassinato."

"De certo modo ele teve uma puta sorte de Waddell levar a pasta", disse Marino.

"Tenho certeza de que, na cabeça dele, ele estava azarado de qualquer jeito", disse eu. "Se a pasta tivesse aparecido no local, estava encrencado. Se fosse roubada, como foi, tinha de se preocupar com o possível aparecimento dela em algum lugar."

Marino pegou a cafeteira e tornou a encher as xícaras de todos. "Alguém deve ter feito alguma coisa para garantir o silêncio de Waddell."

Wesley serviu-se de leite. "Pode ser. Mas também pode ser que Waddell não tenha aberto a boca nunca. Meu palpite é que desde o começo ele teve medo de que o negócio com que tinha topado só ia tornar as coisas piores para ele. A pasta podia ser usada como uma arma, mas ia destruir quem? Norring ou Waddell? Waddell ia ter confiança no sistema a ponto de difamar o secretário da Justiça? Anos mais tarde, ia ter confiança no sistema a ponto de difamar o governador — o único homem que podia poupar a vida dele?"

"Então Waddell ficou calado, sabendo que a mãe ia guardar o que ele escondera na granja até ele lhe dizer para entregar a alguém", disse eu.

"Norring teve dez anos para encontrar a pasta. Por que demorou tanto para começar a procurar?", disse Marino.

"Acho que Norring mandou espionar Waddell desde o princípio, e que essa vigilância aumentou consideravelmente nos últimos meses. Quanto mais perto Waddell chegava da execução, menos tinha a perder e mais provavelmente ia começar a falar. É possível que alguém tivesse grampeado o telefone dele quando ele telefonou para Jennifer Deighton em novembro. E é possível que, quando soube, Norring tenha entrado em pânico."

"E tinha razões para isso. Eu pessoalmente revistei todos os objetos de Waddell quando estávamos trabalhando no caso. O cara não tinha quase nada, e, se alguma coisa estava na granja, nunca encontramos", disse Marino.

"E Norring devia saber disso", disse eu.

"Porra, claro. E mais tarde ele fica desconfiado de que tem alguma coisa estranha na entrega desses *pertences* da granja a essa amiga de Waddell. Norring começa de novo a ter pesadelos com a merda da pasta e, para piorar as coisas, não pode fazer ninguém dar uma batida na casa da Jennifer Deighton enquanto o Waddell ainda estiver vivo. Se acontecesse alguma coisa com ela, sabe-se lá o que Waddell poderia fazer. E a pior possibilidade era ele começar a alcagüetar para o Grueman", disse Marino.

"Benton, você saberia por acaso por que Norring andava com epinefrina? Ele é alérgico a quê?", disse eu.

"Acho que a mariscos. Parece que ele tem EpiPens por todo lado."

Enquanto eles continuavam a conversar, verifiquei a lasanha no forno e abri uma garrafa de Kendall-Jackson. O processo contra Norring ia tomar muitíssimo tempo, caso se conseguisse provar alguma coisa, e pareci entender, em certa medida, como Waddell devia ter se sentido.

Já eram onze horas da noite quando telefonei para Nicholas Grueman em sua casa. "Não tenho chance na Virgínia. Enquanto estiver no cargo, Norring vai tomar providências para que eu não tenha cargo nenhum. Tiraram minha vida, droga, mas a alma eu não entrego. Vou invocar a 5ª emenda todas as vezes", disse eu.

"Aí a senhora sem dúvida vai ser denunciada."

"Considerando-se os canalhas com quem estou lidando, acho que isso vai acontecer de todo jeito."

"O que é isso, dra. Scarpetta? A senhora se esqueceu do canalha que a representa? Não sei onde a senhora passou o fim de semana, mas eu passei em Londres."

Senti o sangue fugir-me do rosto.

"Não posso garantir que consigamos fazer Patterson engolir essa, mas vou mover céus e terra para fazer Charlie Hale depor", disse o homem que eu costumava pensar que odiava.

14

O dia 20 de janeiro foi ventoso como um dia de março, porém mais frio, e o sol me ofuscava enquanto eu avançava para leste pela rua Larga, rumo ao foro John Marshall.

"Agora vou lhe falar uma coisa que você já sabe", disse Nicholas Grueman. "A imprensa vai estar revolvendo a água como um bando de piranhas frenéticas. Quem voar baixo demais perde as pernas. Vamos entrar um ao lado do outro, de olhos baixos, e não se vire nem olhe para ninguém, digam o que disserem."

"Não vamos encontrar vaga para estacionar. Eu sabia que isso ia acontecer", falei, virando à esquerda na rua 9.

"Vá devagar. Aquela boa mulher ali do lado está fazendo alguma coisa. Maravilhoso. Se conseguir virar as rodas, vai sair."

Uma buzina soou atrás de mim.

Olhei o relógio e me voltei para Grueman como um atleta que espera instruções de última hora do treinador. Ele estava com um casacão azul-marinho de cashmere e luvas de couro pretas, a bengala de castão de prata encostada no assento e, no colo, a pasta cansada de guerra.

"Lembre-se do seguinte. Seu amigo, dr. Patterson, decide quem entra e quem não entra, de modo que dependemos da intervenção dos jurados, e isso é com você. Você tem de se comunicar com eles, Kay. No momento em que entrar na sala, tem de ficar amiga de dez ou doze estranhos. Não se esconda atrás de nenhuma muralha, seja o que for que eles queiram conversar com você. Seja acessível."

"Está bem."

"Vamos botar para quebrar. Combinado?"

"Combinado."

"Boa sorte, doutora." Sorriu e bateu-me no braço.

Dentro do foro, fomos detidos por um policial com um detector. Ele verificou minha agenda e a pasta, como fizera cem vezes anteriormente, sempre que eu prestara depoimento como perita. Daquela vez, contudo, não disse nada e evitou meus olhos. A bengala de Grueman fez disparar o aparelho, e ele foi um exemplo de paciência e cortesia quando explicou que o castão e a biqueira de prata não saíam, e que na verdade não havia nada escondido na haste de madeira escura.

"O que ele pensa que tenho aqui, uma arma de ar comprimido?", observou, enquanto entrávamos no elevador.

Assim que as portas se abriram no terceiro andar, os repórteres avançaram com o vigor predatório esperado. Para um homem com gota, meu advogado moveu-se rapidamente, pontuando os próprios passos com batidas da bengala. Senti-me inesperadamente distante e fora de foco até entrarmos na sala de audiências deserta, onde Benton Wesley estava sentado a um canto com um rapaz franzino que eu sabia ser Charlie Hale. O lado direito de seu rosto era um mapa rodoviário de marcas rosadas. Quando ele se levantou e enfiou compenetrado a mão direita no bolso do paletó, vi que lhe faltavam vários dedos. Usando um terno escuro que lhe caía mal e uma gravata também escura, ele olhou em torno enquanto eu me ocupava com os aspectos mecânicos das providências de sentar-me e explorar minha pasta. Eu não podia falar com ele e os três homens tiveram a presença de espírito de fingir não reparar em minha perturbação.

"Vamos falar um minuto sobre o que eles têm. Acho que podemos estar preparados para os depoimentos do Jason Story e do policial Lucero. E, claro, do Marino. Não sei quem mais o Patterson vai incluir nesse processo da Santa Inquisição", disse Grueman.

"Para seu governo, falei com o Patterson. Disse a ele que não há indícios suficientes para que ocorra um julgamento e que vou depor nesse sentido", disse Wesley, olhando para mim.

"Estamos supondo que não vai haver processo", disse Grueman, "e quando chegar sua vez de entrar quero que deixe claro para os jurados que falou com Patterson, que disse a ele que não havia indícios suficientes para um julgamento, mas que ele insistiu em ir em frente. Toda vez que ele fizer uma pergunta e que você responder, relativa a alguma questão que já tenha discutido com ele em particular, quero que diga: 'Como eu lhe disse em seu escritório', ou 'Como afirmei claramente quando conversamos em tal ocasião assim, assim' etc. etc. É importante que os jurados saibam que você não é só um agente especial do FBI, como também chefe da Seção de Ciências do Comportamento, cuja competência é analisar os crimes violentos e levantar perfis psicológicos dos delinqüentes. Você pode ter vontade de declarar que a dra. Scarpetta não corresponde de forma nenhuma ao perfil do autor do crime em questão, e que você, na verdade, acha a idéia absurda. É importante também que você enfie na cabeça dos jurados que você era o conselheiro e o melhor amigo do Mark James. Tome a iniciativa em tudo o que puder, porque pode ter certeza de que o Patterson não vai perguntar. Deixe claro para os jurados que Charlie Hale *está aqui*."

"E se eles não me intimarem?", perguntou Charlie Hale.

"Aí estamos de mãos atadas. Como já expliquei quando do conversamos em Londres, este é o espetáculo da acusação. A dra. Scarpetta não tem direito de apresentar nenhuma prova, de modo que temos de esperar que pelo menos um dos jurados nos convide a entrar pela porta dos fundos."

"Essa é braba", disse Hale.

"Você trouxe a cópia da guia de depósito e dos pagamentos que fez?"

"Sim, senhor."

"Muito bem. Não espere ser interrogado. Quando estiver falando, ponha tudo em cima da mesa. E a situação de sua mulher continua a mesma desde que falamos?"

"Continua. Como lhe contei, ela fez duas fertilizações *in vitro*. Até agora tudo bem."

"Lembre-se de falar nisso se puder."

Vários minutos mais tarde fui chamada à sala do júri. Grueman levantou-se comigo. "Claro. Ele quer você primeiro. Depois chama os seus detratores para deixar um gosto ruim na boca dos jurados." Foi até a porta comigo. "Quando você precisar, estou aqui."

Cumprimentando com a cabeça, entrei e sentei-me na cadeira vazia à cabeceira da mesa. Patterson estava fora da sala, e eu sabia que esse era um de seus truques. Queria que eu sofresse o exame silencioso daqueles dez estranhos que tinham minha felicidade em suas mãos. Olhei direto para todos e até mesmo troquei sorrisos com alguns. Uma moça séria de batom vermelho brilhante decidiu não esperar pelo promotor público.

"O que levou a senhora a tratar com os mortos e não com os vivos? Parece uma escolha estranha para um médico."

"Foi minha preocupação intensa com os vivos que me fez estudar os mortos. O que aprendemos com os mortos beneficia os vivos, e a justiça é para os que ficam."

"Isso não lhe faz mal?", inquiriu um velho de mãos grandes e ásperas. A expressão de seu rosto era tão sincera que ele parecia estar sentindo dor.

"Claro que sim."

"Quantos anos a senhora teve de ir à faculdade depois de se formar no colégio?", perguntou uma preta grandona.

"Dezessete anos, se a senhora incluir o tempo que passei como interna e o ano em que fui assistente."

"Nossa."

"Onde a senhora foi?"

"Onde estudei?", disse ao rapaz magro de óculos.

"Sim, senhora."

"São Miguel, Academia de Nossa Senhora de Lourdes, Cornell, Johns Hopkins, Georgetown."

"Seu pai era médico?"

"Meu pai tinha uma pequena mercearia em Miami."

"Puxa, eu ia detestar ter de pagar esses estudos todos."

Vários jurados riram baixinho.

"Tive a sorte de ganhar bolsas de estudo. Desde o secundário."

"Tenho um tio que trabalha na Funerária Crepúsculo, em Norfolk", disse outra pessoa.

"Ô, Barry. Não tem nenhuma funerária com esse nome."

"Não estou brincando, não."

"Isso não é nada. Tem uma em Fayetteville que é da família Durão. Adivinha o nome."

"Não sei."

"A senhora não é daqui?"

"Nasci em Miami."

"Então o nome Scarpetta é espanhol?"

"Na verdade é italiano."

"Interessante. Pensei que todos os italianos fossem morenos."

"Meus antepassados eram de Verona, no Norte da Itália, onde grande parte da população tem sangue saboiano, austríaco e suíço. Muitos de nós somos louros de olhos azuis", expliquei pacientemente.

"A senhora deve ser boa cozinheira."

"É um dos meus passatempos favoritos."

"Dra. Scarpetta, sua posição não está clara para mim. A senhora é a médica-legista chefe de Richmond?", disse um homem bem-vestido e que parecia ter aproximadamente minha idade.

"Do Estado. Temos quatro escritórios distritais. O Escritório Central, aqui em Richmond, o do litoral, em Norfolk, o do Oeste, em Roanoke, e o do Norte, em Alexandria."

"Quer dizer que o chefe por acaso fica aqui em Richmond?"

"É. Parece fazer mais sentido, porque o sistema de medicina legal é parte do governo do estado e Richmond é onde a Assembléia se reúne", respondi, vendo a porta abrir-se e Roy Patterson entrar.

Era um belo negro de ombros largos com o cabelo cortado rente, e que ia se tornando grisalho. Usava um jaquetão azul, e suas iniciais estavam bordadas nos punhos da camisa amarelo-clara. Era conhecido pelas gravatas, e aquela parecia pintada à mão. Cumprimentou os jurados e foi morno em relação a mim.

Descobri que a mulher que usava batom brilhante era a presidente. Ela pigarreou e me informou que eu não tinha de depor e que tudo o que dissesse poderia ser usado contra mim.

"Entendo", disse, e prestei o juramento.

Patterson andava em torno de minha cadeira, deu um mínimo de informações sobre quem eu era e falou muito a respeito do poder de meu cargo e da facilidade com que era possível abusar daquele poder.

"E quem estaria lá para testemunhar? Em muitas ocasiões não havia ninguém para observar a dra. Scarpetta no trabalho, exceto a pessoa que estava ao lado dela praticamente todos os dias, Susan Story. Senhores e senhoras, não será possível ouvirmos o depoimento dela porque ela e a filha que estava esperando estão mortas. Mas os senhores vão ouvir outras testemunhas hoje. E elas vão pintar o retrato de uma mulher fria e ambiciosa, de uma carreirista que estava cometendo erros graves em serviço. Primeiro, pagou pelo silêncio de Susan Story. Depois a matou.

"E, quando os senhores ouvem histórias de *crime perfeito*, haveria alguém mais capacitado para cometê-los do que uma perita na solução de crimes? Uma perita saberia que, se você quer atirar em alguém dentro de um veículo, convém que escolha uma arma de pequeno calibre para que as balas não ricocheteiem. Uma perita não deixaria no local elementos de prova, nem mesmo cápsulas usadas.

Uma perita não usaria seu próprio revólver — arma ou armas que os amigos e colegas sabem que ela possui. Usaria algo que não pudesse ser ligado a ela.

"Aliás, poderia até *tomar emprestado* um revólver do laboratório, porque, senhoras e senhores, todo ano a Justiça confisca rotineiramente centenas de armas usadas na prática de crimes, e muitas delas são doadas ao laboratório estadual de armas de fogo. Pelo que sabemos, o revólver calibre 22 que foi encostado atrás do crânio de Susan está, neste momento, pendurado num quadro no laboratório de armas de fogo, ou no térreo, onde os peritos fazem suas experiências e onde a dra. Scarpetta pratica tiro rotineiramente. E por sinal ela é boa o bastante para ser aceita por qualquer departamento de polícia dos Estados Unidos. E já matou, embora, para falar a verdade, sua ação tenha sido considerada legítima defesa no caso a que estou me referindo."

Eu fitava minhas mãos cruzadas sobre a mesa enquanto a escrevente utilizava suas teclas silenciosamente e Patterson prosseguia. Sua retórica era sempre eloqüente, embora em geral ele não soubesse quando parar. Quando ele me pediu que explicasse as impressões digitais colhidas no envelope deixado sobre a cômoda de Susan, fez um carnaval tão grande para dizer que minha explicação era inacreditável que suspeito que a reação de alguns terá sido perguntar-se por que o que eu dissera *não podia* ser verdade. Então chegou ao dinheiro.

"Não é verdade, dra. Scarpetta, que em 12 de novembro a senhora apareceu na agência central do Banco Signet e fez um cheque no valor de dez mil dólares?"

"É verdade."

Patterson hesitou por um instante, visivelmente surpreendido. Esperava que eu invocasse a 5ª emenda.

"E é verdade que naquela ocasião a senhora não depositou o dinheiro em nenhuma de suas diversas contas?"

"Também é verdade."

"Quer dizer que, várias semanas antes de a superintendente de seu necrotério inexplicavelmente depositar três mil e quinhentos dólares na conta corrente dela, a senhora saiu do Banco Signet carregando dez mil dólares em moeda?"

"Não, senhor. Nos meus registros financeiros o senhor deve ter encontrado a cópia de um cheque no valor de sete mil e trezentas e dezoito libras esterlinas. Tenho a cópia aqui." Tirei a cópia da pasta.

Patterson mal a olhou e pediu à escrevente que a juntasse aos autos como prova.

"Bom, isso é muito interessante. A senhora comprou um cheque emitido em favor de alguém chamado Charles Hale. Isso era algum esquema criativo seu para disfarçar pagamentos que a senhora estava fazendo à superintendente de seu necrotério ou talvez a outras pessoas? Esse indivíduo chamado Charles Hale não fazia o contrário, convertendo as libras outra vez em dólares e mandando o dinheiro para outro lugar — quem sabe para Susan Story?"

"Não. E nunca entreguei o cheque a Charles Hale."

"Não entregou?" Ele parecia confuso. "Então o que a senhora fez com ele?"

"Dei-o a Benton Wesley e ele tomou as providências para que o cheque fosse entregue a Charles Hale. Benton Wesley..."

Ele me interrompeu. "A história está ficando cada vez mais inverossímil."

"Dr. Patterson..."

"Quem é Charles Hale?"

"Queria terminar a minha declaração anterior", disse eu.

"Quem é Charles Hale?"

"Gostaria de ouvir o que ela está tentando dizer", disse um homem com um blazer escocês.

"À vontade", disse Patterson com um sorriso frio.

"Dei o cheque a Benton Wesley. Ele é um agente especial do FBI, responsável pela análise de suspeitos na Seção de Ciências do Comportamento em Quantico."

Uma mulher levantou timidamente a mão.

"Foi dele que os jornais falaram? O que chamam quando há esses crimes medonhos como os de Gainesville?"

"Esse mesmo. É um colega meu. Era também o melhor amigo de um amigo meu, Mark James, que também era agente especial do FBI."

"Dra. Scarpetta, vamos esclarecer esse ponto. Mark James era mais que um, abre aspas, '*amigo*' seu", disse Patterson com impaciência.

"O senhor está me fazendo uma pergunta, dr. Patterson?"

"Exceto pelo óbvio conflito de interesses que existe quando uma médica-legista chefe vai para a cama com um agente do FBI, o assunto é irrelevante. Eu não vou perguntar..."

Interrompi-o. "Meu relacionamento com Mark James principiou na faculdade de direito. Não havia conflito de interesses, e quero deixar registrado que impugno a referência do procurador de Justiça do estado à pessoa com quem eu supostamente ia para a cama."

A escrevente anotou.

Minhas mãos estavam cruzadas com tanta força que os nós dos dedos estavam brancos.

Patterson tornou a perguntar: "Quem é Charles Hale e por que a senhora lhe daria o equivalente a dez mil dólares?".

Cicatrizes rosadas cortaram-me o pensamento, e vi dois dedos ligados a um cotoco reluzente de tecido cicatrizado.

"Ele era um vendedor de bilhetes na estação Victoria, em Londres."

"Era?"

"Era segunda-feira, 18 de fevereiro, quando a bomba explodiu."

Ninguém me contara. Eu passara o dia ouvindo informações sobre a bomba nos noticiários, mas fiquei sabendo quando o telefone tocou, no dia 19 de fevereiro às duas e quarenta e um da manhã. Eram seis e quarenta e um em

Londres e Mark estava morto havia quase um dia. Enquanto Benton Wesley tentava explicar, eu estava tão atordoada que nada daquilo fazia sentido.

"Isso foi ontem, li sobre isso ontem. Jogaram outra bomba?"

"A explosão foi ontem de manhã na hora do rush. Mas só agora fiquei sabendo do Mark. O adido jurídico dos Estados Unidos em Londres notificou-me agora."

"Você tem certeza? Certeza absoluta?"

"*Meu Deus, lamento, Kay.*"

"Identificaram o Mark? Eles têm certeza?"

"Identificaram. Têm certeza."

"Você não tem nenhuma dúvida. Quer dizer..."

"Kay. Estou em casa. Em uma hora posso estar aí."

"Não, não."

Tremia inteira mas não conseguia chorar. Perambulei pela casa, gemendo baixo e torcendo as mãos.

"Mas, dra. Scarpetta, a senhora não conhecia esse Charles Hale antes de ele ser ferido pela bomba. Por que iria dar-lhe dez mil dólares?" Patterson dava pancadinhas na testa com um lenço.

"Ele e a mulher queriam ter filhos e não podiam."

"E como a senhora soube de pormenores tão íntimos acerca de dois estranhos?"

"Benton Wesley me contou, e quando soube recomendei Bourne Hall, a principal instituição de pesquisa para fertilização *in vitro*. A FIV não é coberta pelo seguro de saúde estatal."

"Mas a senhora disse que a explosão foi em fevereiro. A remessa bancária foi feita só em novembro."

"Eu só fiquei sabendo do problema dos Hale no último outono, quando o FBI mandou umas fotografias para que o sr. Hale reconhecesse e ficou de algum modo a par das dificuldades dele. Havia muito tempo eu dissera a Benton que me informasse se houvesse alguma coisa que eu pudesse fazer pelo sr. Hale."

"A senhora assumiu o financiamento da fertilização *in vitro* de estranhos?" Pelo tom de Patterson, parecia que eu havia dito que acreditava em gnomos.

"Foi."

"A senhora é uma *santa*, dra. Scarpetta?"

"Não."

"Então por favor explique seus motivos."

"Charles Hale tentou ajudar Mark."

Patterson patinava no mesmo lugar. "Tentou ajudá-lo? Tentou ajudá-lo a comprar um bilhete ou a pegar um trem ou a encontrar o banheiro dos homens? O que a senhora quer dizer exatamente?"

"Mark ficou algum tempo inconsciente, e Charles Hale estava gravemente ferido no chão, ao lado dele. Tentou tirar os escombros de cima dele. Falou com ele, tirou o paletó e enrolou em torno... Uh, tentou deter a hemorragia. Fez tudo o que pôde. Nada o teria salvado, mas ele não ficou sozinho. Sou tão grata por isso. Agora vai haver uma nova vida no mundo, e estou feliz por ter podido fazer alguma coisa em troca. É um conforto. Isso, pelo menos, tem algum sentido. Não. Não sou santa. A necessidade era minha também. Quando ajudei os Hale estava me ajudando."

A sala estava tão silenciosa que parecia vazia.

A mulher de batom vermelho vivo inclinou-se um pouco para a frente para atrair a atenção de Patterson. "Imagino que Charlie Hale esteja lá na Inglaterra. Mas será que poderíamos chamar Benton Wesley?"

"Não é preciso chamar nenhum deles. Os dois estão aqui", respondi.

Eu não estava lá para ver quando a presidente informou Patterson de que o grande júri especial decidira não oferecer denúncia. Também não estava quando comunicaram isso a Grueman. Assim que acabei de depor, eu saí freneticamente à procura de Marino.

"Vi quando ele saiu do banheiro uma meia hora atrás", disse um policial uniformizado que encontrei fumando um cigarro perto de um bebedouro.

"Será que você pode tentar encontrá-lo pelo rádio?"

Dando de ombros, ele soltou o rádio do cinto e pediu à operadora para chamar Marino. Marino não respondia.

Desci as escadas e saí, andando depressa. Quando cheguei ao automóvel, tranquei as portas e liguei o motor. Peguei o telefone e tentei falar com a chefatura de polícia, que ficava em frente ao foro. Enquanto um detetive de plantão me informava que Marino não estava, percorri o estacionamento dos fundos procurando o Ford LTD branco de Marino. Não estava lá. Estacionei numa vaga reservada que estava vazia e telefonei para Neils Vander.

"Você está lembrado do assalto na Franklin — das impressões digitais que você examinou outro dia e que correspondiam às do Waddell?", perguntei.

"O assalto em que o colete de pato-do-norte foi roubado?"

"Esse mesmo."

"Sei."

"O cartão com as digitais da vítima foi entregue para verificação nos arquivos?"

"Não, esse eu não recebi. Só as impressões latentes recolhidas no local."

"Obrigada, Neils."

Em seguida liguei para a operadora.

"Você pode me dizer se o tenente Marino já está na rede?"

"Já está na rede", respondeu ela depois de algum tempo.

"Escute, veja se consegue entrar em contato com ele e saber onde ele está. Diga a ele que é a dra. Scarpetta e que é urgente."

Um minuto mais tarde, talvez, a voz da operadora voltou à linha: "Está nas bombas do município".

As bombas de gasolina usadas pela polícia da cidade ficavam num árido quadrilátero de asfalto rodeado por uma cerca de arame. O próprio motorista devia se servir. Não havia frentista, banheiro ou máquinas de moedas, e o único jeito de limpar o pára-brisa era com limpa-vidros e toalhas de papel trazidos de casa. Quando parei ao lado de Marino, ele estava enfiando o cartão de gasolina na bolsa lateral, onde sempre o guardava. Ao ver-me, saiu do carro e deu a volta até minha janela. Ele não conseguia esconder um sorriso.

"Ouvi agora a notícia pelo rádio. Cadê o Grueman? Quero apertar a mão dele."

"Deixei-o no foro com o Wesley. O que aconteceu?" De repente, eu estava me sentindo leve.

"Você não está sabendo?", perguntou ele, incrédulo. "Porra, doutora. Largaram você, só isso. Que eu me lembre, só uma ou duas vezes em minha carreira um grande júri especial decidiu não denunciar."

Respirei fundo e balancei a cabeça.

"Acho que devia estar dançando a giga. Mas não estou com vontade."

"Acho que eu também não dançaria."

"Marino, como era o nome daquele homem que reclamou que seu colete de pato-do-norte tinha sido roubado?"

"Sullivan. Hilton Sullivan. Por quê?"

"Durante meu depoimento, o Patterson fez a afrontosa acusação de que eu poderia ter usado um revólver do laboratório de armas de fogo para atirar na Susan. Em outras palavras, há sempre um risco envolvido no uso de uma arma própria, pois, se houver verificação e ficar provado que foi ela que disparou, vai ser preciso explicar muita coisa."

"O que isso tem a ver com o Sullivan?"

"Quando ele se mudou para aquele apartamento?"

"Não sei."

"Se eu fosse matar alguém com meu Ruger, seria bem esperta se comunicasse seu roubo à polícia antes de cometer qualquer crime. Aí, se, por alguma razão, a arma for recolhida pela polícia — se, por exemplo, a situação esquentar e eu resolver jogá-la fora —, os tiras podem me descobrir pelo número de série, mas com a queixa do roubo já registrada posso provar que a arma não estava em meu poder no momento do crime."

"Você está sugerindo que Sullivan falsificou a queixa? Que encenou o assalto?"

"Estou sugerindo que você pense nisso. É muito estranho ele não ter alarme contra roubo e deixar a janela destrancada. É muito estranho ele ter sido desagradável com os tiras. Tenho certeza de que todos adoraram vê-lo ir embora, que ninguém ia pensar na chateação de colher suas digitais para verificação nos arquivos. Ainda mais que ele estava de branco e reclamando sem parar, dizendo que havia pó por toda parte. O que eu pergunto é: como você sabe que as impressões digitais deixadas no apartamento do Sullivan não eram as do próprio Sullivan? Ele mora lá. As impressões dele devem estar por todo lado."

"No SIDA elas bateram com as do Waddell."

"Claro."

"Se o caso é esse, então por que Sullivan chamaria a polícia quando leu aquela reportagem sobre o pato-do-norte que plantamos no jornal?"

"Como diz o Benton, esse cara adora jogar. Gosta de enganar as pessoas. Patina de lado pela sensação."

"Merda. Me empreste o seu telefone."

Deu a volta para o lado do passageiro e entrou. Discou o auxílio à lista e obteve o número do edifício onde Sullivan morava. Quando o zelador atendeu, Marino perguntou quanto tempo fazia que Sullivan comprara o apartamento.

"Mas então quem é?", perguntou Marino, e escreveu algo num bloquinho. "Qual é o número? Dá para que rua? Está bem. Ele tem carro? Tá, se o senhor tem."

Quando desligou, Marino olhou para mim. "Meu Deus, o gracinha não é dono do apartamento coisa nenhuma. O apartamento é de um empresário, que o aluga. O Sullivan começou a morar lá na porra da primeira semana de

dezembro. Pagou o depósito no dia 6, para ser exato."
Abriu a porta do automóvel, acrescentando: "E dirige um
furgão Chevrolet azul-escuro. Um velho, sem janelas".

Marino foi dirigindo atrás de mim até a chefatura de
polícia. Deixamos meu automóvel em sua vaga. Arranca-
mos pela rua Larga, a caminho da Franklin.

Marino ergueu a voz sobre o barulho do motor: "Espero que o zelador não tenha dito nada a ele".

Diminuiu a velocidade e estacionou em frente a um
edifício de oito andares.

"O apartamento dele é nos fundos, ele não pode nos
ver", explicou, olhando em torno. Meteu a mão embaixo do
assento e apanhou o 9 milímetros que ficaria como reserva
para o 357 do coldre que tinha debaixo do braço. Enfiou a
pistola atrás das calças, pôs um pente extra no bolso e abriu
a porta.

"Se começar a guerra, eu jogo para você meu 357 e
uns carregadores rápidos. Vai ser bom se você for boa de
tiro como o Patterson anda dizendo. Fique atrás de mim o
tempo todo." No alto dos degraus, tocou a campainha da
porta da rua do edifício. "Com certeza ele não vai estar em
casa."

Num momento a fechadura rangeu e a porta se abriu.
Um velho de vastas sobrancelhas grisalhas se identificou
como o zelador do edifício com quem Marino falara antes
ao telefone.

"O senhor sabe se ele está em casa?", perguntou Marino.

"Não faço idéia."

"Vamos subir e verificar."

O zelador apontou para a esquerda.

"Não precisa subir porque é neste andar. Siga esse
corredor e vire no primeiro à esquerda. É um apartamento
de canto, no fim. Número 17."

O edifício tinha um certo luxo, tranqüilo mas cansado,
que lembrava velhos hotéis onde ninguém mais quer ficar
porque os quartos são muito pequenos e a decoração es-

cura demais e meio gasta. Vi pontas de cigarro no espesso carpete vermelho, e os lambris estavam quase pretos. O apartamento de Hilton Sullivan era identificado por um pequeno 17 de latão. Não havia olho mágico, e, quando Marino bateu, ouvimos passos.

"Quem é?", perguntou uma voz.

"Manutenção. Para mudar o filtro do aquecimento", disse Marino.

A porta se abriu, e, no momento em que vi os penetrantes olhos azuis na fresta e em que eles me viram, perdi o fôlego. Hilton Sullivan tentou bater a porta, mas o pé de Marino não deixou.

"Saia para o lado!", gritou Marino para mim, enquanto sacava o revólver e se inclinava o máximo possível para não ficar na frente do vão da porta.

Saí correndo pelo corredor enquanto ele abria a porta com um pontapé e ela batia na parede interna. Com o revólver engatilhado, Marino entrou. Esperei amedrontada por uma luta ou um tiroteio. Passaram-se vários minutos. Depois ouvi Marino dizendo algo no rádio portátil. Reapareceu suando, com o rosto vermelho de raiva.

"Não acredito. Ele pulou pela janela como um coelho e não deixou rastro. Filho da puta. O furgão está parado bem ali no estacionamento. Fugiu a pé para algum lugar. Dei um alerta para as unidades desta área."

Enxugou o rosto na manga, lutando para recuperar o fôlego.

"Achei que ele fosse uma mulher", murmurei.

"Hein?" Marino fitou-me.

"Quando fui visitar a Helen Grimes, ele estava na casa dela. Olhou pela porta uma vez quando estávamos conversando na entrada. Pensei que fosse uma mulher."

"O Sullivan estava na casa da Helen, a Huna?", exclamou Marino.

"Tenho certeza de que estava."

"Meu Deus do céu. Isso não faz nenhum sentido."

346

Mas fez sentido quando começamos a examinar o apartamento de Sullivan. Estava mobiliado elegantemente, com antigüidades e tapetes finos, que Marino disse pertencerem, segundo o zelador, ao proprietário, não a Sullivan. Sons de jazz saíam do quarto, onde encontramos o colete azul acolchoado de Sullivan sobre a cama, ao lado de uma camisa creme de veludo riscado e um par de jeans desbotados e cuidadosamente dobrados. Na cômoda de mogno, estavam um boné verde e um par de óculos escuros, assim como uma camisa azul de uniforme meio dobrada que ainda exibia acima do bolso do peito a plaquinha com o nome de Helen Grimes. Embaixo da camisa havia um envelope grande com fotografias, que Marino examinou enquanto eu olhava em silêncio.

"Puta merda", murmurava Marino a cada minuto.

Em mais de uma dúzia delas, Hilton Sullivan estava nu e atado, e Helen Grimes era a guarda sádica. Uma imagem favorita parecia ser a de Sullivan sentado numa cadeira enquanto ela representava o papel de interrogadora, subjugando-o por trás ou aplicando-lhe outros castigos. Ele era um rapaz louro extraordinariamente bonito, com um corpo magro que me pareceu ser surpreendentemente forte. Ágil certamente ele era. Achamos uma fotografia do corpo ensangüentado de Robyn Naismith apoiado contra a televisão na sala de visitas e outra com ela numa mesa de aço do necrotério. Mas o que me impressionou mais que tudo isso foi o rosto de Sullivan. Era absolutamente despido de expressão, com olhos frios como eu imaginava que seriam quando ele estava matando.

"Talvez dê para entender por que Donahue gostava tanto dele. Alguém estava tirando essas fotografias. A mulher de Donahue me contou que o passatempo dele era a fotografia", disse Marino, guardando as fotografias no envelope.

"Helen Grimes tem de saber quem é realmente Hilton Sullivan", disse eu ouvindo as sirenes.

Marino olhou pela janela. "Bom. Lucero chegou."

Examinei o colete acolchoado que estava sobre a cama e vi uma suave pena branca saindo por uma falha mínima na costura.

Ouvimos mais carros chegando. Portas de automóvel batiam.

"Estamos saindo. Não se esqueçam de apreender o furgão azul", disse Marino quando Lucero chegou. Voltou-se então para mim. "Doutora, você se lembra do caminho para a toca da Helen Grimes?"

"Lembro."

"Vamos falar com ela."

Helen Grimes não tinha muito o que dizer.

Quando chegamos à sua casa, aproximadamente quarenta e cinco minutos depois, encontramos a porta destrancada e entramos. A calefação estava ligada no máximo e em qualquer lugar do mundo eu reconheceria aquele cheiro.

"Santo Deus", disse Marino quando entrou no quarto.

O corpo sem cabeça estava de uniforme e sentado numa cadeira encostada à parede. Só três dias mais tarde o granjeiro do outro lado da estrada encontrou o resto. Não sabia por que alguém deixaria uma bolsa de boliche num de seus pastos. Teria preferido, porém, nunca tê-la aberto.

EPÍLOGO

O jardim dos fundos da casa de minha mãe estava metade na sombra e metade no sol brando, e o hibisco vermelho crescia despoticamente num dos dois lados da porta de tela. O pé de lima próximo à cerca estava coberto de frutas, quando os de praticamente toda a vizinhança estavam nus ou mortos. Era um fato que eu não conseguia entender, pois não sabia que era possível manter a saúde das plantas através de observações críticas. Pensava que era necessário falar-lhes delicadamente.

"Katie?", chamou minha mãe da janela da cozinha. Ouvi a água que tamborilava na pia. Era inútil responder.

Lucy comeu minha rainha com uma torre. "Detesto jogar xadrez com você, entende?", disse eu.

"Então por que você vive me convidando?"

"*Eu* convidando *você*? Você me obriga, e um jogo só nunca é suficiente."

"Isso é porque fico dando deixas para você. Mas você perde sempre."

Estávamos sentadas uma em frente à outra na mesa do pátio. O gelo de nossas limonadas se derretera e minha pele ardia um pouco.

"Katie? Você e Lucy querem sair daqui a pouco e pegar o vinho?", disse minha mãe da janela.

Podia ver-lhe a forma da cabeça e o desenho redondo de seu rosto. Portas de armários foram abertas e fechadas; em seguida ouvimos a campainha aguda do telefone. Era para mim, e minha mãe simplesmente pôs o aparelho sem fio do lado de fora da porta.

"É o Benton. Estou vendo nos jornais que o tempo aí está ótimo. Aqui está chovendo, e estamos com deliciosos sete graus", disse aquela voz conhecida.

"Não me faça sentir saudade."

"Kay, acho que identificamos. Aliás, alguém teve um trabalho danado. Identidades falsas — boas. Pôde ir a uma casa de armas e alugar um apartamento sem ninguém perguntar nada."

"Onde ele arranjava dinheiro?"

"Da família. Com certeza tinha algum guardado. Enfim, depois de olhar todos os registros das prisões e de falar com um monte de gente, me parece que Hilton Sullivan é o nome falso de um homem de trinta e um anos chamado Temple Brooks Gault, de Albany, na Geórgia. O pai tem uma fazenda de nozes e eles têm dinheiro à beça. O Gault de certo modo é típico — interessado em armas de fogo, artes marciais, pornografia violenta. É anti-social etc."

"Em que coisas é atípico?"

"A conduta dele mostra que é completamente imprevisível. Na verdade, Kay, não se ajusta a perfil nenhum. O cara não está no mapa. Se alguma coisa lhe dá na telha, ele faz. É um narcisista e um vaidoso rematado — o cabelo, por exemplo. Ele mesmo clareia. Achamos o descolorante, as tinturas e tudo o mais no apartamento. Tem umas incongruências, bom, estranhíssimas."

"Como por exemplo?"

"Usava aquele furgão velho todo arrebentado que tinha sido de um pintor de paredes. Parece que Gault nunca se preocupou em lavá-lo ou limpá-lo, nem mesmo depois de assassinar Eddie Heath lá dentro. Por sinal, encontramos pistas ótimas, e restos de sangue que correspondem ao tipo do de Eddie. Nisso ele é desorganizado. Só que esse mesmo Gault extirpou as marcas de dentada e trocou as digitais. Ou seja, ele também é organizado pra burro."

"Qual é o prontuário dele, Benton?"

"Uma condenação por homicídio. Dois anos e meio atrás brigou com um homem num bar e chutou a cabeça dele. Isso foi em Abingdon, na Virgínia. Gault, aliás, é faixa preta de caratê."

Eu olhava Lucy preparar o tabuleiro de xadrez.

"Alguma novidade na busca?"

"Não. Mas a todos os envolvidos neste caso vou repetir o que já falei. O cara não tem medo nenhum. É guiado por impulsos e, por isso, é complicado de prever."

"Entendo."

"Trata-se de tomar cuidado o tempo todo."

Pensei que não havia como tomar cuidado com alguém assim.

"Precisamos todos ficar de olhos bem abertos."

"Entendo", repeti.

"Donahue não sabia onde estava se metendo. Ou melhor, Norring não sabia. Embora eu não ache que nosso bom governador tenha escolhido esse tarado. Ele só queria a porra da pasta e com certeza deu ao Donahue o dinheiro necessário e o encarregou de cuidar do assunto. Não vamos conseguir nenhuma pena pesada para o Norring. Ele foi cuidadoso demais, e muita gente já não está aqui para falar." Fez uma pausa, e acrescentou:

"Claro, tem seu advogado e eu."

"O que você quer dizer?"

"Fui bem claro — de um modo sutil, evidentemente — que seria uma puta pena se alguma coisa vazasse sobre a pasta roubada da casa de Robyn Naismith. Grueman também teve uma conversinha com ele e disse que o Norring ficou meio inquieto quando foi mencionado que devia ter sido uma experiência desagradável ir à emergência na noite anterior à morte da Robyn."

Verificando velhos recortes de jornais e falando com contatos em várias salas de emergência da cidade, eu descobrira que, na noite anterior à morte de Robyn, Norring fora tratado na emergência do Hospital das Clínicas de Henrico depois de injetar epinefrina na própria coxa esquerda. Aparentemente sofrera uma reação alérgica violen-

351

ta por causa de uma comida chinesa, cujas embalagens, pelo que me recordava das reportagens dos jornais, tinham sido encontradas no lixo de Robyn Naismith. Minha teoria era que, sem querer, haviam misturado camarão ou algum marisco nos rolinhos-primavera ou em outra coisa que ele e Robyn tinham comido no jantar. Ele tinha começado a ter um choque anafilático, usara uma das EpiPens — talvez alguma que guardasse na casa de Robyn — e depois tinha ido sozinho em seu carro até o hospital. Na aflição, saíra sem a pasta.

"Só quero que Norring fique o mais longe possível de mim", disse eu.

"Bom, parece que ultimamente ele tem tido problemas de saúde e decidiu que era melhor demitir-se e procurar uma coisa menos cansativa no setor privado. Talvez na costa Oeste. Tenho certeza de que ele não vai incomodar você. Ben Stevens também não vai incomodar você. Para começo de conversa, ele — como o Norring — anda ocupadíssimo fugindo do Gault. Vamos ver. Da última vez que ouvi falar no Stevens, ele estava em Detroit. Você sabia?"

"Você o ameaçou também?"

"Kay, eu nunca ameaço ninguém."

"Benton, você é um dos homens mais ameaçadores que já encontrei na vida."

"Isso quer dizer que você não vai trabalhar comigo?"

Lucy estava tamborilando com os dedos na mesa e descansava o queixo na mão.

"Trabalhar com você?"

"Na verdade é por isso que estou ligando, e sei que você vai precisar pensar sobre o assunto. Mas gostaria que você se juntasse aos bons como consultora da Seção de Ciências do Comportamento. Coisa de uns dois dias por mês — em princípio. Claro, vai haver ocasiões em que as coisas vão ficar muito loucas. Você podia rever os dados médicos e jurídicos dos casos para nos assessorar no levantamento dos perfis. Suas interpretações seriam muito

352

úteis. E além disso você com certeza sabe que o dr. Elsevier, que é nosso médico-legista consultor há cinco anos, vai se aposentar em 1º de junho."

Lucy derramou a limonada na grama, levantou-se e começou a se alongar.

"Tenho de pensar, Benton. Em primeiro lugar, minha repartição ainda está um caos. Dê-me um tempo para contratar um novo superintendente para o necrotério e um novo administrador e pôr as coisas nos trilhos novamente. Quando você precisa de uma resposta?"

"Março?"

"Está bem. Lucy está mandando um abraço."

Quando desliguei, Lucy olhava para mim de modo desafiador. "Por que você diz um troço desses quando não é verdade? Não mandei abraço nenhum para ele."

Levantei-me. "Mas você estava louca para mandar. Vi logo."

Minha mãe estava de novo à janela.

"*Katie?* Você tem de entrar. Ficou fora a tarde toda. Lembrou-se de passar o creme?"

Lucy gritou: "Estamos na *sombra*, vovó. Lembra aquele fícus *enorme* que tem aqui?".

"A que horas sua mãe disse que ia voltar?", perguntou minha mãe à neta.

"Assim que ela e o Zé Mané terminarem de transar, eles vêm para cá."

O rosto de minha mãe desapareceu da janela e a água tornou a tamborilar na pia.

"Lucy", sussurrei.

Ela bocejou e foi para a beira do jardim para receber um raio de sol fugitivo. Voltando o rosto para ele, fechou os olhos.

"Você vai aceitar, não é, tia Kay?", perguntou.

"Aceitar o quê?"

"Essa coisa que o Wesley estava lhe pedindo para fazer."

Comecei a pôr as peças de xadrez de volta na caixa.

"Seu silêncio é uma resposta estrondosa. Conheço você. Você vai aceitar", disse minha sobrinha.

"Vamos lá. Vamos pegar o vinho", disse eu.

"Só se eu puder beber um pouco."

"Só se você não for dirigir hoje à noite."

Ela passou o braço pela minha cintura e entramos em casa.

SÉRIE POLICIAL

Réquiem caribenho
Brigitte Aubert

Bellini e a esfinge
Bellini e o demônio
Bellini e os espíritos
Tony Bellotto

Os pecados dos pais
O ladrão que estudava Espinosa
Punhalada no escuro
O ladrão que pintava como Mondrian
Uma longa fila de homens mortos
Bilhete para o cemitério
O ladrão que achava que era Bogart
Quando nosso boteco fecha as portas
O ladrão no armário
Lawrence Block

O destino bate à sua porta
Indenização em dobro
James Cain

Post-mortem
Corpo de delito
Restos mortais
Desumano e degradante
Lavoura de corpos
Cemitério de indigentes
Causa mortis
Contágio criminoso
Foco incial
Alerta negro
A última delegacia
Mosca-varejeira
Vestígio
Patricia D. Cornwell

Edições perigosas
Impressões e provas
A promessa do livreiro
Assinaturas e assassinatos
John Dunning

Máscaras
Passado perfeito
Ventos de Quaresma
Leonardo Padura Fuentes

Tão pura, tão boa
Correntezas
Frances Fyfield

O silêncio da chuva
Achados e perdidos
Vento sudoeste
Uma janela em Copacabana
Perseguido
Berenice procura
Espinosa sem saída
Na multidão
Luiz Alfredo Garcia-Roza

Neutralidade suspeita
A noite do professor
Transferência mortal
Um lugar entre os vivos
O manipulador
Jean-Pierre Gattégno

Continental Op
Maldição em família
Dashiell Hammett

O talentoso Ripley
Ripley subterrâneo
O jogo de Ripley
Ripley debaixo d'água
O garoto que seguiu Ripley

A chave de vidro
Patricia Highsmith

Sala dos Homicídios
Morte no seminário
Uma certa justiça
Pecado original
A torre negra
Morte de um perito
O enigma de Sally
O farol
Mente assassina
P. D. James

Música fúnebre
Morag Joss

Sexta-feira o rabino acordou tarde
Sábado o rabino passou fome
Domingo o rabino ficou em casa
Segunda-feira o rabino viajou
O dia em que o rabino foi embora
Harry Kemelman

Um drink antes da guerra
Apelo às trevas
Sagrado
Gone, baby, gone
Sobre meninos e lobos
Paciente 67
Dança da chuva
Coronado
Dennis Lehane

Morte em terra estrangeira
Morte no Teatro La Fenice
Vestido para morrer
Morte e julgamento
Donna Leon

A tragédia Blackwell
Ross Macdonald

É sempre noite
Léo Malet

Assassinos sem rosto
Os cães de Riga
A leoa branca
O homem que sorria
Henning Mankell

Os mares do Sul
O labirinto grego
O quinteto de Buenos Aires
O homem da minha vida
A Rosa de Alexandria
Milênio
O balneário
Manuel Vázquez Montalbán

O diabo vestia azul
Walter Mosley

Informações sobre a vítima
Vida pregressa
Joaquim Nogueira

Revolução difícil
Preto no branco
No inferno
George Pelecanos

Morte nos búzios
Reginaldo Prandi

Questão de sangue
Ian Rankin

A morte também freqüenta o
Paraíso
Colóquio Mortal
Lev Raphael

O clube filosófico dominical
Amigos, amantes, chocolates
Alexander McCall Smith

Serpente
A confraria do medo
A caixa vermelha
Cozinheiros demais
Milionários demais
Mulheres demais
Ser canalha
Aranhas de ouro
Clientes demais
A voz do morto
Rex Stout

Fuja logo e demore para voltar
O homem do avesso
O homem dos círculos azuis
Fred Vargas

A noiva estava de preto
Casei-me com um morto
A dama fantasma
Janela indiscreta
Cornell Woolrich

1ª EDIÇÃO [1996] 2 reimpressões
2ª EDIÇÃO [2003] 1 reimpressão

ESTA OBRA FOI COMPOSTA PELA HELVÉTICA EDITORIAL EM GARAMOND LIGHT E
IMPRESSA PELA GEOGRÁFICA EM OFSETE SOBRE PAPEL PAPERFECT DA SUZANO
PAPEL E CELULOSE PARA A EDITORA SCHWARCZ EM MARÇO DE 2009